Jean-Baptiste Gagnepetit:
les travailleurs montréalais à la fin
du XIXe siècle
de Jean de Bonville
est le onzième ouvrage
publié dans la collection
connaissance des pays québécois
des Éditions de l'Aurore

JEAN-BAPTISTE GAGNEPETIT: LES TRAVAILLEURS MONTRÉALAIS A LA FIN DU XIXe SIÈCLE

Jean DE BONVILLE
Préface de Pierre VADEBONCOEUR

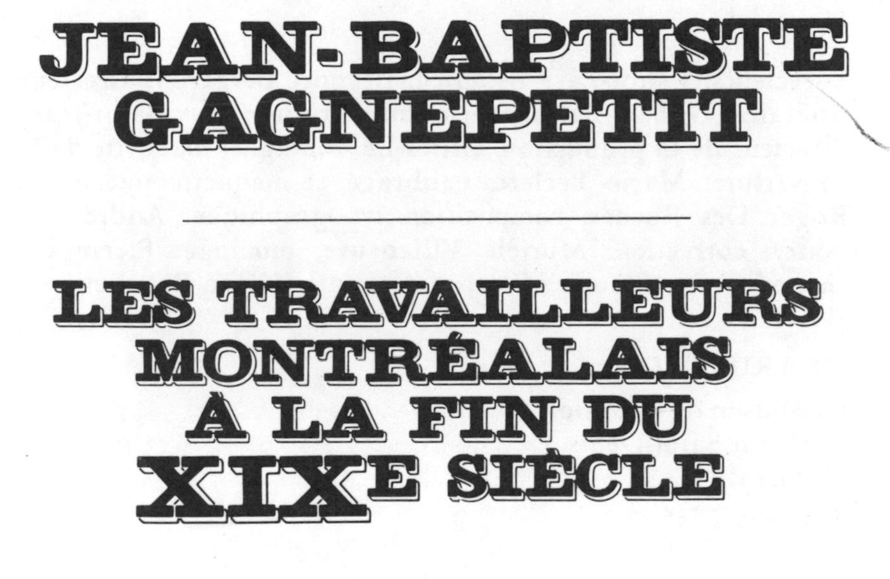

Les Éditions de l'Aurore
1651, rue Saint-Denis
Montréal

Directeurs: Victor-Lévy Beaulieu, Léandre Bergeron; directeur littéraire: Gilbert LaRocque; administration: Guy Saint-Jean; directeur de la production: Gilles LaMontagne; maquette de la couverture: Mario Leclerc; calibrage et maquette intérieure: Roger Des Roches; composition typographique: André Gadoury; correction: Murièle Villeneuve; montage: Pierre Pichette; presse: Claude Milot; secrétariat: Hélène Beaulieu.

DISTRIBUTION:
La Maison de Diffusion-Québec
1651, rue Saint-Denis
Montréal
Tél.: 845-2535

ISBN 0-88532-050-6

Dépôt légal — 2e trimestre 1975
Bibliothèque nationale du Québec

Préface

Quarante mille travailleurs, dont un grand nombre d'enfants; des conditions de travail pénibles et harassantes; des conditions de vie souvent abjectes; un lien juridique de quasi-servage avec les patrons, qui conduit parfois l'ouvrier qui le rompt à la prison; des salaires dont on se demande comment ils permettaient aux familles de survivre, surtout si l'on tient compte du chômage: voilà le vieux Montréal, dont on ne voit que les vestiges dans d'admirables pierres, beaucoup plus anciennes d'ailleurs que la période étudiée dans cet ouvrage, plus anciennes et d'aspect plus ou moins seigneurial, mais le véritable monument de la fin du XIX siècle est dans des pages comme celles-ci, car voici la vraie histoire, celle que la belle architecture cache et que les nombreux discours de la politique ou de la chaire de ce temps-là disqualifient, par l'apparence somptueuse qu'ils mettent par-dessus des réalités qui étaient fort misérables.

Ici, on est bien forcé d'en rabattre et de regarder les commencements urbains de ce peuple, débuts qui nous expliquent mieux ce qu'il était et ce qui lui est advenu depuis. Le peuple ouvrier a une histoire à part: c'est une histoire sociale et non pas politique. Sur une période d'un siècle, c'est-à-dire jusqu'à nos jours, l'histoire politique ne coïncide jamais d'une manière décisive, fût-ce épisodiquement, avec l'histoire sociale, mais elle en est souvent l'envers, contrairement à ce qui est arrivé partout sauf en Amérique du Nord: révolutions russe et chinoise, certaines révolutions latino-américaines, le Front populaire en

France, le régime espagnol d'avant la guerre civile, et même l'expérience suédoise.

Ce livre nous rappelle par exemple que les travailleurs de Montréal ne s'intéressèrent pas beaucoup à la condamnation de Riel: leurs votes reflétèrent peu l'émotion qu'on croit encore, d'après l'histoire consacrée, s'être emparée du pays tout entier; leurs sentiments se distinguaient donc; mais par contre, très rares furent les tentatives politiques proprement ouvrières. Ou bien celles-ci avortèrent, ou bien elles n'eurent pas de lendemain et, en tout état de cause, elles n'avaient pas d'ampleur et furent tout à fait exceptionnelles.

Des syndicats existaient, mais embryonnaires sans doute, et de peu d'influence générale. Vers 1880, on dénombre une dizaine de grèves par année, mais il y avait plusieurs centaines d'entreprises ou ateliers à Montréal, et les ouvriers étaient malmenés.

Le livre de M. de Bonville, avec d'autres recherches qui se poursuivent actuellement et de rares études déjà réalisées, tend à nous introduire dans un passé dont il est tout de même curieux que l'histoire, l'art, la littérature et l'héritage oral ne nous aient pas laissé jusqu'ici d'image vraiment vivante. On se représente facilement ce que pouvait être l'existence d'un cultivateur autrefois: la tradition, les chansons, les gravures, les récits, l'histoire, les histoires, la littérature, l'architecture elle-même, sans parler du discours clérical, nous en ont fait de tout temps une idée qui est comme mêlée à nos souvenirs propres, même pour des citadins de plusieurs générations comme j'en suis un. A cet égard, nous sortons tous de la campagne, dirait-on. Mais, pour ce qui est de la vie ouvrière, même récemment nous n'en avions guère encore de représentation autre que celle de notre propre expérience de militants ou d'ouvriers. De toute façon, rien de comparable à notre mémoire paysanne n'existe, même de loin, en fait de souvenirs culturels collectifs. Il est vrai que dans une ville comme Montréal, qui s'est développée avec une extrême rapidité, le gros de la population ouvrière est ici depuis peu, et, quant aux luttes syndicales, la première, peut-être, qui ait imposé à l'histoire générale le respect et la gloire de ce qu'elle fut, c'est la grève de l'amiante de 1949, bien que d'autres luttes très importantes l'aient précédée ou suivie, comme les grandes grèves de 1937 et comme la grève de Murdochville. Au reste, contrairement à ce qui s'est passé en France par exemple, le fait ouvrier n'a jamais encore vraiment marqué l'histoire générale, ce qui n'est pas un avantage pour lui dans la mémoire collective.

Un siècle de vie ouvrière et encore si peu d'ouvrages qui lui soient consacrés! Nous nous connaissons vraiment fort peu. Nous en savons davantage sur l'évangélisation du Canada il y a trois siècles que sur la vie que menaient nos gens à la fin du 19e! Je me suis longtemps représenté le vieux Montréal d'après deux sources: les cartes postales et quelques rares souvenirs de famille: mon grand-père était marchand tailleur quelque part rue Notre-Dame et, au décès de celui-ci, mon père, qui était l'aîné, prit charge de la maisonnée, à l'âge de 16 ans, en 1897, en gagnant maigrement sa vie comme garçon de pharmacie. J'essayais de greffer des souvenirs politiques à ces images: mon grand-père maternel, médecin de ce coin-là, appartenant au courant libéral et plus ou moins anticlérical de l'époque; l'arrivée de Laurier au pouvoir en 96; l'ascension de Henri Bourassa; la rue Notre-Dame, belle et couverte de neige, prêtant son décor à ces existences que j'imaginais préoccupées de politique, laborieuses, mais accordées à ce que je pensais avoir été le calme et la simplicité saine de l'époque, comme si le climat campagnard d'antan eût été transposé jusqu'alors dans ce Montréal dont je me faisais par conséquent une idée conservatrice très canadienne-française!

Or, nous dit de Bonville, 70% de la population montréalaise était ouvrière. Puisant à des sources suffisamment détaillées pour être instructives, il nous renseigne sur l'existence des travailleurs, laquelle nous rappelle bien autre chose que ces images d'Épinal. Nous voyons là des gens directement aux prises avec le Capital, petit, moyen et grand, et partageant en somme le sort injuste et pénible de tous les travailleurs d'Europe et d'Amérique à cette époque, ayant les mêmes ennemis et faisant face aux mêmes alliances du capitalisme, des pouvoirs publics, de la société dominante et de certains prélats. Des vies de pauvres, et de pauvres harcelés.

Il faut faire revenir ces souvenirs éteints. M. de Bonville vient de faire sa part, dans cet ouvrage documenté, bien organisé, sobre et par là convaincant. Point n'est besoin de faire comme M. Léandre Bergeron et d'écrire l'histoire d'une manière humiliante; il suffit d'écrire ce qui a été, en faisant sentir qu'on veut saluer quelque chose dans ce passé. C'est plus humain, c'est plus noble, mais c'est aussi plus vrai. M. de Bonville y réussit. Un des mérites de cet essai, qui en lui-même explore déjà beaucoup, est d'indiquer l'aire des recherches à poursuivre. L'auteur en dessine largement les cadres: l'économie, les données démographiques, les divers aspects des conditions de travail et de vie, l'organisation syndicale, la situation politique des travailleurs et ainsi de suite. Le courant qui réussira à ressusciter et à populariser l'histoire ouvrière non seulement de la brève période étudiée par l'auteur mais du siècle écoulé aura fait beaucoup pour l'évolution future de la conscience politique. On pourrait élaborer le modèle d'un programme à cet effet. Recherches historiques au sens large, sans doute, panoramas, mais aussi monographies allant jusque dans le détail de la vie vécue et atteignant à l'intensité dramatique de celle-ci; sauvetage de la tradition orale, en interviewant les acteurs des luttes ouvrières des cinquante dernières années; cueillette systématique des documents écrits, photographiques et cinématographiques actuellement épars dans des familles de militants; production de films et d'oeuvres littéraires; contribution d'articles aux divers media d'information et de culture; constitution d'un centre de recherches et de documentation en histoire ouvrière. Ce ne sont là que quelques éléments d'un programme qui devrait avoir à mon sens deux aspects: la recherche, bien sûr, mais aussi l'action, c'est-à-dire la publication, par tous les moyens, du matériel immédiatement utilisable et le plus aisément assimilable pour la plus grande masse de gens possible: vidéos, cours, articles de journal, de magazine et de revue, productions télévisées, etc. L'histoire, c'est comme la littérature: elle ne devient vivante que si elle est consommée et dans la mesure où elle l'est; elle a par conséquent le plus grand besoin de circuler. Les historiens du social auraient donc eux-mêmes le plus grand besoin d'une stratégie.

J'ajouterais volontiers ceci. Notre mémoire nationale s'est arrêtée quelque part, mais c'est que nous nous sommes trouvés assis entre deux chaises: l'imagerie d'une autre époque, dans les conditions modernes, n'avait plus cours, et, par ailleurs, l'histoire n'avait pas repris pied dans une réalité collective à toutes fins pratiques négligée. D'où le fait d'une rupture et d'une chute également dans la culture. C'est cet énorme fossé qu'il s'agit de combler. L'histoire ouvrière n'est pas moins dure ni moins héroïque que celle des défricheurs. C'est en elle que la vie du peuple québécois s'est continuée. Par rapport à cette vie-là, l'histoire politique, qu'on a tant racontée, survole le réel et d'assez loin. On ne retrouvera de continuité qu'en passant par où le peuple lui-même est passé.

Pierre VADEBONCOEUR

Jules HELBRONNER

Introduction

Les cheminements de la recherche sont parfois aussi imprévisibles que la construction de Dédale. En feuilletant *La Presse* de 1884, je n'avais pas du tout l'intention d'entreprendre l'étude des ouvriers montréalais de cette époque. La naissance du journal populaire, à prix modique et à grand tirage, m'intéressait au premier chef. C'est dans *La Presse* du lundi 20 octobre 1884 que j'ai découvert Jules Helbronner, sûrement un des journalistes les plus intéressants de son époque. Il rédigeait, chaque semaine, une chronique ouvrière qu'il signait d'un pseudonyme significatif: Jean-Baptiste Gagnepetit. Immigrant français de religion juive, il militait dans les organisations ouvrières de Montréal. Il n'en fallait pas plus pour que tombe sur lui l'anathème de l'ultramontain de *L'Étendard*, François-Xavier-Anselme Trudel. Robert Rumilly a qualifié Helbronner de socialiste et l'a associé à la Ligue de l'Enseignement de 1905. Les jugements de Trudel et de Rumilly rendent d'emblée le personnage intéressant. Dans un monde dont l'historiographie décrit le cléricalisme monolithique, un «socialiste juif» mérite une scrupuleuse attention. La rareté fait le prix. Quels sont les antécédents de ce radical décrié par ses contemporains et oublié par une conscience nationale puritaine?

Il a trente ans quand il arrive au Canada, en 1874. Il avait mérité la Légion d'honneur en combattant dans l'armée française, en 1870. Après une expérience dans le commerce, Helbronner entreprend une longue carrière de journaliste. Il fait un court stage au *Moniteur du Commerce* avant de collaborer à *La Presse*, comme chroniqueur ouvrier, municipal, économique, et comme rédacteur en chef. Il quitte *La Presse* pour un bref séjour au journal *Le Soir*, organe libéral qui durera le temps d'une élection, en 1896. De retour à *La Presse*, il y demeurera jusqu'en 1909. Dénonçant la corruption qui règne à l'Hôtel de ville, il entrera en conflit avec le propriétaire de *La Presse*. Congédié, il entre au service du concurrent libéral de son ancien employeur, *La Patrie*. Il quitte ce dernier journal quelques années plus tard pour rejoindre sa fille[1] à Ottawa, et occuper un poste à l'imprimerie nationale. Il n'abandonne pas le journalisme: il assure de sa collaboration plusieurs journaux et revues. Il meurt, en 1921, à l'âge de soixante-dix-sept ans.

Ces repères biographiques n'établissent pas l'autorité du témoin. Il faut pénétrer au coeur de son activité pour mesurer le mérite de l'homme et la qualité de sa parole. Malgré quelques paradoxes dans son comportement politique et une certaine imprécision dans sa conception du mouvement ouvrier, Helbronner, pendant un quart de siècle, fournit un témoignage cohérent et sûr. Quelles garanties peut-on avancer de sa crédibilité? Deux exemples suffiront: la lutte d'Helbronner pour l'assainissement de la politique municipale et son engagement dans le mouvement ouvrier.

Dès son entrée à *La Presse*, il entreprend une campagne contre le conseil de ville afin de réprimer certains abus, de dénoncer des malversations et des fraudes. Les campagnes en faveur de l'abolition de la corvée et de la réduction de la taxe d'eau sont amorcées et conduites principalement par *La Presse* et son chroniqueur municipal. La polémique qu'il entretient avec les édiles municipaux ne se nourrit pas de préjugés partisans. En 1885, par exemple, lors de l'épidémie de variole qui sévit à Montréal, le maire Beaugrand doit intervenir personnellement pour faire respecter certaines mesures prophylactiques, à l'encontre de citoyens dont plusieurs sont terrorisés par la vaccination. Le maire doit affronter ce courant populaire. Or, Beaugrand est un libéral et *La Presse*, un organe conservateur. Helbronner, cependant, plutôt que de défendre, en démagogue, la liberté des ouvriers qui refusent la vaccination,

---

1 La fille de Jules Helbronner est la femme de Louvigny de Montigny, fils du recorder Testard de Montigny, ultramontain pure laine. C'est la réconciliation des contraires!

les enjoint de se plier à ces exigences et explique, dans sa chronique ouvrière, la nature et les conséquences de la vaccination. Il n'abandonne pas pour autant sa lutte pour l'amélioration de l'administration municipale. A plus d'une occasion, il réclame une enquête sur les agissements du conseil municipal. En 1909, il parvient à réunir les éléments de preuves et obtient enfin une enquête publique sur les irrégularités, la corruption qui rongent l'administration municipale. Devant la Commission d'enquête présidée par le juge Cannon, Helbronner affirme, sous serment, que la corruption qui règne à l'Hôtel de ville en 1909 triomphait déjà en 1885. Le juge Cannon reconnaîtra le bien-fondé du témoignage de Jules Helbronner.

Son travail en faveur de la classe ouvrière est, lui aussi, marqué au coin de l'authenticité. En 1885, il participe à un comité de sept membres, responsables de la rédaction du programme ouvrier, présenté aux travailleurs par les Chevaliers du Travail. En 1886, il est nommé membre de la Commission royale d'enquête sur les relations entre le travail et le capital[2] qui déposera son rapport en 1889. Cette même année, le Conseil central des métiers et du travail lui décerne le titre de membre à vie. En 1891, lors de la contestation de la taxe d'eau, il est délégué des locataires et du Conseil central. Helbronner réussit à imprimer ses sympathies ouvrières dans l'ensemble du journal auquel il collabore. Si bien qu'en 1903, lors de la grève des débardeurs et des charretiers, ceux-ci, malgré l'embargo sur toutes les marchandises, transportent les rouleaux de papier nécessaires au journal *La Presse*. A sa mort, en 1921, un rédacteur de *La Presse* rappelle que le rapport de la CRCTC (1889) fait toujours autorité en cette matière. *La Patrie*, l'adversaire de *La Presse*, affirme: «On peut dire avec vérité qu'il indiqua au mouvement ouvrier la voie à suivre.»[3]

L'engagement social et politique d'Helbronner, les responsabilités qu'il a assumées, ont retenu mon attention. Ses articles vifs et directs ont suscité mon intérêt. De semaine en semaine, j'ai donc poursuivi dans *La Presse*, de 1884 à 1894, la critique sociale de Jean-Baptiste Gagnepetit, son combat pour l'amélioration du sort des petits salariés de Montréal. Introduction au

---

2 Dans la suite du texte, cette commission sera désignée par le sigle suivant: CRCTC.

3 *La Patrie*, 25 novembre 1921.

monde ouvrier de la fin du XIXe siècle, l'oeuvre d'Helbronner incite à une connaissance plus profonde de la condition des ouvriers montréalais. Insensiblement, mes préoccupations se sont déplacées du journal *La Presse*, au chroniqueur Helbronner, de Jean-Baptiste Gagnepetit aux ouvriers que chaque semaine il interpelle. La vie des travailleurs montréalais et la chronique sociale de Jules Helbronner forment les deux éléments imbriqués de cette étude. L'analyse objective de la condition ouvrière, à partir des statistiques de l'époque, de différents témoignages, s'enrichit du commentaire d'un journaliste sérieusement documenté et solidaire de la classe ouvrière. Les colonnes de chiffres, les tableaux et les grilles, s'ils permettent d'apprécier l'amélioration de la condition ouvrière de décennie en décennie, ne révèlent pas l'univers mental des hommes engagés dans l'expérience quotidienne de la misère. Les ouvriers sont-ils satisfaits de leur condition? Comment ressentent-ils leur exploitation? Les propos d'Helbronner insufflent à l'analyse quantitative et statistique du Montréal ouvrier une vibration humaine. Cet effort de reconstitution s'appuie sur un nombre limité de thèmes: les conditions de travail, le salaire, le revenu et le budget familial; les conditions matérielles et morales de l'existence ouvrière; l'organisation des travailleurs et leur comportement politique.

Jean-Baptiste Gagnepetit: les travailleurs montréalais à la fin du XIXe siècle: ce titre exige des explications, sinon des justifications. D'abord, la chronologie. Jean-Baptiste Gagnepetit tient sa chronique ouvrière presque sans interruption de 1884 à 1894. Après cette date, Helbronner abandonne son pseudonyme et sa chronique. C'est cette décennie dont il est surtout question ici. Cette coupure décennale n'est cependant pas rigoureuse. Les événements, les témoignages qui débordent ce cadre de quelques années sont retenus. En fait, les observations de cette étude s'appliquent, avec quelque ajustement, à la période qui va de la National Policy de John A. Macdonald jusqu'au début du règne de Laurier. C'est vers 1884 et 1885 que les ouvriers montréalais s'organisent sérieusement; c'est en 1886 que se présente le premier candidat ouvrier lors d'une élection provinciale, au Québec. Au lendemain de 1894, la récession qui comprime l'économie canadienne tire à sa fin; le mouvement ouvrier est solidement établi: on entre dans une ère nouvelle. De plus, si l'on s'en tient aux mouvements de la conjoncture, on remarque que la période qui s'étend de 1884 à 1894 offre une certaine homogénéité. C'est le creux de la vague, le plancher qu'a atteint la courbe dépressive de l'économie après une chute abrupte de 1870 à 1880. Ce plancher variera peu de 1884 à 1894. De plus, si l'on songe que ces dix années marquent l'apparition et le déclin des Chevaliers du Travail, la coupure décennale se justifie.

Un autre terme nécessite des précisions. Qui sont les ouvriers qui habitent ces pages? Se définissent-ils par rapport à la propriété des moyens de production, par leur revenu, par la conscience de leur condition? Un aveu s'impose: les outils d'analyse manquent pour l'identification rigoureuse d'une classe ouvrière. Des coups de sonde dans des quartiers montréalais, à partir de points de repère précis, l'étude des statistiques disponibles, des témoignages contemporains: autant de moyens qui permettront de cerner les îlots ouvriers et d'en analyser la nature. Ouvrier, artisan, employé, petit salarié, dans cette étude, répondent de la même réalité. Les commis de magasins, les employés des services publics, l'artisan autonome autant que les travailleurs des manufactures de textile sont objet d'analyse. Il est malaisé, dans l'état actuel de la recherche, d'établir une distinction nette entre travailleurs manuels et non manuels, entre ouvriers et employés. Il faut déborder l'activité purement économique et recourir à d'autres indices. Certes, on pourra chicaner sur cette absence de distinctions. Non sans raison: il est possible qu'employés et ouvriers ne nourrissent pas la même image de leur situation sociale. Leurs conditions et leurs lieux de travail, sans affecter leurs revenus, peuvent modifier leurs comportements. Ce ne sont là cependant que des hypothèses qui n'oblitèrent en rien une réalité évidente: ouvriers et employés partagent les mêmes revenus, la même dépendance.

Les concepts marxistes s'appliquent, au premier chef, à l'étude de la classe ouvrière, durant la révolution industrielle. Cependant, dans cet essai, j'abandonne volontiers toute référence explicite et exclusive à la propriété des moyens de production. Non qu'il faille récuser le recours à ces concepts. J'essaie plutôt d'élargir la perspective. Ainsi, les travailleurs, ce sont, selon le cas, les corvéables qu'on empêche de participer à la vie civique, les locataires de taudis où la mortalité infantile bat des records, le petit salarié écrasé par l'appareil judiciaire, l'artisan propriétaire de son atelier, dont le revenu n'excède pas celui de son voisin conducteur de tramways.[4] La distribution dichotomique de l'autorité, dans la cité, réunit ces catégories de personnes autour d'un commun dénominateur.[5] En effet, dans la société montréalaise, l'autorité est distribuée inégalement: certains jouissent de l'autorité, d'autres en sont dépourvus. Ce qui définit le travailleur montréalais, c'est son état de sujétion: à l'atelier, dans la cité. Obéissance à son patron, à son propriétaire, aux édiles municipaux, aux lois bourgeoises, aux impératifs économiques. A l'inverse, au sein d'autres groupes montréalais, se concentre l'autorité. Une superposition de groupes d'intérêts se produit: les mêmes individus, dans différentes activités, exercent l'autorité, tandis que les autres, toujours les mêmes, sont soumis à leur loi. La classe sociale est le produit de cette superposition de groupes d'intérêts.

L'aire géographique retenue dans cette étude exige aussi des précisions. La ville de 1890 correspond-elle au Montréal de ces pages? Pour plus de clarté et d'uniformité, il a fallu transiger avec l'exactitude historique. Les recensements de 1881 et de 1891 délimitent le district de Montréal: celui-ci se compose de quartiers Sainte-Anne, Saint-Antoine, Saint-Jacques, Saint-Laurent, Saint-Louis, Sainte-Marie et des quartiers du centre-ville. C'est cette définition spatiale de Montréal qui prévaut ici. Certes, la métropole annexe plusieurs villes ou villages de 1884 à 1894: Hochelaga, dès 1883, Saint-Jean-Baptiste, en 1884, Saint-Gabriel, en 1887, Côte-Saint-Louis, en 1893. Cependant, le recenseur fédéral n'en assimile pas moins ces nouveaux quartiers montréalais au district électoral d'Hochelaga.[6] Sauf dans les séries statistiques et les passages où ces quartiers s'ajoutent explicitement à l'ensemble montréalais, les

4 A cet égard, l'analyse du sociologue Ralf Dahrendorf (*Class and class conflict in industrial society*, Standford, Standford University Press, 1959, résumé et analysé par Guy Rocher dans *Introduction à la sociologie générale*, Tome III: *Le changement social*, Montréal, Hurtubise HMH, 1969, pp. 388-406) offre une explication utile.

5 L'autorité se définit ainsi: «la prtbabilité qu'un ordre ayant un certain contenu spécifique entraînera l'obéissance d'un groupe donné de personnes.» Guy Rocher, *ibidem*, p. 393.

6 Hochelaga comprend les municipalités suivantes: Côte-des-Neiges, Côte-Saint-Antoine, Côte-Saint-Louis, Côte-Saint-Paul, La Visitation, Saint-Paul, Hochelaga, Longue-Pointe, Maisonneuve, Mile-End, Notre-Dame-de-Grâce, Notre-Dame-des-Neiges, Outremont, Pointe-aux-Trembles, Sault-aux-Récollets, Sainte-Cunégonde, Saint-Gabriel, Saint-Henri, Saint-Jean-Baptiste, Saint-Joseph, Rivière-des-Prairies, Saint-Léonard, Port-Maurice, Verdun.

municipalités annexées par Montréal sont intégrées au district d'Hochelaga.

Cet essai sur les ouvriers de Montréal ne prétend pas être une synthèse définitive. Les oeuvres d'histoire sociale, et singulièrement d'histoire ouvrière, au Québec, n'embarrassent pas les rayons des bibliothèques. Quelques recherches sur l'histoire du syndicalisme éclairent un pan de la vie ouvrière. Cependant, l'histoire des travailleurs québécois demeure encore en friche. De plus, la recherche semble, trop souvent, s'enliser dans la répétition de quelques auteurs dont il faudrait vérifier et compléter les affirmations. C'est à la mise en oeuvre et à l'analyse de documents de première main qu'il faut dès maintenant s'appliquer. Si cet effort de réflexion sur les travailleurs montréalais ne se rattache pas à une longue tradition historiographique québécoise, il épouse, néanmoins, des préoccupations actuelles. L'histoire est fille de son temps. La conversion du Québec en une société industrielle et urbaine de même que la mutation du syndicalisme québécois posent le problème des origines. Déjà, plusieurs historiens tentent de décrire, à partir du XIXe siècle, l'édification du Montréal industriel et ouvrier qui nous est familier. Malgré mes réticences à porter à l'attention du public une étude dont je mesure les limites, peut-être Jean-Baptiste Gagnepetit apportera-t-il sa modeste contribution à l'élaboration de cette histoire.

L'environnement économique

Le tisserand montréalais qui, chaque matin de ces années 1880, quitte son logis, au lever du soleil, et gagne la filature, ignore les mécanismes économiques qui règlent sa vie et celle de milliers de travailleurs comme lui. Son expérience des lois économiques se limite aux restrictions toujours plus douloureuses que lui impose un budget dérisoire. Avant de pénétrer dans la vie des travailleurs montréalais, il faut explorer leur univers, dégager les règles rigides de l'ère industrielle dans laquelle ils se débattent, décrire les soubresauts d'un capitalisme aveugle et vorace.

I. La conjoncture économique

Le Québec de 1880 n'est qu'une pièce de la mosaïque mondiale. Il subit les mêmes secousses; si celles-ci accusent souvent du retard, elles n'en frappent pas moins. Avec brutalité parfois. L'économie du XIXe siècle boucle deux cycles semi-séculaires (Kondratieff). Le second englobe la période de 1848 à 1897. Dans la phase initiale de ce second cycle, l'économie mondiale est portée vers la hausse. A partir de 1870-1873, le mouvement s'invertit brutalement et, jusqu'en 1897, l'Occident capitaliste est aux prises avec une profonde récession. Cette dépression se traduit par une chute des prix, des salaires et, dans une moindre mesure, des rentes et profits.[1] La courbe dépressive qui marque le dernier quart de siècle n'est cependant pas régulière; elle obéit à des impulsions contradictoires. De courtes périodes de reprise contredisent la tendance générale. De 1873 à 1880, la dégringolade est brutale et ininterrompue. La chute affecte les salaires, qui diminueraient, selon les métiers, de 25% à 60% au Québec.[2] En 1880-1882, le fléchissement s'atténue et, pour une quinzaine d'années, l'amplitude des oscillations sera moindre que de 1870 à 1880. De 1880 à 1885, la situation s'améliore. Coïncidence? John A. Macdonald vient d'instaurer la National Policy. Ces mesures protectionnistes sont probablement les effets de la dépression beaucoup plus qu'elles ne sont les incitations de la reprise... Amélioration de brève durée: les profits enregistrés durant ces cinq ans sont annulés de 1888 à 1891. Ces périodes de difficultés économiques favorisent l'association des principaux agents de l'économie. Les Chevaliers du Travail et les unions de métier tentent de s'opposer à la concentration des entreprises, aux compagnies anonymes, aux cartels, aux trusts.[3] Après une courte reprise de 1891 à 1893, le Québec est touché par la crise, de 1894 à 1897. Les mouvements contradictoires qui orientent l'économie, de 1880 à 1897, se stabilisent à proximité d'un plancher atteint après la dépression de 1870-1880. On peut donc dire que les travailleurs montréalais n'auront pas à souffrir de crises économiques particulièrement violentes. C'est durant la décennie précédente que leur revenu avait été le plus lourdement grevé. Situation dégradée que celle du travailleur des années 1880. La récupération du terrain perdu de 1870 à 1880 sera l'objet des revendications ouvrières.

II. Développement ou léthargie de l'économie québécoise

Si l'activité économique du Québec et, plus particulière-

1 Selon la CRCTC, les rentes auraient augmenté de 20% à 25%, de 1879 à 1888. Voir à ce sujet: Charles Lipton, *The Trade Union Movement of Canada, 1857-1959*, Montréal, Canadian Social Publications, 1968, p. 65.

2 Jean Hamelin et Yves Roby, *Histoire économique du Québec, 1851-1896*, Montréal, Fides, 1971, p. 90.

3 Ibidem, p. 95.

ment, de Montréal, répond aux pulsions internationales, elle conserve, néanmoins, une allure propre. En effet, c'est à cette époque, entre 1870 et 1910, que Montréal accentue ses traits de ville manufacturière. Sa croissance industrielle s'accélère. Un débat sur l'industrialisation de l'économie québécoise divise les économistes. Ce n'est pas le lieu ici de vider la question. Le point de vue des différents protagonistes permettra, néanmoins, de préciser les caractéristiques de la structure industrielle de l'époque.

Un premier groupe d'économistes situe la mise en place d'une véritable armature industrielle québécoise vers 1910-1915. Dans un texte classique, Albert Faucher et Maurice Lamontagne expliquent la lenteur de l'essor économique du Québec, entre 1866 et 1911.[4] Après une ère de prospérité relative, à l'âge du commerce maritime du bois, le Québec connaît une longue période de léthargie à cause de son éloignement du centre industriel américain et des nouvelles sources d'énergie, le charbon et l'acier. A partir de 1910-1915, l'exploitation du bois de pulpe et de l'énergie hydraulique permet au Québec d'amorcer un essor industriel qui atteindra son sommet après 1940. Pour sa part, André Raynauld soutient que le Québec connaît une période de démarrage économique de 1900 à 1910:[5] il propose, comme indice de ce take-off, l'augmentation de 76.5% du volume de la production manufacturière alors que celle de la population n'est que de 21%. W.W. Rostow, de même, situe la période de démarrage entre 1896 et 1914.[6]

Cette vision du mouvement économique qui serait marqué par une très forte croissance après une phase de latence ne fait pas l'unanimité. Gordon W. Bertram critique la théorie des étapes de la croissance de Rostow.[7] Selon lui, l'industrialisation du Canada s'opère sans césure, selon un processus graduel. Même si l'économie des années 1870 est dominée par l'agricul-

---

4 Albert Faucher et Maurice Lamontagne, «History of Industrial Development» dans Marcel Rioux et Yves Martin, *French Canadian Society*, Toronto, McClelland Stewart Ltd., 1964, pp. 257-271.

5 André Raynauld, *Croissance et structure économiques de la province de Québec*, Québec, Ministère de l'Industrie et du Commerce, 1961.

6 W.W. Rostow, *Les étapes de la croissance économique*, Paris, Éd. du Seuil, 1963, p. 65.

7 Gordon W. Bertram. «Economic Growth in Canadian Industry, 1870-1915: the Staple Model and the Take-off Hypothesis.» dans CJEPS, vol. XXIX, no 2 (mai 1963) pp. 156-184.

ture, le mouvement d'industrialisation est amorcé et ne se dément pas. La valeur brute de la production manufacturière double presque de 1900 à 1910: il en convient. L'ampleur de cet essor ne doit pas obnubiler l'importance croissante de la production, qui triple de 1870 à 1900.[8] L'analyse de Bertram s'étend au Canada; celles de Raynauld, Faucher et Lamontagne ne s'appliquent qu'au Québec. L'Ontario connaît, de 1870 à 1900, une croissance plus rapide que le Québec. Nonobstant ce fait, les observations de Bertram s'appliquent aussi à l'économie québécoise.[9] Ces deux perspectives révèlent un aspect de l'évolution du Québec. S'il est vrai que la vocation industrielle du Québec s'affirme sans équivoque au début du XXe siècle, il faut néanmoins reconnaître l'existence, dès 1870-1880, d'une structure industrielle en expansion.

III. Montréal, pôle de croissance économique

Le débat sur l'ampleur du développement industriel du Québec demeure au second plan. Que la production manufacturière double ou triple, que l'architecture industrielle québécoise

8 Taux de croissance de la valeur brute de la production manufacturière au Canada de 1870 à 1957:

1870-1880: 4.4	1919-1926: 4.0
1880-1890: 4.8	1926-1929: 9.3
1890-1900: 2.4	1929-1939: 1.2
1900-1910: 6.0	1939-1946: 7.4
1910-1919: 1.9	1946-1957: 4.8

Gordon W. Bertram, ibidem, p. 170. Voir aussi, sur ce sujet: W.F. Ryan, *The Clergy and Economic Growth of Québec (1896-1914)*, Québec, Presses de l'Université Laval, 1966, pp. 28-49.

9 Voir, pour s'en convaincre, F.A. Angers et R. Parenteau, *Statistiques manufacturières*, Montréal, École des Hautes Études Commerciales, 1966. Tableau XXIV: «Valeur brute et nette de la production des établissements manufacturiers au Canada, dans le Québec et les autres provinces, 1850-1948» pp. 156-157.

Valeur brute:	Québec	Ontario
1870:	77.21	114.7
1880:	104.7	158.0
1890:	147.5	239.2
1900:	158.3	241.5

De 1890 à 1900, le sens du mot manufacture change. Dans le recensement de 1901, ne sont retenus que les établissements où travaillent au moins cinq salariés. Jusqu'en 1890, on tenait compte de tout atelier ou fabrique. Cette nouvelle définition explique, en partie, la faible croissance, de 1890 à 1900. Quoi qu'il en soit, la comparaison entre le Québec et l'Ontario, si elle confirme la supériorité de cette dernière, démontre l'adéquation de la thèse de Bertram à la situation du Québec. Dans les deux provinces, la valeur brute de la production, entre 1870 et 1900, est multipliée par un coefficient légèrement supérieur à deux.

s'échafaude à un rythme plus ou moins rapide, n'affectent pas ce fait: la présence, à Montréal, d'une population ouvrière de plus en plus nombreuse. Malgré la récession économique, croissance régulière de l'économie québécoise de 1870 à 1900 et accélération du phénomène de 1900 à 1915: telle semble être l'image qui se dégage des études citées. Cette économie s'organise autour d'un pôle géographique, Montréal, et s'appuie sur des secteurs manufacturiers privilégiés. La vocation industrielle de Montréal date du milieu du XIXe siècle. Graduellement, à cette époque, l'économie canadienne se convertit: d'un capitalisme commercial axé sur l'exportation, par voie maritime, de matières premières, céréales et surtout bois, on passe à un capitalisme industriel qui se développe grâce à la fabrication de biens d'équipement, nécessaires à la construction de canaux et surtout de chemins de fer. De 1850 à 1870, sur les rives du canal Lachine, se multiplient les usines et manufactures.[10] Les premières locomotives canadiennes datent de 1853 et sortent des ateliers montréalais de Kinmond Brothers. En 1860, Montréal offre la plus grande concentration de l'industrie métallurgique au Canada. Un voyageur anglais décrivait alors les rives du canal Lachine en ces termes: «Les usines se tassaient les unes sur les autres, et l'on entendait continuellement monter le bourdonnement de l'industrie.»[11] En 1867, trois laminoirs et usines de clous emploient 600 hommes et garçons. On fabrique, dans ces usines, le matériel nécessaire à la construction ferroviaire: rails, clous, etc. Moulins à farine, raffineries de sucre, scieries à vapeur, usines d'huile et de teinture, manufactures de cigares et de cigarettes, se pressent dans ce creuset industriel.

La structure industrielle de Montréal s'échafaude dès le milieu du siècle et ne cesse de se développer jusqu'à l'aube du XXe siècle. Bertram souligne l'importance de la production de fer et d'acier: de 1870 à 1900, si l'on considère la valeur ajoutée, elle occupe le premier rang ou le deuxième rang de la production manufacturière canadienne, selon les années. Suivent dans l'ordre, à quelques variations près, le bois, le cuir, l'alimentation, le vêtement (confection),[12] les équipements de

---

10 Voir S.B. Ryerson, *Le capitalisme et la Confédération*, Montréal, Parti-pris, 1973, p. 320s.
11 Cité par S.B. Ryerson, ibidem, p. 321.
12 Ce secteur de l'économie gagne de l'importance à partir de 1880.

transport. Le textile suit de près. Le tabac navigue entre le onzième et le quinzième rang. Le tableau des quarante principales industries, dressé par F.A. Angers et R. Parenteau, ne reflète pas exactement les statistiques de Bertram.[13] Les variations de la terminologie statistique expliquent, en partie, la discordance. On note, cependant, l'importance croissante, de 1870 à 1900, des fonderies, de la sidérurgie et de la fabrication de matériel roulant de chemin de fer.[14] D'autre part, la fabrication de chaussures, le raffinage du sucre, le sciage du bois occupent les premiers rangs. Les deux séries statistiques établissent clairement la consolidation de l'industrie manufacturière québécoise, de 1870 à 1900. Montréal profite, plus que tout autre centre urbain du Québec, des progrès économiques. Un exemple: la répartition et la taille des établissements industriels au Québec. En 1881, 102 établissements, produisant en moyenne pour une valeur de $25 000 à $49 999, soit 39% de ces établissements, se trouvent à Montréal. En 1891, la part montréalaise, dans cette catégorie d'entreprises, est descendue à 37.6%. Le district de Montréal compte, en 1881, 53% des établissements qui produisent en moyenne pour $50 000 et plus par année. Dans cette classe, la part montréalaise passe à 64.9%, en 1891.[15] L'apport de Montréal à l'activité manufacturière du Québec s'impose, à la lecture des chiffres groupés dans le tableau suivant: Montréal regroupe de 32% à 40% de la main-d'oeuvre manufacturière du Québec; elle assure de 44% à 50% de la production manufacturière. Plusieurs autres indices confirment l'importance de Montréal, comme capitale industrielle du Québec.

13 «Tableau des quarante principales industries, considérées sous l'angle de la valeur brute de la production», F.A. Angers et R. Parenteau, *Statistiques...*, p. 161.

14 Si l'on additionne les articles Fonderie, Forge, Clous et broquettes, Sidérurgie, Matériel roulant de chemin de fer, la production de matériel de fer et d'acier occupe le quatrième rang, dès 1870, et, de loin, le premier rang, en 1890.

15 *Recensement du Canada, 1890-1891*, vol. IV, pp. 271-283, passim.

TABLEAU I

Part de Montréal dans l'activité manufacturière du Québec de 1881 à 1901

		1881	1891	1901
Nombre d'ouvriers	Montréal	33 355	38 135	44 633
	Québec	85 673	116 753	110 329
% des ouvriers montréalais par rapport à la main-d'oeuvre du Québec	Montréal	38.9%	32.58%	40.45%
	Québec	100%	100%	100%
Salaires	Montréal	$8 925 865	$12 881 279	$17 810 356
	Québec	$18 322 962	$30 461 315	$36 550 655
Moyenne annuelle des salaires	Montréal	$267.59	$337.78	$399.03
	Québec	$213.50	$260.09	$331.28
% des salaires versés à Montréal par rapport aux salaires versés au Québec	Montréal	48.7%	42.2%	48.6%
	Québec	100%	100%	100%
% des salaires par rapport à la valeur des produits	Montréal	17%	19%	25%
	Québec	17%	21%	23%
% des salaires par rapport à la valeur ajoutée de la production	Montréal	44%	43%	52%
	Québec	43%	45%	52%
Coût des matériaux	Montréal	$32 484 005	$38 206 046	$36 945 187
	Québec	$62 563 967	$80 712 496	$86 679 779
Investissement moyen de capital par travailleur	Montréal	$964	$1348	$1282
	Québec	$690	$1001	$1290
Valeur des produits	Montréal	$52 509 710	$67 654 060	$79 099 750
	Québec	$104 662 258	$147 459 583	$158 287 994

		1881	1891	1901
% de la valeur des produits montréalais par rapport à celle du Québec	Montréal	50.1%	45.2%	49.9%
	Québec	100%	100%	100%
Valeur ajoutée des produits	Montréal	$20 025 705	$29 448 014	$34 154 563
	Québec	$42 098 291	$66 747 087	$69 608 215
% de la valeur ajoutée des produits montréalais	Montréal	47.5%	44%	49%
	Québec	100%	100%	100%
% de la valeur des produits par rapport à l'investissement de capital	Montréal	163%	131%	124%
	Québec	177%	126%	111%

Source: *Recensement du Canada, 1900-1901,* vol. III, pp. 328-329.[16]

IV. La géographie industrielle de Montréal

Ces chiffres démontrent clairement le développement et l'importance économique de Montréal. Ils ne présentent pas, par contre, une géographie de l'industrie montréalaise. S'il n'est pas question de dresser la nomenclature complète des établissements industriels de Montréal, la localisation des principales concentrations manufacturières et une rapide description s'imposent, néanmoins, si l'on désire cerner la réalité ouvrière. Le Montréal industriel du XIXe siècle s'étire sur une mince bande, le long du Saint-Laurent. A l'ouest de la cité, sur les limites du quartier Sainte-Anne, à l'angle des rues Wellington et Saint-Étienne, un premier pôle d'attraction de la main-d'oeuvre: les entrepôts du Grand Trunk Railway emploient près de 2000 personnes qui proviennent surtout du quartier Saint-Gabriel. Le

16 La valeur ajoutée constitue ici la différence entre la valeur des produits et le prix des matériaux. Le recensement ne fournit pas de statistiques détaillées sur l'activité financière des entreprises. A partir de 1901, on tient compte des dépenses diverses (loyer des établissements, loyer de la force motrice et du chauffage, du combustible et de l'éclairage, taxes municipales et provinciales, loyer des bureaux, intérêts, assurances, etc.). Aussi est-il difficile, pour la période qui nous intéresse, de faire le partage, dans la valeur ajoutée, du salaire des travailleurs, de la rémunération du capital, des dépenses diverses.

quartier Sainte-Anne, le premier bassin industriel de Montréal: dès 1860-1870, les manufactures y attirent de nombreux travailleurs, si bien que, de 1871 à 1911, le quartier n'augmente que de 3000 habitants.[17] On y trouve des manufactures de cigares: J.M. Fortier, Tassé, Wood & Co., Jacobs & Co., Davis Co.; la confiserie: Tester & Co., Montreal Biscuit Co.; le vêtement: G.H. Harrower's; des ateliers mécaniques: Miller Bros. & Tom, Robert Gardner & Sons, W.C. White, etc.; des fonderies: Ives & Co., Royal Electric Co.; des manufactures de clous: Peck, Benny & Co., Pillow, Hersey & Co., Canada Horse Nail Company; d'autres établissements: les moulins de Ogilvy Royal, Malleable Iron Company, le siège social de Sicily Asphalt Co., la raffinerie de Canada Sugar, Belding, Paul & Co. (soie), Consumer's Cordage Co., Canada Switch and Spring Co., Singer Sewing Machine Co., etc. Les activités portuaires du canal Lachine offrent un emploi saisonnier à une centaine d'hommes.

La partie sud du quartier Saint-Antoine, adjacente à Sainte-Anne, groupe plusieurs établissements. Des manufactures de vêtements et de chaussures: E.A. Small & Co., Ames-Holden Co. Ltd., Jos Linton & Co., Geo T. Slater & Sons, Tooke Bros., A.H. Sims & Co., H. Shorey & Co., Witham Mnfg Co. A l'est de Saint-Antoine et de Sainte-Anne, les quartiers du centre regroupent le commerce. De 1880 à 1890, la rue Sainte-Catherine impose sa vocation commerciale. En 1889, le plus gros magasin de marchandises sèches emploie 150 personnes; un autre, 125 personnes.[18] Dans le quartier Saint-Laurent, se concentre la confection de vêtements;[19] le quartier conserve aussi une vocation commerciale: des ateliers mécaniques, des manufactures de meubles, une fonderie, une manufacture de savon, de machines à coudre et le Steam Saw Planing Mill.

A l'est de Saint-Laurent, on trouve, dans Saint-Louis, plusieurs brasseries, le marché Bonsecours, des bureaux du Grand Trunk Railway, des entrepôts de bois et de glace. Saint-Jacques abrite des fonderies, des moulins de sciage, la Victoria Straw Works, G. Reinhart (boulangerie), J. Barsalou (savon),

17 Raoul Blanchard, *L'Ouest du Canada français*, Montréal, Beauchemin, 1953, tome III, p. 42.
18 Jean Hamelin et Yves Roby, *Histoire économique...*, p. 348.
19 Raoul Blanchard, *L'Ouest...*, p. 42.

l'abattoir Quevillon, J.P.Z. Désormeau (gants), Porter & Savage (tannerie), Stuart Glue Mnf., Canada Thread Fact., Montreal Brewing, Canadian Rubber Co. Plus à l'est encore, un quartier en expansion: Sainte-Marie. Il s'impose progressivement comme le château fort de la chaussure.[20] On y trouve, en outre, Adam Tobacco, New City Gaz Co., J.G. Davie, J.H.R. Molson, Dominion Oil Cloth. Enfin, à la limite orientale de Montréal, Hochelaga, l'emplacement des usines Angus du Canadian Pacific Railway[21] et de la St-Lawrence Sugar. Le Montréal industriel de cette époque se développe selon l'axe fluvial, entre les entrepôts du Grand Trunk Railway, à l'ouest, et les usines du Canadian Pacific Railway, à l'est. A décliner les noms des entreprises, les types d'établissements, la variété de l'activité manufacturière de Montréal s'impose.

V. La population ouvrière

L'architecture industrielle dressée, tirés les grands traits de l'activité économique, la population ouvrière s'introduit maintenant dans le champ d'analyse. Il faut prendre la mesure du phénomène, le localiser. Combien y a-t-il d'ouvriers? Dans quels types d'établissements travaillent-ils? Où se dessinent les îlots ouvriers? Combien Montréal compte-t-il de travailleurs? Plus précisément, combien s'en trouve-t-il qui tirent leur salaire d'une activité manufacturière? Les estimations ne manquent pas.

Selon Rumilly, le seul secteur de la chaussure occupe 15 000 personnes, en 1888; la métallurgie, 11 000.[22] Raoul Blanchard avance le chiffre de 44 000 ouvriers pour 1891,[23] alors que, dans *Montréal, fin-de-siècle*, on en dénombre 35 746.[24] A partir de ces chiffres, il est malaisé d'établir le nombre de travailleurs occupés dans les diverses branches de l'industrie. Les chiffres divergent selon les auteurs. Certains,

---

20 Raoul Blanchard, ibidem, p. 42.

21 Selon Raoul Blanchard, 15 000 hommes y travaillent en 1911.

22 Robert Rumilly, *Histoire de la Province de Québec*, Montréal, Éd. Bernard Valiquette, 3e éd. s.d., tome VI, p. 46.

23 Raoul Blanchard, *L'Ouest...*, p. 274.

24 *Montréal, fin-de-siècle. Histoire de la métropole du Canada au XIXe siècle*, Montreal, The Gazette Printing Company, 1889, p. 80.

ceux de Rumilly, sont nettement exagérés. D'autres, ceux de Blanchard, demanderaient des précisions. Les recensements de 1881 et 1891 fournissent des indications précises et sûres. Dans le district de Montréal, on dénombre 32 132 travailleurs manufacturiers, répartis dans 1 326 établissements, en 1881; ce nombre passe à 35 746 travailleurs pour 1 604 établissements, en 1891.[25]

Comment se répartissent ces travailleurs: selon le sexe, l'âge, la spécialisation, la taille des établissements? Le recensement de 1891 partage cette population laborieuse en quatre groupes: 23 942 hommes, de seize ans et plus; 9551 femmes, de dix-huit ans et plus; 1469 garçons, de moins de seize ans; 784 filles, de moins de dix-huit ans. Si l'on retient, comme critère de répartition, la taille des entreprises, on se rend compte que 259 établissements, en 1881, et 310, en 1891, emploient une moyenne de deux à trois travailleurs; 583 établissements, en 1881, et 708, en 1891, occupent une moyenne de cinq à dix travailleurs. Les fabriques de dix à quinze employés sont au nombre de 181, en 1881, et de 235, en 1891. Les établissements

TABLEAU II

Nombre d'établissements manufacturiers et de travailleurs employés dans ces établissements, à Montréal, en 1881 et 1891

1881		1891	
Établissements	Travailleurs	Établissements	Travailleurs
259	637	310	567
583	3572	708	4072
181	2597	235	3335
102	2777	117	2850
201	22 559	234	24 922
Total: 1326	32 132	1604	35 746

Source: *Recensement du Canada, 1890-1891,* vol. IV, tableau VI, p. 283.

25 *Recensement du Canada, 1890-1891*, vol. IV, p. 283.

dont la moyenne est de vingt-cinq ouvriers environ sont au nombre de 102, en 1881, et de 117, en 1891. Le nombre des établissements qui donnent du travail à plus de 100 ouvriers en moyenne passe de 201 à 234, durant la décennie 1881-1891.[26]

De ces chiffres, une réalité se dégage avec force: la présence, à Montréal, d'un réseau développé de grandes manufactures. De 1881 à 1891, près de 70% des travailleurs manufacturiers sont concentrés dans des fabriques de plus de 100 ouvriers. C'est plus de 8% de la main-d'oeuvre manufacturière qui se regroupe dans des manufactures de vingt-cinq travailleurs, et 9%, dans des établissements de dix à quinze employés. Environ 85% de la main-d'oeuvre montréalaise (31 107 travailleurs, en 1891) est assujettie au régime de la fabrique et vend sa force de travail à un employeur plus ou moins impersonnel. Poussons plus loin l'exploration de la cité manufacturière. Dans quels types d'entreprises ces ouvriers se trouvent-ils en majorité? Dans quels secteurs d'activité manufacturière la concentration ouvrière est-elle la plus forte? Un premier tableau dégage les emplois manufacturiers les plus fréquents (tableau III).

---

26 En 1891, correspond à la définition d'établissement industriel, «un local quelconque dans lequel une ou plusieurs personnes sont employées à transformer une matière quelconque en article d'usage ou de consommation.» (*Recensement du Canada, 1890-1891*, vol. III, p.v.) L'extension du terme établissement industriel est telle qu'elle n'a, à mes yeux, aucune signification. L'imprécision et l'ambiguïté de la terminologie indiquent, sans doute, que la révolution manufacturière n'avait pas encore marqué l'économie canadienne au point qu'elle imposât ses catégories au statisticien. En fait, la coexistence d'ateliers où s'affairent quelques artisans et hommes de métier et de fabriques où des dizaines, voire des centaines d'ouvriers, s'adonnent à des besognes parcellaires, n'est pas encore un fait significatif dans la statistique. Si l'on adopte la terminologie statistique de 1931, où l'on établit une distinction entre les occupations manufacturières proprement dites et les occupations industrielles en général, on se rend compte que, pour l'année 1891, 77.8% de la main-d'oeuvre industrielle du Québec est occupée dans des manufactures, au sens retenu par le statisticien de 1931 (F.A. Angers et R. Parenteau, *Statistiques...*, p. 36-37).

TABLEAU III

Activités manufacturières les plus importantes à Montréal en 1891

Types d'établissements manufacturiers les plus nombreux			Établissements manufacturiers employant le plus grand nombre de travailleurs		
Nombre d'établissements	Types d'établissements	Nombre de travailleurs	Nombre d'établissements	Types d'établissements	Nombre de travailleurs
250	modistes couturiers	1157	129	cordonneries	3719
185	tailleurs drapiers	2929	185	tailleurs drapiers	2929
129	cordonnerie	3719	2	matériel roulant	2521
63	charpenterie	869	41	fonderie, confection de machines	2344
51	boulangerie	379	26	fabriques de cigares	1822
48	forges	128	16	chemises, cravates, etc.	1459
46	carosserie	582	250	modistes, couturiers	1157
45	fourreurs chapeliers	917	2	raffineries sucre	1075
43	confiserie	606	9	préparation du tabac	1063
41	fonderie confection de machines	2344	45	fourreurs chapeliers	917
901	total	13 630	705		19 001

Source: *Recensement du Canada, 1890-1891,* vol. III, tableau I, pp. 2-387, passim.

Deux évidences: dans la liste de près de 150 types d'établissements que dresse le recenseur canadien, en 1891, les dix plus importantes catégories groupent 56% de tous les ateliers et manufactures, et 38% des ouvriers. Si l'on considère l'autre volet du tableau, on retrouve, dans les dix principaux genres d'occupation (sur près de 150), plus de 50% des ouvriers. A lui seul, le secteur de la chaussure occupe plus de 10% de la main-d'oeuvre, celui des tailleurs et drapiers, plus de 8%, celui du matériel roulant, 7% (CPR et GTR).

Dans quels secteurs la main-d'oeuvre féminine et juvénile se concentre-t-elle? Le tableau IV fournit la réponse.

TABLEAU IV

Activités manufacturières qui occupent le plus grand nombre de femmes et d'enfants à Montréal, en 1891

Types d'établissements	Femmes	Enfants
tailleurs et drapiers	1813	123
chemises, cravates, etc.	1078	89
cordonnerie	1062	288
modistes et couturiers	1009	133 (128 filles)
fabriques de cigares	730	65 (8 filles)
fabrication de caoutchouc	540	—
préparation du tabac	503	101
fourreurs et chapeliers	498	—
sacs et boîtes de papier	241	—
confiserie	224	—
fabrication de soie	190	—
fabrication de gaz	—	125 garçons
fonderie, confection de machines	—	123 (2 filles)
filatures de laine	—	105
total	7888	1162

Source: *Recensement du Canada. 1890-1891,* vol. III, tableau I, pp. 2-387, passim.

Ainsi, 82% de la main-d'oeuvre féminine se retrouve dans ces onze secteurs manufacturiers, et 51% de la main-d'oeuvre juvénile, dans neuf secteurs. Les ouvrières se partagent ainsi: 18% dans les établissements de tailleurs et de drapiers, 11% dans la fabrication de chemises, cravates et faux-cols, de même que dans la cordonnerie et la couture. Quant à la main-d'oeuvre juvénile, on en retrouve 12% dans la cordonnerie, 5% dans les ateliers de couture, dans les fonderies, dans la fabrication de gaz, dans les ateliers de tailleurs et de drapiers. Femmes et enfants composent 33% de la main-d'oeuvre manufacturière. Or, cette proportion est largement dépassée dans les genres d'activités énumérés. Notons la progression: 36% dans la cordonnerie, 40% dans les manufactures de cigares, 44% dans la confiserie, 56% dans la préparation du tabac, 58% des fourreurs et des chapeliers, 65% dans les manufactures de caoutchouc, 66% dans les ateliers de drapiers, 80% dans la fabrication de chemises, cravates et faux-cols, 98% des modistes et des couturiers.

Le tableau des activités manufacturières (tableau III) range, en parallèle, les 1157 couturiers et modistes, répartis en 250 ateliers et les 1075 travailleurs des deux raffineries de sucre de Montréal. Ce jumelage illustre avec éloquence la nécessité de relire la statistique sous l'angle de la concentration de la main-d'oeuvre. Une première observation des statistiques de 1891 permet de dresser la liste des entreprises qui regroupent le plus grand nombre de travailleurs (tableau V).

TABLEAU V

Établissements qui emploient le plus grand nombre de travailleurs à Montréal, en 1891

Nombre	Types d'établissement	Travailleurs	Moyenne
2	matériel roulant	2521	1260
2	raffineries de sucre	1075	532
2	laminoirs	686	343
1	établissement de lumière électrique	256	256
5	fabrication de caoutchouc	892	178
1	fabrication de collets de papier	150	150
2	filatures de laine	289	145
1	fabrication de gaz	140	140
2	fabrication de soie	249	125
9	préparation du tabac	1063	118
1	manufacture de prélart	98	98
6	verrerie	543	90
1	cartoucherie	90	90
26	fabriques de cigares	1822	70
4	moulins à farine	231	57

Nombre	Types d'établissement	Travailleurs	Moyenne
5	matériel à couvrir	281	56
2	fabrication de papier à tenture	110	55
5	briqueterie et tuilerie	319	53
5	fonderie de pièce et ajustage de cuivre	248	49
8	brasseries	327	40

Source: *Recensement du Canada, 1890-1891,* vol. III, tableau I, pp. 2-387, passim.

Le nombre moyen de travailleurs que l'on obtient à partir des données statistiques ne correspond cependant pas à la réalité. En effet, la moyenne s'établit à partir de quantités inégales, incomparables entre elles. Ainsi, dans le secteur du tabac, l'opération mathématique suggère l'existence de manufactures regroupant 118 ouvriers. Or, telle n'est pas la réalité: alors que J.M. Fortier emploie 153 cigariers et H. Jacob, 180, d'autres fabriques en comptent beaucoup moins; celle de B. Goldstein & Co., vingt-cinq personnes, celle de Samuel Roman, dix-neuf.[27] Selon le recensement de 1891, la fabrication de caoutchouc occupe 892 personnes; la Canadian Rubber s'y taille une portion royale avec au-delà de 700 ouvriers. Dans les secteurs où la concentration des travailleurs est faible, on retrouve, par ailleurs, des manufactures où s'affairent des dizaines de travailleurs. Dans le secteur de l'imprimerie, où la moyenne de travailleurs par établissement est de vingt-trois, le *Star* de Hugh Graham emploie 175 personnes.[28] Le pâtissier G.W. Tester commande à quatre-vingt-trois employés; le fabricant de valises, J. Eveleigh, à 100 ouvriers. La cordonnerie illustre bien la coexistence de types différents d'établissements. Le cordonnier qui répare, colle et coud des chaussures élimées, l'artisan qui, selon les méthodes traditionnelles, fabrique des bottes, paire par paire, le journalier qui, dans une vaste fabrique de chaussures, s'acquitte d'un travail morcelé, fondu dans une série d'opérations successives: tous ces travailleurs

27 *Rapport du commissaire de l'Agriculture et de la Colonisation de la province de Québec*, DS, doc. 2, 1893. pp. 246-249, passim.

28 CRCTC, vol. I. p. 365. Rien ne permet de penser que les journalistes forment une part importante de ce nombre de travailleurs. En effet, selon les chiffres du recensement de 1891, les journalistes sont au nombre de 182 au Québec, en 1891 (*Recensement...*, vol. II, tableau XII, p. 179).

figurent, aux termes du recensement, à l'article cordonnerie. D'autre part, les chiffres peuvent jouer en sens inverse et donner l'impression trompeuse de concentration ouvrière. C'est le cas des 2521 travailleurs des entreprises de chemins de fer que le recenseur classe à la mention «matériel roulant». Ceux-ci seraient-ils tous affectés à la fabrication des wagons? La réalité se dérobe à la statistique. Parmi les employés du Grand Trunk Railway et du Canadian Pacific Railway, on trouve des charpentiers, des menuisiers, des mouleurs de fer, des briqueteurs, des manoeuvres, etc. Activités distinctes, lieux de travail différents: l'image d'une vaste usine, suggérée par les chiffres, s'estompe, bien que les entreprises ferroviaires s'affirment comme les deux principaux employeurs de Montréal. La persistance de nombreux métiers traditionnels, le foisonnement de petites entreprises coïncident avec l'expansion d'une industrie qui exploite, sur une grande échelle, le travail humain.

Cette main-d'oeuvre, engagée dans des établissements manufacturiers clairement identifiés, compose le noyau, vaste et consistant, de la classe laborieuse montréalaise. Cependant, des centaines de travailleurs échappent au recensement des manufactures: ceux du secteur des services. L'armée des gagne-petit se grossit ainsi d'une cohorte de travailleurs. On les retrouve à l'emploi de la municipalité: ils sont pompiers, nettoyeurs de rue et briqueteurs de chemin. Employés de commerce, commis: à eux seuls, les deux plus grands magasins à rayons de Montréal emploient 275 personnes, vers 1890. Le commerce de l'alcool, gros et détail, occuperait, vers 1895, 4851 personnes, à Montréal seulement.[29] Les travailleurs du secteur des transports et des communications: débardeurs, opérateurs de télégraphes, charretiers, conducteurs de tramways.[30] Il ne faut pas oublier non plus les services domestiques, très répandus à l'époque, et certains métiers de la construction: plâtriers, peintres, une partie des charpentiers et des menuisiers. Les statistiques des grèves, à défaut de meilleur instrument de mesure, permettent de supputer grossièrement le phénomène. La grève immobilise

---

29 *Report of the Royal Commission on the Liquor Traffic in Canada*, Ottawa, Queen's Printer, 1895, p. 13. Le texte n'indique pas clairement si ce nombre d'employés inclut les travailleurs des brasseries. De toute façon, ceux-ci ne sont que 327.

30 A elle seule, la Dominion and Transportation Shedder Company emploie de 250 à 300 personnes, en 1887.

100 briqueteurs de chemin en 1888,[31] 250 plâtriers en 1890,[32] 1900 charpentiers en 1894.[33] Au risque de sous-estimer leur nombre, il est permis d'ajouter, au chapitre des services, plus de 4000 travailleurs à la main-d'oeuvre totale. On obtient ainsi un contingent ouvrier de plus de 40 000 personnes.

Au fil des pages, les caractéristiques principales de la main-d'oeuvre montréalaise se sont dégagées. Il reste à évaluer la part prise par cette fraction de la population montréalaise sur l'ensemble des citoyens. Mesurons d'abord la croissance démographique de la cité:

1881: 140 747 habitants
1891: 182 695 habitants

Quel rapport établir entre la population totale et la main-d'oeuvre industrielle? En fait, il suffit d'évaluer la taille des familles et le nombre de salariés par famille. A l'aide de ces deux indices, on établira le rapport suivant: population ouvrière / population totale. La taille moyenne des familles montréalaises est de 5.1 personnes, en 1891. Dans deux quartiers typiquement ouvriers, Sainte-Anne et Sainte-Marie, on obtient des moyennes paradoxales: 5.2 et 4.7 respectivement. Même phénomène pour Hochelaga, 5.3, et Saint-Jean-Baptiste, 4.9. La moyenne montréalaise, à défaut d'indications sûres, servira de base. Combien de personnes assurent le revenu familial? L'étude de Herbert Brown Ames, *The City Below the Hill*, fournit des indications précieuses à ce sujet.[34] Sur une moyenne de 4.77 personnes par famille, 1.38 s'adonne à un travail salarié à l'extérieur du logis.[35] Un ajustement du rapport avec la

31 Jean Hamelin, Paul Larocque, Jacques Rouillard, *Répertoire des grèves dans la province de Québec au XIXe siècle*, Montréal, École des Hautes Études Commerciales, 1970, p. 98.

32 Ibidem, p.102.

33 Ibidem, p. 119.

34 H.B. Ames entreprend, en 1895-1896, l'étude sociologique d'un quartier ouvrier montréalais. Il isole, pour les fins de son analyse, le quartier Sainte-Anne et la partie sud de Saint-Antoine, secteur industrialisé, peuplé en grande partie d'ouvriers. Son attention se porte sur les revenus ouvriers, la famille ouvrière, son logement, ses conditions de vie, sa situation financière. Bien que bref et laconique, l'exposé de Ames, riche en statistiques, fournit plusieurs indications indispensables à la connaissance des ouvriers montréalais de l'époque. L'importance particulière de l'étude s'impose, si l'on songe que c'est probablement la seule enquête de ce type menée au XIXe siècle à Montréal. (H.B. Ames, *The City Below the Hill. A Sociological Study of a Portion of the City of Montreal, Canada*, Montreal, The Bishop Engraving and Lenting Company, 1897.)

35 Ames inclut, dans le calcul de la famille moyenne, les célibataires en pension. En l'absence d'autres renseignements, je ferai abstraction de ce fait, en supposant que les autres secteurs ouvriers comptent aussi leur part de «chambreurs».

moyenne montréalaise impliquerait la présence, dans une famille de 5.1 personnes, de 1.6 travailleur responsable du revenu familial. La proportion est-elle juste? La densité industrielle et la concentration marquée d'effectifs ouvriers près du canal Lachine, permettent de penser que nulle part, autant que dans le quartier Sainte-Anne, le poids des responsabilités familiales ne favorise le travail salarié. D'autre part, aucun indice n'induit à abaisser le rapport de 1.6 salarié/5.1 personnes qu'on a dégagé, à partir des observations de Ames sur la famille ouvrière de la «city below the hill». Sans doute, la proportion d'ouvriers par rapport à la population totale varie-t-elle d'un quartier à l'autre. Cependant, l'indication de Ames conserve sa valeur si l'on ne l'applique qu'à la population ouvrière. Si on applique le rapport 1.6/5.1 à la main-d'oeuvre manufacturière, on obtient une appréciation minimale de la population ouvrière. En répétant l'opération avec, en plus, les employés des services, on s'approche sans doute de la réalité. Dans le premier cas, on obtient 113 939 personnes; dans le second, 127 500. Ainsi, d'après cet exercice mathématique plus ou moins aléatoire, il ressort que la population ouvrière forme de 62.3% à 69% de la population montréalaise. Le dosage paraît faible? L'absence de statistiques globales sur les travailleurs du secteur des services, sur la famille ouvrière, ne permet pas d'affirmation catégorique. Aussi n'ai-je retenu que les mesures les plus faibles, au risque de sous-estimer le phénomène. Certes, la question commanderait une enquête approfondie. Cependant, à l'aide des données disponibles, on peut émettre des hypothèses valables. Dans l'aire étudiée par H.B. Ames, les familles ouvrières forment 70% de la population. Or, les berges du canal Lachine abritent, depuis un demi-siècle, le premier îlot ouvrier montréalais. Les usines, les ateliers, les fabriques y sont nombreux; la densité ouvrière, importante. Dans les autres quartiers, sauf, peut-être, Sainte-Marie, la concentration ouvrière se dilue dans l'ensemble de la population: son importance procentuelle diminue. Dès lors, il semble bien que les premières approximations acquièrent de la consistance. De 60% à 70% des Montréalais de 1890 sont donc au centre de cette étude.

Ainsi se trouvent posés les paramètres qui définissent la portée et l'orientation de cet essai. La dimension chronologique:

le mouvement économique à long terme, la dépression de la fin du XIXe siècle, contrariant ou confirmant cette tendance, les méandres de la conjoncture canadienne, tributaire des pulsions internationales. L'espace industriel: d'abord, les manufactures, les installations matérielles. C'est l'esquisse d'une géographie industrielle. Puis, l'armée des travailleurs: sa répartition selon les occupations, selon le degré de concentration ouvrière et la participation de la main-d'oeuvre féminine ou juvénile. Enfin, la perspective démographique: c'est la part qu'occupent les effectifs ouvriers dans l'espace démographique montréalais; leur importance numérique.

Les conditions de travail

Chaque jour, au petit matin, des milliers de silhouettes se hâtent dans les rues montréalaises: c'est le peuple des travailleurs qui poursuit un destin aveugle. Les uns s'engouffrent dans d'immenses usines, d'autres passent la porte d'ateliers exigus où se perpétuent des méthodes de production artisanales. Tous ces êtres, cellules anonymes d'une multitude insaisissable, doivent se soumettre à des horaires, à des règlements, à un régime qui définit l'exploitation de leur force de travail par un patronat hétérogène. Dans la modeste entreprise familiale, la relation personnelle entre le patron et son employé se maintient. Ailleurs, dans les manufactures, propriétés de compagnies anonymes, le contact humain entre l'employeur et le travailleur est aboli. Partout, cependant, l'ouvrier doit accepter la loi d'airain du capitalisme libéral ambiant: l'offre et la demande. La reconstitution des conditions de l'exploitation capitaliste du travail, telles qu'elles prévalent vers 1890 à Montréal, occupera les pages suivantes. Exploitation multiforme, parfois brutale et arbitraire, le plus souvent discrète et diffuse, elle se prête néanmoins à une analyse objective. La durée du travail: le nombre d'heures, le nombre de jours de travail par semaine, mais aussi la structure et la nature de la durée du travail. Par le biais de la journée de travail, c'est le problème fondamental de l'utilisation, parfois éhontée, de la main-d'oeuvre féminine et juvénile, c'est l'étude du «sweating system», des abus auxquels se livrent les patrons et certains contremaîtres en raison d'un rapport de force qui leur est favorable. Enfin, il faut prêter une attention particulière aux conditions matérielles de travail, à l'hygiène des ateliers, aux normes et mesures de sécurité qui garantissent la santé et la vie de l'ouvrier. La multiplication des usines, les nombreux accidents de travail, les revendications des travailleurs entraîneront la nomination de plusieurs inspecteurs des manufactures dont les témoignages éclairent d'une lumière crue les conditions objectives et, aussi, le climat social et psychologique qui président au développement industriel de Montréal, à la fin du siècle dernier.

I. La durée de travail

A. Les données du problème

A combien d'heures de travail les ouvriers sont-ils astreints? L'expression numérique et la compilation statistique à laquelle donne lieu cette question ne suffisent pas à bien comprendre les conditions et les implications de la durée du travail manuel. Un lieu commun veut que le machinisme ait eu une double influence: accroissement de la production et diminution du temps de travail. Or, si l'on considère l'évolution du travail dans les pays occidentaux, on se rend compte que la révolution industrielle et l'arrivée du machinisme ont eu pour effet d'allonger la journée de labeur. Le progrès technique, qui tire l'artisan de son atelier pour le plonger dans un processus manufacturier où son travail n'est qu'une parcelle de l'oeuvre commune, ne se traduit pas nécessairement par un progrès social qui permettrait au nouveau travailleur de jouir de biens et de loisirs dont il était privé sous le régime artisanal. En fait, l'harmonie du progrès social et du progrès technique, qu'on considère souvent comme un phénomène normal et le résultat de rapports de production spécifiques du capitalisme industriel, ne s'explique pas par le mouvement naturel du capitalisme. Pierre Naville écrit:[1]

Cette tendance ne résulte pas du mouvement propre du système économique, ni de sa structure technique proprement dite, mais au contraire d'un rapport de force, d'un déséquilibre entre éléments associés et antagonistes de la production, c'est-à-

1 Pierre Naville, *La vie de travail et ses problèmes*, Paris, Armand Colin, 1954, p. 13.

dire essentiellement entre entrepreneurs propriétaires de grands moyens de production et travailleurs salariés.

En somme, le progrès technique paraît d'abord indissociable d'une tendance à l'utilisation maxima du temps de travail disponible, donc d'une tendance à son allongement.

La journée de travail n'est pas seulement une mesure astronomique, mais aussi un temps de travail humain et social: le temps consacré à gagner le salaire et à créer la plus-value. Il est donc normal que la contrepartie de la conception bourgeoise du travail soit la revendication des coalitions en vue de réduire autant que possible le temps de travail et par conséquent le surtravail, créateur de plus-value. Pourtant, la réduction du temps de travail risque d'affecter à la fois la plus-value et le salaire; aussi la demande par les ouvriers d'une réduction du temps de travail n'est-elle pas toujours unanime et constante. Le progrès technique, s'il n'est pas compensé par une diminution du temps de travail ou un accroissement du salaire, augmente la plus-value du capitaliste. L'analyse du temps de travail doit aussi tenir compte de la constitution interne et de la densité du travail. Le progrès technique, l'élimination des temps morts et des gestes inutiles, l'accélération du processus de production ont modifié la texture même du labeur. Le travail se traduit en une durée mais aussi en intensité. La journée de douze heures peut être poreuse, ponctuée de temps morts, alourdie par la fatigue, la journée de dix heures, plus dense.

Dans le Québec industriel de 1890, on trouvera aisément l'illustration de ces réflexions. Les pressions des organisations ouvrières, depuis le Eight Hours Movement jusqu'aux Chevaliers du Travail, favorisent la réduction des heures de travail. Les commissaires de la CRCTC en prennent note:[2]

Le mouvement parmi les ouvriers pour avoir une diminution des heures de travail augmente considérablement parmi la population.

Quelques associations ouvrières qui sont parfaitement organisées ont obtenu une réduction des heures de travail chaque jour. La journée de neuf heures dans les fabriques n'est pas adoptée, règle générale, mais par suite de luttes on l'a obtenue, et le mouvement se propage lentement. Les associa-

2 CRCTC, *Rapport I*, p. 98.

tions ouvrières avec plus de persistance et en s'unissant davantage pourraient obtenir beaucoup plus dans ce sens. Quand les personnes qui gagnent leur vie par leur travail manuel comprendront que le plus grand avantage qu'ils peuvent obtenir pour leur classe est une diminution des heures de travail, ils feront plus d'effort pour obtenir cette diminution. Les personnes qui disent qu'en diminuant les heures de travail on a augmenté les profits de l'hôtelier ne sont pas aussi nombreux qu'ils l'étaient (sic).

Alphonse-Télesphore Lépine, député ouvrier aux Communes, propose de tenter l'expérience de la journée de huit heures avec les employés de l'État et des Travaux publics. Pour sa part, Charles T. Côté, inspecteur des manufactures, voudrait que la mesure s'applique d'abord aux femmes et aux enfants.[3] Selon le rapport de la CRCTC, «beaucoup de témoins étaient fermement persuadés que l'ouvrier exténué est plus enclin à chercher le renouvellement de ses forces dans l'usage des liqueurs enivrantes que l'homme qui quitte son ouvrage avant que ses forces ne soient épuisées».[4] Le rédacteur de la Commission propose un argument à l'attention des employeurs: un ouvrier produit plus en des journées normales qu'en des journées excessivement longues. Les patrons trouveront leur intérêt à rendre acceptables les conditions de travail. Pour Jean-Baptiste Gagnepetit, il s'agit d'améliorer la situation économique, en même temps que le sort des travailleurs.[5]

La réduction de la journée aura pour effet immédiat de donner de l'ouvrage et des salaires à des ouvriers inoccupés, ouvriers qui représentent un cinquième des travailleurs. Ces ouvriers occupés au lieu d'être plus ou moins à charge au public deviendront des consommateurs en devenant des producteurs et rendront à l'industrie, à l'agriculture et au commerce ce qu'ils auront reçu en salaires.

Malgré ce courant d'opinion, tous les ouvriers ne souhaitent pas la journée de huit à neuf heures. Un chroniqueur de *La Presse* suggère:[6]

---

3 *Rapport de M. Charles T. Côté*, DS, doc. no 2, 1890, p. 130.
4 CRCTC, *Rapport I*, p. 37.
5 *La Presse*, 13 février 1893.
6 Ibidem, 13 juillet 1889.

Pour certains ouvrages durs, ce serait assez de huit heures. Mais la plupart du temps, une journée de huit heures serait désastreuse pour les industries et les patrons. Les ouvriers, en général, aiment mieux donner une heure ou deux par jour de plus, et gagner un salaire plus élevé et ils ont raison. Cela fait mieux son affaire (sic) *et celle de son patron; car que les ouvriers ne perdent pas de vue que les patrons dont les affaires sont florissantes seront plus disposés à payer de forts salaires que ceux qui sont dans la gêne.*

Si les travailleurs marquent leur réticence à amputer la journée de travail, à plus forte raison les employeurs y sont-ils hostiles. En fait, la règle du profit maximum les stimule à exploiter jusqu'à la corde la main-d'oeuvre. Les circonstances économiques s'y prêtent. Le chômage accentue la disponibilité des travailleurs et nivelle leurs exigences. On lit dans *La Presse* du 13 juillet 1889:

Maintenant ce qui empêche la compagnie de chars urbains de montrer un peu plus d'humanité pour ses employés, c'est qu'elle peut trouver des hommes tant qu'elle veut. Pour un qui laisse son emploi, il y en a dix qui demandent sa place. Tout de même, une société, ou une industrie n'est pas justiciable (sic) *de profiter des besoins qu'ont les hommes de gagner de l'argent, pour les astreindre à un travail exorbitant.*

Certes, l'intervention législative de l'État peut améliorer le sort des travailleurs ou, du moins, enrayer partiellement les pires abus. Cependant, la concurrence qui sévit entre les provinces et les localités, afin d'attirer de nouvelles manufactures, joue contre les ouvriers.[7] En effet, les parlements provinciaux hésitent à légiférer sur les heures de travail, la sécurité au travail, le travail des enfants. Une législation sévère et, surtout, son application rigoureuse risquent d'altérer l'attrait que pourrait exercer une province ou une ville sur les industriels, au profit d'autres provinces ou localités moins empressées d'améliorer le sort des travailleurs. Sous la pression des organisations ouvrières, le Québec se dote, en 1885, d'une loi qui limite le travail à douze heures et demie par jour et à soixante-douze heures et demie par semaine. En 1894, on réduit

7 Voir la définition de la «law of Competing Standards» par W.L. M. King, note 70, p. 67.

à douze heures la journée du travail. Une disposition de la loi laisse cependant la porte ouverte à certains accommodements avec les industriels, afin de prolonger le travail moyennant l'approbation des inspecteurs des manufactures.

B. Quelques chiffres

La loi fixe la durée maximale du labeur salarié; peut-être consacre-t-elle ainsi une exploitation? Toutefois, on ne peut pas déduire du texte législatif la durée réelle de la journée de travail. Celui-ci ne supplée pas à l'analyse de la situation dans différents secteurs manufacturiers. Les conditions varient, en effet, selon les impératifs de chaque activité manufacturière. Le commissaire A.T. Freed affirme que la moyenne générale pour le Canada est de dix heures.[8] Il s'empresse de citer des exceptions nombreuses à la règle. Pour leur part, les inspecteurs des manufactures, dans leurs rapports, dégagent une moyenne hebdomadaire de soixante heures.[9] Cependant, des témoignages abondants confirment que la règle générale est triturée par d'innombrables exceptions. Dans les magasins de mode, les employées sont au travail de huit heures à vingt et une heures, durant les périodes creuses; lorsque les ventes augmentent, elles doivent demeurer au magasin jusqu'à vingt-trois heures et demie. Elles disposent de deux heures pour le dîner et le souper.[10] Dans les fabriques de coton, la journée comporte onze heures de travail. Quelquefois, le travail continue jusqu'à dix-neuf heures quinze sans arrêt pour le souper. Il arrive même que les métiers ne s'arrêtent qu'à vingt et une heures: huit heures quinze minutes de travail continu depuis midi quinze.[11] Dans ce dernier cas, les travailleurs peuvent prendre une légère collation sans arrêter leurs métiers. Les couturières et les modistes, durant les mois affairés, à l'automne, travaillent dans certains ateliers de huit heures du matin à minuit; le samedi soir, leur travail se prolonge toute la nuit, jusqu'au dimanche matin.[12] Dans les boulangeries, les conditions sont affreuses. En 1893,

---

8 CRCTC, *Rapport I*, p. 37.

9 *Rapport de M. James Mitchell, Rapport de M. Louis Guyon*, DS, doc. no 2, 1890, p. 143 et p. 151.

10 CRCTC, vol. I, p. 663.

11 CRCTC, *Rapport I*, p. 36.

12 Ibidem, p. 37.

les boulangers soumettent leurs griefs à Jules Helbronner. Le travail se fait la nuit, même le dimanche; les boulangers demeurent à leur four de douze à treize heures par jour. Ils demandent l'abolition du travail de nuit et la diminution des heures, mesures déjà adoptées en Ontario.[13] En 1898, l'inspecteur Joseph Lessard rapporte les plaintes de boulangers «courbés de quatre-vingts à quatre-vingt-dix heures sous l'ouvrage, au lieu de soixante heures par semaine, et travaillant en outre le dimanche».[14] Dans le port de Montréal, les arrimeurs peinent durant des périodes de temps invraisemblables. La coutume veut qu'on opère un déchargement de navire sans interruption, avec la même équipe. Un témoin, devant la CRCTC, déclare avoir travaillé trente-cinq heures, s'arrêtant seulement pour prendre ses repas; un autre affirme avoir été tenu à quarante heures. Un dernier a fourni durant la même semaine, deux périodes de trente heures. Et les commissaires commentent:[15]

Il a été prouvé que ces cas n'étaient pas rares. On ne doit pas oublier que la tâche des arrimeurs est très fatigante, et que le travail est mené avec toute la célérité possible.

Pour leur part, les pompiers sont tenus de demeurer à leur poste, sans aucune période de repos définie. Chaque homme ne s'absente qu'une fois par semaine, pour une période de quatre heures seulement.[16] Les conducteurs de chars urbains sont soumis à une exploitation qui, même à l'époque, soulève des protestations. Au travail de cinq heures et demie du matin à vingt-trois heures et demie, avec quatre heures et demie pour les repas et les relèves, les conducteurs sont rivés à leur véhicule treize heures et demie par jour. Parfois, ils doivent demeurer sur un char huit heures consécutives, sans relève. Un chroniqueur de *La Presse* proteste:[17]

C'est là un travail dur que la société protectrice des animaux ne tolèrerait pas, si au lieu d'être des hommes, ces sujets étaient des animaux. Mais ce sont des hommes, on les

---

13 *La Presse*, 1er avril 1893 et CRCTC, vol. I, p. 633.
14 *Rapport de M. Joseph Lessard*, DS, doc. no 7, 1897-98, p. 57.
15 CRCTC, *Rapport I*, p. 38.
16 CRCTC, *Rapport I*, p. 37.
17 *La Presse*, 13 juillet 1889.

laisse maltraiter. La Compagnie des Chars Urbains prend bien plus soin de ses chevaux que de ses employés. Quand ceux-ci deviennent incapables de travailler on en prend d'autres, tandis que si c'est un cheval qui devient incapable de faire le service, la compagnie doit en acheter un autre. C'est d'après ce principe que les chevaux passent avant les hommes.

Faut-il conclure que ces abus composent le modèle courant de la journée de travail? De nombreux témoignages prouvent, au contraire, que la moyenne générale oscille près de dix heures par jour. Cependant, dix heures de travail signifient onze heures de présence à l'ouvrage. De plus, l'activité manufacturière est soumise à des pulsations saisonnières et à des pressions propres à chaque industrie. Les couturières et modistes doivent s'astreindre durant l'automne à un horaire exténuant. Sur les quais, on concentre les périodes de travail au moment de l'arrivée des navires. La moyenne hebdomadaire peut coïncider avec les normes provinciales, la structure des périodes de travail n'en est pas moins inacceptable.

C. Lutte pour la diminution des heures de travail

Les travailleurs se liguent pour obtenir la réduction de la durée de travail; les résistances à leur action sont nombreuses et parfois occultes. Le cas des commis de magasins à rayons illustre parfaitement les problèmes inhérents à l'action ouvrière. Jean-Baptiste Gagnepetit témoigne, dans sa chronique, des espoirs et des déboires du mouvement pour la «fermeture de bonne heure», dans les années 1880-1890. Les commis sont à leur poste six jours par semaine. Leur travail est harassant et dangereux, selon le chroniqueur de *La Presse*, «à cause des longues heures de travail, des émanations de gaz, de la volatilisation des matières toxiques contenues dans les marchandises, de la chaleur excessive à laquelle sont soumis les employés en été».[18] En 1881, les commis déclenchent la grève afin d'obtenir la fermeture à vingt et une heures.[19] Peine perdue. En 1885, un mouvement pour le chômage du samedi après-midi s'amorce, sous l'impulsion du *Montreal Star*. Gagnepetit expose les écueils qui guettent l'entreprise. Montréal étant relativement

18 *La Presse*, 23 janvier 1893.
19 J. Hamelin, P. Larocque, J. Rouillard, *Répertoire des grèves...*, p.66.

petit, on n'hésite pas à traverser la ville pour économiser quelques sous. Or, cette démarche n'est possible que le samedi, et les marchands ne l'ignorent pas. L'acquiescement des marchands aux exigences des commis est improbable; en effet, les affaires stagnent et les commerçants ne négligent aucun moyen pour assurer leur profit. La paye du vendredi permettrait aux travailleurs de magasiner le samedi matin et faciliterait la fermeture à midi, sans préjudice pour l'activité commerciale. Jean-Baptiste Gagnepetit propose qu'on amorce le mouvement de fermeture en hiver, au moment où les affaires sont calmes; l'abandon du samedi après-midi permettrait aux propriétaires d'économiser les frais d'éclairage et de chauffage. La campagne ne s'en déroule pas moins en été. Gagnepetit propose:[20]

C'est le public acheteur qu'il faut gagner à la mesure; comme acheteur, il est égoïste et achètera sans s'occuper si les malheureux employés tenus jusqu'à minuit au magasin sont ou ne sont pas des travailleurs et des pères de famille comme lui. Or la plupart de ces acheteurs sont au point de vue du chômage du samedi des travailleurs un peu moins malheureux que les autres et quittent leur travail à six heures au lieu de minuit.

Dans une lettre au chroniqueur de *La Presse*, un ouvrier rapporte que, lors d'une réunion, 300 représentants des travailleurs de divers secteurs de l'île de Montréal ont appuyé une motion invitant les ouvriers à ne pas fréquenter les magasins après vingt heures. Forts de ces appuis, les commis pourraient-ils recourir à la grève? Jean-Baptiste Gagnepetit leur nie cependant ce droit:[21]

Les commis n'ont absolument aucun droit à s'occuper de la question, en dehors de la pression qu'ils ont été autorisés à faire sur l'esprit du public. Les commis, je le répète, n'ont rien à dire aux marchands qui ne veulent pas fermer, premièrement parce que les négociants sont libres d'agir comme ils veulent et secondairement parce que les commis sont engagés par leurs contrats à travailler jusqu'à neuf ou dix heures jusqu'au 1er avril.

Fidèle à la pensée des Chevaliers du Travail, Gagnepetit soutient que la solution au problème des commis émergera de la

20 *La Presse*, 27 juin 1885.
21 Ibidem, 1er août 1885.

persuasion et de l'éducation des travailleurs, de la conscience de leurs intérêts communs.[22]

Les grèves ont presque toujours été ruineuses pour les salariés qui les ont faites; même pour ceux qui sont bien organisés. Qu'aurait-elle pu produire pour les commis, qui n'ont aucune organisation sérieuse et qui sont certainement plus faciles à remplacer que les ouvriers?

Après quelques semaines, le mouvement obtient l'appui des marchands. En août, 250 des 260 marchands les plus importants ont accordé leur consentement à la fermeture à vingt heures.[23] Les commis ne désarment pas: ils veulent étendre ces avantages aux employés des chapeliers, des marchands de chaussures, aux élèves et commis des pharmacies, aux commis des épiceries. Avec l'arrivée de l'hiver et le ralentissement des affaires, quelques marchands dérogeront à la règle commune. La compagnie de gaz, qui craint de souffrir des économies d'éclairage et de chauffage réalisées grâce à la fermeture à vingt heures, offre une année de gaz gratuitement à ces marchands s'ils réussissent à enrayer le mouvement de fermeture de bonne heure.[24] Dès le début de l'automne, la solidarité ouvrière s'effrite devant les intérêts irréductibles d'un groupe de marchands. Jean-Baptiste Gagnepetit tire une sévère leçon de l'expérience:[25]

Le mouvement de la fermeture de bonne heure, si bien lancé en 1885, (...) aurait été un succès complet et durable, s'il avait été soutenu par les ouvriers. Ce sont eux en grande partie qui sont responsables de l'échec éprouvé au moment même où la victoire était assurée.

Faut-il pour autant abandonner la lutte? Certes non. Organisation et solidarité sont les clés de la réussite. A Londres, le mouvement de fermeture a mis vingt ans avant de porter des fruits. En 1892, un projet de loi sur l'heure de fermeture des magasins est déposé à l'Assemblée législative. Le gouvernement piétine; le Conseil législatif s'obstine. La loi passera en ...1924.

---

22 Ibidem, 12 septembre 1885.
23 *La Presse*, 22 août 1885.
24 Ibidem, 8 août 1885.
25 Ibidem, 4 juin 1887.

La lutte pour une journée de travail acceptable, bien qu'elle mobilise beaucoup d'énergies, souffre des conditions économiques de l'époque. L'inertie de nombreux travailleurs, associée à la résistance diffuse et tenace des employeurs, absorbe l'effet des pressions des associations ouvrières. Aussi, ne faut-il pas s'étonner de la lenteur des progrès à ce chapitre.

II. Le travail des femmes et des enfants

A. Quelques chiffres

Le calcul des heures de travail révèle des disparités marquées entre divers domaines de l'activité industrielle. Une constatation s'impose rapidement: la durée du travail excède la moyenne générale dans les établissements où la main-d'oeuvre féminine et juvénile domine. Dans les filatures de laine, les femmes et les enfants forment 67% de la main-d'oeuvre. Dans les filatures de coton, ils sont deux fois plus nombreux que les hommes. Or, dans ces établissements, la journée de travail excède onze heures. Le commissaire Freed observe:[26]

Dans quelques fabriques de coton, dans lesquelles des enfants n'ayant pas plus de neuf ans sont employés, le travail se continue fréquemment de six heures et demie du matin à midi et de midi et quarante-cinq minutes à sept heures et demie du soir, soit treize heures de travail, avec un repos de trois quarts d'heure seulement et une séance non interrompue de sept heures.

Les commissaires constatent que, dans plusieurs moulins ou manufactures, on emploie, en grand nombre, femmes et enfants plutôt que des hommes, parce qu'on peut obtenir leur travail à meilleur marché; on peut les soumettre à de nombreuses exactions et les faire travailler durant de longues heures, ce contre quoi des hommes s'insurgeraient.[27]

De toute évidence, le travail des femmes et surtout celui des enfants soulèvent des problèmes particuliers. La main-d'oeuvre féminine et juvénile se caractérise par une grande instabilité. Mariage, grossesse, veuvage, responsabilités familiales, affec-

26 CRCTC, *Rapport I*, p. 37.
27 CRCTC, *Rapport I*, p. 87.

tent la disponibilité de la femme à l'égard de son travail. De nombreuses mères doivent abandonner leurs enfants, seuls, à la maison. Le recorder de Montréal recommande, en 1892, la création de garderies pour les enfants des ouvrières.[28] L'idée n'aura pas de suite. Compte tenu du manque de commodités pour la garde des enfants, du nombre élevé d'enfants par famille, on peut supposer que la majorité des femmes au travail sont âgées de moins de vingt-cinq ans et n'ont pas d'enfants ou bien elles dépassent trente-cinq ans et leurs enfants sont en âge de travailler.

Les enfants, peu sujets à des modifications de leur statut civil, sont néanmoins les premiers affectés par l'évolution de la situation économique. En période de chômage, les employeurs réduisent le nombre de leurs employés. Les pères et mères retirent alors leurs enfants de la manufacture plutôt que de perdre eux-mêmes leur emploi. En 1896, par exemple, les inspecteurs Guyon et Mitchell notent la diminution du nombre des enfants au travail. James Mitchell écrit à l'intention du Premier ministre E.J. Flynn:[29]

Je dois d'abord déclarer que l'état languissant de l'industrie, durant l'année qui vient de finir, a obligé quelques-uns de nos manufacturiers à ne maintenir leurs fabriques et ateliers en activité qu'à des heures restreintes, à les fermer ou à réduire le nombre de leurs employés. Il résulte de ces circonstances que les produits manufacturés ont excédé la demande, et que, en conséquence, il y a peu de raison d'employer de tout jeunes enfants ou d'excéder les heures réglementaires du travail.

En 1891, 2253 adolescents de moins de seize ans travaillent à Montréal. Ils forment 6.3% de la main-d'oeuvre. Les femmes occupent une proportion de 26.7%. On exploite le travail des enfants dans la chaussure (288), la reliure (72), la couture (133), les filatures de laine (105), les manufactures de cigares (101) et les fonderies (123). A Hochelaga, les filatures mobilisent 239 enfants. Dans *The City Below the Hill,* Ames révèle que les femmes comptent pour 20% de la main-d'oeuvre et les enfants, pour 3%, en 1896. Dans les sections du quartier où sont localisées les manufactures de chemises, la proportion grimpe à

28 *La Presse*, 22 octobre 1892.
29 *Rapport de M. James Mitchell*, DS, doc. no 7, 1896, p. 84.

75%. Dans la section des manufactures de cigares, à 37%. Malgré ces chiffres élevés, Ames se console en constatant que la proportion des femmes et des enfants dans la main-d'oeuvre totale est inférieure à celle qu'on observe en Europe.[30]

Le travail de la femme ne provoque, chez l'observateur d'aujourd'hui, aucune réaction de surprise. En effet, la présence de la femme est devenue, au XXe siècle, une caractéristique du monde du travail. Une distinction s'impose pourtant. L'évolution de la structure de l'emploi regroupera la femme dans le secteur des services: vente, services de santé, éducation, secrétariat, etc. En 1890, 26% de la main-d'oeuvre des établissements manufacturiers est féminine. La différence est notable. L'enrôlement de milliers d'enfants dans l'industrie montréalaise révèle un aspect de la société industrielle aujourd'hui pratiquement disparu, mais qui constituait un trait fondamental du système manufacturier au XIXe siècle. Se maintenir au niveau de subsistance constituait le défi quotidien de nombreuses familles ouvrières. A mesure que le nombre de bouches à nourrir augmentait, il fallait accroître le revenu familial. Le salaire des enfants constituait un appoint appréciable. De plus, la seule perspective qui s'offrait au fils du prolétaire était de rejoindre son père à l'usine. Une instruction sommaire suffisait à l'enfant dont l'univers se limitait à l'horizon clos de la cité manufacturière. La révolution industrielle répand donc l'esclavage industriel des enfants. Montréal, non plus que les autres villes industrielles de l'époque, n'échappe à la règle.

B. L'apprentissage et le travail des enfants

Le régime artisanal a légué au système manufacturier né du machinisme des traditions dont l'utilité et la signification s'émoussent au cours de la révolution industrielle. L'apprentissage compte parmi ces legs du passé artisanal. Dans l'économie pré-industrielle, à l'époque où florissaient les compagnonnages, l'apprentissage remplissait un rôle essentiel au maintien du métier. L'apprenti faisait partie de la famille du maître; il n'était pas payé. Avec le développement de la manufacture, la division du travail et la simplification des tâches dévaluent le long apprentissage de naguère. La rémunération de l'apprenti

---

30 H.B. Ames, *The City...*, p. 13.

est introduite. Au XIXe siècle, si le terme apprentissage survit, il ne désigne plus l'initiation poussée aux techniques d'un métier. L'apprenti, dans l'établissement manufacturier, est devenu l'homme de peine, sur lequel on se décharge des besognes secondaires, des courses, des travaux domestiques. Aucun texte de loi ne définit l'apprenti, bien que le terme soit utilisé dans l'Acte des manufactures. Jean-Baptiste Gagnepetit juge sévèrement les résidus de l'ancien apprentissage, de même que les moyens auxquels recourent les employeurs pour s'assurer l'obéissance de leurs apprentis:[31]

J'ai vu beaucoup de ces causes et elles se ressemblent toutes. L'enfant était payé, il n'avait pas fait sa tâche et alors on le maltraitait; il quittait et son maître armé de cette loi ridicule des maîtres et des serviteurs inscrite dans les règlements de la bonne ville de Montréal, demandait la punition, l'emprisonnement de l'enfant, ou son retour à ce qui souvent n'est qu'un esclavage déguisé.

Selon A.E. Grear, «au Canada, l'immigration des vieux pays fournissait en nombre suffisant les ouvriers expérimentés, et l'apprentissage devient surtout un moyen de placer les pauvres dans l'industrie.»[32]

Bien que décadent, le régime de l'apprentissage demeure le centre d'une controverse. Certains patrons s'opposent à la réforme ou à l'abolition de l'apprentissage: celui-ci leur fournit une main-d'oeuvre peu coûteuse et fort docile. D'autres, au contraire, considérant que l'apprentissage implique des responsabilités et les oblige à verser des salaires supérieurs à des travailleurs qui, après six ou sept ans d'apprentissage, se considèrent comme des ouvriers spécialisés, proclament la nécessité d'abolir cette institution. Des travailleurs, par crainte que la suppression de l'apprentissage n'entraîne une chute des salaires, défendent les mérites de cette tradition. Des représentants ouvriers, à l'instar d'Helbronner, réclament la suppression de ce qu'ils considèrent comme un esclavage. Ils proposent, comme moyen d'initiation aux métiers, l'école manuelle, telle qu'elle se répand en France et aux États-Unis.

---

31 *La Presse*, 6 décembre 1884.
32 A.E. Grear, *La législation ouvrière*, Ottawa, Imprimeur du Roi, 1939, p. 140.

Combien d'enfants sont soumis au régime de l'apprentissage? Leur situation est-elle meilleure que celle des autres jeunes travailleurs? Aucune statistique ne suggère de réponse. A défaut de renseignements sur la situation des apprentis, les témoignages sur le travail des enfants abondent. En 1884, Jean-Baptiste Gagnepetit y consacre plusieurs chroniques. Selon lui, le fléau n'a pas atteint les dimensions qu'il connaît en Europe. L'industrie, encore jeune, n'a pu conscrire autant de ces jeunes victimes. Cependant, l'absence totale de législation livre des milliers d'enfants à l'exploitation des entrepreneurs. Des lois devraient imposer un âge minimum, une limite à la journée de travail, et obliger les employeurs à pourvoir à l'instruction des jeunes travailleurs. La proposition de Gagnepetit suscite des réticences. Il les résume ainsi:[33]

On dit dans certains milieux que de telles lois empiéteraient sur l'autorité paternelle; que de plus l'enfant était forcé de travailler pour nourrir soit sa mère veuve soit des frères ou des soeurs plus jeunes que lui.

Quant à l'autorité paternelle, elle ne peut être invoquée lorsque le père l'emploie mal. L'enfant a le droit d'être protégé contre son père si celui-ci abuse ou mésuse de son autorité, et la société a de plus le droit de se protéger contre un système qui ne peut que tendre à augmenter le nombre des malheureux et des criminels.[34]

Jean-Baptiste Gagnepetit, condamnant les hésitations des gouvernements à établir des normes précises pour protéger le travail des enfants, déplore la faible influence des ouvriers sur les législateurs:[35]

L'enfant est exploité et ses défenseurs n'ont, pour toute arme, qu'une simple plume. Nos législateurs, pour la plupart, sont des avocats ou des fermiers qui ne croient pas ou qui ne

---

33 *La Presse*, 21 février 1885.

34 «Du reste, la législation de fabrique, n'est-elle pas l'aveu officiel que la grande industrie a fait de l'exploitation des femmes et des enfants par le capital, de ce dissolvant radical de la famille ouvrière d'autrefois, une nécessité économique, l'aveu qu'elle a converti l'autorité paternelle en un appareil du mécanisme social, destiné à fournir, directement ou indirectement au capitaliste les enfants du prolétaire lequel, sous peine de mort, doit jouer le rôle d'entremetteur et de marchand d'esclaves? Aussi tous les efforts de législation ne prétendent-ils qu'à réprimer les excès de ce système d'esclavage.» (Karl Marx, *Le Capital*. Livre I, Paris, Garnier-Flammarion, 1969, p. 352.)

35 *La Presse*, 21 mars 1885.

veulent pas croire au travail abrutissant, dégradant et meurtrier des enfants dans les usines.

S'ils y croient, ils se laissent berner par leurs collègues industriels qui leur prouvent, comme deux et deux font quatre, que ce travail est indispensable à l'industrie; que, sans lui, la concurrence tuerait nos fabriques et que la grandeur industrielle du pays repose sur ce massacre des innocents. (...) Il semble que sur ce continent pour avoir le droit à une protection quelconque, il est nécessaire d'avoir commis quelque faute. On voit partout des sociétés pour soutenir les ivrognes, pour relever les filles tombées, pour ramener les voleurs à de meilleurs sentiments; mais on en voit aucune qui ait pour but de sauver les enfants et de les protéger contre une exploitation immorale plus féconde en criminels que la bouteille ou le ruisseau.

Les demandes répétées des milieux ouvriers incitent, néanmoins, le gouvernement provincial à intervenir dans le secteur industriel par une réglementation des heures de travail et de l'âge minimum des travailleurs. En 1885, l'âge minimum est fixé à douze ans pour les garçons et à quatorze ans pour les filles. On ne peut obliger les femmes et les enfants à travailler plus de dix heures par jour. L'Acte des manufactures de 1885 ne s'applique cependant qu'aux entreprises qui emploient plus de vingt travailleurs dans un même local. Cette restriction abandonne des centaines de femmes et d'enfants à leur sort. C'est le cas, en particulier, des couturières et des modistes, employées pour la plupart dans de petits ateliers de quelques personnes.

Entre la lettre de la loi et son application, la marge est grande: l'insuffisance de contrôle gouvernemental, la faiblesse des contraventions, la volonté des parents de profiter du travail de leurs enfants, la complicité intéressée des patrons expliquent amplement les observations répétées des inspecteurs des manufactures sur le nombre de travailleurs trop jeunes. Dès leur premier rapport, ils déplorent de nombreuses infractions aux prescriptions sur l'âge des travailleurs. James Mitchell écrit:[36]

J'ai trouvé un grand nombre d'enfants au-dessous de l'âge requis, surtout dans les manufactures de coton. Je suis heureux

---

36 *Rapport de M. James Mitchell*, DS, doc. no 2, 1890, p. 139. Au ton de Mitchell, il est possible de déceler l'employeur qu'il est. Dans le texte, on devrait lire «employeurs» au lieu de «employés».

que les employés (sic), *en général, ont témoigné vouloir se conformer strictement à la loi. Je ne puis en dire autant de quelques parents. Ceux-ci désiraient évidemment placer leurs enfants dans les fabriques où ils pourraient gagner de l'argent; cela se voit dans les réponses équivoques des enfants et dans la répugnance qu'ils témoignent quand on leur demande d'apporter leur certificat de naissance; dans les cas où les enfants n'avaient qu'un mois ou deux de moins que l'âge requis, je leur ai permis de rester, les autres ont été congédiés à ma demande.*

Pour sa part, Louis Guyon affirme:[37]

Tout en reconnaissant la pénible nécessité qu'éprouvent certains parents d'envoyer dans les fabriques, leurs enfants à l'âge aussi jeune que la loi le permet, je crois cependant qu'un classement des travaux dangereux ou insalubres devrait être préparé par les inspecteurs, comme cela existe dans les autres pays afin qu'il nous soit permis d'interdire aux enfants de moins de quatorze ou seize ans le maniement de scies rondes, ou autres machines dangereuses, le service de presses à étamper, métal, fabriques de peinture blanche, dans les laminoirs ou dans les manufactures de drogues ou d'acides.

Selon Mitchell, la loi canadienne retarde par rapport à celle des États-Unis et de l'Angleterre. Il propose d'abolir la semaine de soixante heures pour les adolescents de quatorze ans et de hausser la limite d'âge à dix-huit ans.[38] En 1896, malgré la menace d'amende de $50 et d'une peine de trois mois qui pèse sur les parents qui envoient de trop jeunes enfants à l'usine, l'inspecteur Lessard avoue:[39]

Nous avons pu constater, à notre regret, toutes les difficultés qui résultent de l'inobservance de la loi actuelle, et les graves inconvénients que la limite de douze ans occasionne parmi la classe ouvrière. En effet, des parents, pressés de profiter de leurs enfants, les retirent de l'école sans qu'ils y aient rien appris; et l'on envoie à l'usine des apprentis dans l'enfance qui ne savent même pas lire.

La présence des jeunes à l'usine et l'insistance des parents à les faire accepter par les employeurs prennent un relief

37 *Rapport de M. Louis Guyon*, ibidem, p. 150-151.
38 *Rapport de M. James Mitchell*, DS, doc. no 2, 1893, p. 239.
39 *Rapport de M. Joseph Lessard*, DS, doc. no 7, 1896, p. 76.

particulier en regard des conditions de travail imposées aux enfants. Les commissaires de la CRCTC écrivent dans leur rapport:[40]

Nous trouvons des enfants d'un âge encore tendre, s'usant dans la vie pour gagner un misérable salaire dans les fabriques de cotonnades, de cigares et dans d'autres ateliers malsains d'où ils ne peuvent tirer aucun bien ni socialement, ni moralement, ni matériellement, ni même pécuniairement. Leur croissance est arrêtée par l'air impur dans lequel ils vivent, de sorte que lors même qu'ils vivraient assez pour arriver à l'âge adulte, leurs descendants de la génération suivante deviendraient une charge pour l'État, au lieu d'être de cette race robuste que notre climat et des circonstances favorables nous permettent de conserver.

Le docteur C.I. Samson, inspecteur hygiéniste, affirme dans son rapport de 1892:[41]

Les fardeaux continus, les surcharges peuvent déterminer des difformités précoces, courbatures des os longs, déviation de la colonne vertébrale. Certains travaux pénibles provoquent des troubles graves de l'économie surtout chez la jeune fille. Les rapports des inspecteurs étrangers attirent l'attention sur les piqueuses de bottines, dont le travail est capable d'entraîner dans l'organisation des désordres tels qu'il peut résulter des maladies graves pouvant entraîner la mort.

Quand l'enfant n'est pas figé dans une posture accablante devant un métier, il risque de se déplacer dans un atelier entouré de scies, de couteaux tranchants. Le nombre élevé d'accidents chez ces enfants démontre que le risque n'est pas théorique.

III. Exactions, brimades et «sweating system»

La présence des femmes et des enfants dans les établissements manufacturiers permet aux employeurs de réaliser d'appréciables économies, au chapitre des salaires. De plus, ils

40 CRCTC, *Rapport I*, p. 50.
41 *Rapport du Dr. C.I. Samson*, DS, doc. no 2, 1893, p. 258.

disposent ainsi d'une main-d'oeuvre docile, qu'ils soumettent à l'occasion à des conditions difficiles. Les patrons pratiquent plusieurs sortes d'exactions aux dépens de leurs employés. Dans plusieurs manufactures, l'amende sanctionne les erreurs ou les défaillances des ouvriers. Les motifs de ces prélèvements arbitraires ne manquent pas. Un travailleur se rend-il coupable de grossièreté, d'insubordination, il peut être renvoyé ou soumis à l'amende. A certains endroits, on oblige les employés à se présenter avant l'heure; cinq minutes avant le début de la journée, l'ouvrier trouve la porte fermée à clé. Il est alors frappé d'une amende de vingt-cinq centins, cinquante centins et plus, si ces retards sont fréquents. Pour compenser les périodes d'absence des travailleurs, on prélève sur leur salaire des montants proportionnels à la durée de l'absence. Dans certains cas, les représailles accusent plus de rigueur. Ainsi, un ouvrier, Édouard Miron, pour avoir préféré un après-midi au cirque à la grisaille de son travail, doit réfléchir à la gravité de son geste... en prison.[42]

Dans l'industrie de la chaussure, des jeunes filles reçoivent un centin par semelle qu'elles fabriquent et on leur impose, pour chaque semelle défectueuse, une amende de quatre centins, amende calculée de façon telle que le fabricant fasse un profit net d'un centin sur les articles classés comme défectueux.[43] Évidemment, ces pratiques touchent particulièrement les femmes et les enfants, «la classe la plus malheureuse des travaillants».[44]

Les hommes ne consentiraient pas à une réduction de leur salaire qu'ils ont si péniblement gagné. (...) Une jeune femme travaillera fort depuis le lundi matin jusqu'au samedi soir pour une maigre pitance de trois ou quatre piastres, et le jour de paie elle s'aperçoit que la somme de vingt-cinq ou cinquante centins et quelquefois $1 a été déduite de son salaire pour quelque légère infraction aux règlements ou par malice de la part du contremaître.[45]

---

42 CRCTC, vol. I, p. 32.
43 CRCTC, *Rapport I*, p. 73.
44 Ibidem.
45 Une femme est condamnée à vingt-cinq cents d'amende pour avoir pris un morceau de papier de toilette pour se friser les cheveux. (CRCTC, *Rapport I*, p. 71)

Les amendes sont parfois imposées avec tellement de sévérité qu'on aboutit à des situations absurdes. Jean-Baptiste Gagnepetit affirme, par exemple:[46]

On a des exemples d'enfants de moins de dix ans, travaillant dix heures par jour, pour $1.25 ou $1.50 par semaine, qui le samedi arrivé, devait (sic), *après avoir donné soixante heures de travail à leur maître, cinquante ou soixante-quinze centins comme balance des amendes qu'on leur avait infligées.*[47]

Dans les manufactures de cigares, on ne se contente pas de sévir contre le travail mal fait. Les contremaîtres pratiquent un zèle intempestif. On confisquera un cigare à un ouvrier, sous prétexte qu'il est imparfait. Si l'ouvrier demande qu'on lui indique le défaut, le contremaître aura eu le temps de trouer le cigare. Il impose alors l'amende.[48] A la manufacture de coton d'Hochelaga (filature Hudon et Sainte-Anne), les amendes s'élèvent pour une année à $2706.32. «Cette somme est égale à un pour cent des salaires payés et plus d'un quart du dividende payé aux actionnaires, le dividende étant de dix pour cent.»[49] L'imposition d'amendes revêt parfois des formes plus... subtiles. Ainsi, dans plusieurs ateliers, les travailleurs défrayent le coût de l'éclairage: on prélève, chaque semaine durant six mois, dix cents par ouvrier, même lorsqu'on n'utilise pas le gaz.[50] Un autre exemple d'exaction: on impose à des travailleuses une prolongation du temps de travail, sans rémunération. Celles-ci refusent le travail; on confisque le salaire et on les congédie. Après négociations, la compagnie consent à reprendre quelques ouvrières, à condition qu'elles acquittent un droit d'entrée de $2.[51] Jean-Baptiste Gagnepetit cite un autre cas de retenue salariale. Des ouvriers travaillent sur une machine. Celle-ci tombe en panne. Le patron retient les travailleurs à l'usine dans l'espoir de réparer l'appareil. Ceux-ci attendent plusieurs heures, peine perdue. Après coup, l'employeur refuse de leur

---

46 *La Presse*, 20 août 1887.

47 Dans le volume I de la CRCTC, on trouve confirmation de ces propos: Alphonse Lafrance, jeune cigarier, affirme devoir de l'argent à son patron après avoir travaillé six jours, dix heures par jour. Les amendes ont grugé son salaire. (p. 34)

48 CRCTC, vol. I, p. 59.

49 CRCTC, *Rapport I*, p. 71.

50 CRCTC, ibidem, p. 74.

51 Ibidem.

payer le temps d'attente. Mouvement de grève chez les ouvriers. Le patron leur nie le droit de s'embaucher ailleurs et les discrédite auprès d'autres employeurs. L'arrêt de travail dure cinq semaines. Les travailleurs portent leur grief devant les tribunaux. Le juge leur accorde gain de cause: l'employeur doit verser le salaire du temps passé à la manufacture, après le bris de la machine.[52] Certains employeurs ne ménagent aucun moyen pour s'asservir la main-d'oeuvre. Les sévices corporels ne sont pas exclus de la panoplie. Dans des manufactures de cigares, on soumet des cigariers au cachot. L'incarcération se prolonge parfois au-delà des heures de travail. Selon le rédacteur de la CRCTC, «il est presque impossible de croire qu'un tel état de chose existe dans la dernière partie du XIXe siècle».[53] On traite, en effet, si mal les apprentis, qu'un de ceux-ci prie les commissaires de l'envoyer à l'école de réforme, afin d'échapper aux mauvais traitements de son employeur. M. Fortier, fabricant de cigares, dans sa déposition devant la Commission au sujet de la correction corporelle imposée à une jeune fille de dix-huit ans, «semblait raconter un fait de peu d'importance, une affaire qui se produisait tous les jours et dont on ne devait pas faire tant de bruit».[54] Le recorder de Montréal, Testard de Montigny, reconnaît, en cour et devant la Commission, le droit des patrons à imposer des sévices corporels à leurs employés:[55]

J'ai eu occasion plusieurs fois de m'exprimer sur ce point en présence des maîtres et apprentis qui étaient traduits devant moi, et j'ai consacré comme principe que le maître a le droit de correction pourvu, bien entendu, que ce soit une correction raisonnable. J'ai même, pour leur faire comprendre ma pensée, donné des exemples en disant: «Eh! bien, vous avez le droit de lui frapper dans les mains, ou sur les fesses à quelque endroit où vous êtes sûr que cela n'endommagera ni ne préjudiciera aucunement à la santé de l'enfant.»

Témoignages accablants qui exposent l'abus que font les entrepreneurs montréalais d'une main-d'oeuvre abondante et docile. Le système manufacturier repose en partie sur de telles

52 *La Presse*, 6 février 1892.
53 CRCTC, *Rapport I*, p. 58.
54 Ibidem, p.88.
55 CRCTC, vol. I, p. 435.

pratiques. Jean-Baptiste Gagnepetit révèle un rouage de cette exploitation:[56]

(C'est le contremaître) *qui prend ou renvoie les ouvriers, qui fixe les salaires, les heures de travail, qui embauche les enfants, qui inflige les amendes, qui, en un mot, règne et gouverne au lieu et place du patron. (...) Il existe à Montréal toute une classe de contremaîtres dont le salaire est en raison directe de la diminution des salaires qu'ils peuvent imposer aux ouvriers; il en est même dont le salaire est formé en grande partie des amendes qu'ils infligent aux travailleurs. (...) Et voilà pourquoi dans certaines grèves qui ne sont pas vieilles à Montréal, on trouve dans l'atelier un contremaître gérant qui gagne $40 ou $50 par semaine.*[57]

Le «sweating system»[58], cette exploitation systématique des travailleurs, est-il répandu à Montréal? Là-dessus, les témoignages se contredisent. Sans doute, l'opposition réside-t-elle dans le vocabulaire utilisé. Les membres de la CRCTC considèrent le «sweating system» comme un phénomène marginal.[59] Gagnepetit en parle comme d'un fléau dont les travailleurs montréalais sont épargnés, malgré sa dénonciation du contremaître gérant. Il est cependant malaisé d'écarter le témoignage d'un entrepreneur, qui, en 1874, affirmait employer 700 personnes, dont moins de 100 en atelier.[60] Quelle est l'importance et la persistance de cette pratique, à la fin du siècle? Arthur Saint-

---

56 *La Presse*, 20 août 1887; à Montréal, ces contremaîtres portent des noms différents selon les endroits: «runner de team» pour un cordonnier, «chef d'établi» pour un directeur de manufacture de cigares, «foreman» pour d'autres.

57 «D'une part, le salaire aux pièces facilite l'intervention de parasites entre le capitaliste et le travailleur, le marchandage (subletting of labor). Le gain des intermédiaires, des marchands provient exclusivement de la différence entre le prix du travail, tel que le paye le capitaliste, et la portion de ce prix qu'ils accordent à l'ouvrier. Ce système porte en Angleterre, dans le langage populaire, le nom de «sweating system». D'autre part, le salaire aux pièces permet au capitaliste de passer un contrat de tant par pièce avec l'ouvrier principal, dans la manufacture avec le chef de groupe, dans les mines avec le mineur proprement dit, etc., — cet ouvrier principal se chargeant pour le prix établi d'embaucher lui-même ses aides et de les payer. L'exploitation des travailleurs par le capital se réalise ici au moyen de l'exploitation du travailleur par le travailleur.» (Karl Marx, *Le Capital*, p. 399.)

58 Ou «sweating process», comme on disait souvent à l'époque.

59 CRCTC, *Rapport I*, p. 72s.

60 *Report of the select committe on the manufacturing interest of the Dominion, 1874*, p. 23 et W. J. Patterson, *Annual Report*, 1880-1882, cités dans Jean Hamelin et Yves Roby, *Histoire économique...*, p. 271.

Pierre en parle encore en 1919 comme d'un problème actuel.[61] Le recensement de 1891 fournit probablement un indice valable. A la colonne des «modistes et couturiers», on ne compte que quinze hommes sur 1157 employés. Ces travailleurs gagnent $173. par année, soit presque deux fois moins que le salaire moyen des ouvriers montréalais.[62] Il semble que le «sweating system» ne régisse, sur une échelle importante, que le secteur de la confection de vêtements.[63] L'inspecteur Joseph Lessard écrit en 1895:[64]

Je touche ici à une plaie profonde. (...) Le «sweating system» ou système parcellaire (ouvrage divisé à la tâche) est une des plus honteuses spéculations qui se puissent voir.

Un exploitateur (sic) *quelconque prend un contrat d'une manufacture, 200 paires de pantalon par exemple: il divise cet ouvrage entre douze ou quinze ouvrières qui travaillent pour un prix effroyablement bas. Le travail se fait soit chez les ouvrières même, soit plus fréquemment chez lui.*

Les ouvrières employées sont la plupart du temps des jeunes filles voire même des mineures qu'il paie de cinquante cents à trois piastres par semaine, rarement plus.

Les semaines sont en moyenne de soixante-quinze à quatre-vingts heures de travail, car ici le travail n'est pas mesuré à la capacité de l'ouvrière ni à la possibilité qu'il y a de le faire dans un temps donné, mais à son épuisement moral et physique.

Ne comptez pas travailler pour eux, si vous n'êtes pas résolus à leur donner toutes vos forces; car le «sweater» ne voit que son bénéfice et rien autre chose.

Les locaux où le travail se fait sont malsains et d'une propreté douteuse.

Tout le mal n'est pas là. Ils donnent bien souvent du travail le samedi soir qu'il faut rapporter le lundi matin. La pauvre ouvrière, qui souvent n'a que le peu qu'elle gagne pour

---

61 Arthur Saint-Pierre, «Sweating system et salaire minimum», *Revue Trimestrielle Canadienne*, vol. V, 1919, pp. 178-206. Saint-Pierre décrit ainsi le sweating system: «Un comité de la chambre des Lords, qui enquêta sur les industries *sweated* de l'Angleterre de 1888 à 1890 résuma le résultat de ses recherches en trois phases qui sont généralement considérées comme la meilleure définition connue de cette plaie sociale: 1° des salaires excessivement bas; 2° une durée excessive du travail; 3° des conditions insalubres dans les locaux où s'exécute ce travail.» (p. 181.)

62 *Recensement du Canada, 1890-1891*, vol. III, p. 132.

63 *Montreal Star*, cité dans Jean Hamelin et Yves Roby, ibidem, p. 284.

64 *Rapport de M. Joseph Lessard*, DS, doc. no 7, 1895, p. 55-56.

soutenir une vieille mère ou de jeunes soeurs, passe sa journée du dimanche à travailler, de peur de perdre sa place afin de gagner un peu plus à son patron sans entrailles.

Pourtant, madame Louisa King, inspectrice des manufactures, écrit en 1898:[65]

Concernant le «sweating system» dont on parle tant, je dois dire que je n'ai pu en découvrir les traces dans mon district. Quand j'ai demandé aux fabricants de me donner l'adresse de ceux qui travaillent pour eux et qui ont des employés, ils m'ont presque toujours répondu que leur ouvrage était fait dans des ateliers de famille sur lesquels l'inspecteur n'a point de contrôle.

Je me permettrai donc de suggérer que les ateliers de famille soient placés sous la loi et que chaque fabricant soit forcé de donner à l'inspecteur le nom et l'adresse de toute personne qu'il emploie. L'inspecteur pourrait alors atteindre plusieurs endroits où la santé du public est en danger et où les ouvriers travaillent dans des conditions fort nuisibles.

En 1897, W.L.M. King, menant une enquête sur la façon dont s'exécutent les contrats pour les uniformes des employés des postes, constate néanmoins la persistance de cette exploitation.[66] Cité largement dans la *Gazette du Travail*, en 1900, le rapport King analyse une situation répandue dans la fabrication des uniformes confiée à des sous-entrepreneurs sur lesquels le gouvernement n'exerce aucune surveillance:[67]

Lorsque l'on donnait l'ouvrage à faire à domicile, c'était généralement des femmes que l'on employait. Dans quelques cas les différents membres de la famille aidaient à la couture, et, dans un très grand nombre de cas, on faisait venir du voisinage un, deux, trois étrangers, ou plus généralement des jeunes femmes ou des filles, auxquelles on payait une modique somme pour leurs services à la semaine ou à la pièce. Il arrivait assez souvent que des filles et des garçons donnaient leurs services gratis pendant un certain temps au sous-entrepreneur, soit à

---

65 *Rapport de Mme Louisa King*, DS, doc. no 7, 1897-8, p.80.

66 W.L.M. King, *Report to the Honorable the Postmaster General on the methods adopted in Canada in the carrying out of Government clothing contracts*, Ottawa, King's Printer, 1898.

67 Ibidem, cité en français dans «Règlements pour supprimer le «sweating» dans les contrats du gouvernement», *La Gazette du Travail*, vol. I, no 1 (septembre 1900), p. 7.

domicile, soit à l'atelier, faisant ainsi une espèce d'apprentissage, sous prétexte d'apprendre le métier. D'autres commençaient à travailler, et continuaient leur travail, à raison de quelques centins par jour. Il s'est aussi présenté des cas où, après avoir travaillé ainsi durant une certaine période, les ouvriers ont été renvoyés après l'expiration de leur terme de prétendu apprentissage.

A propos des salaires, King affirme:[68]

Il appert que des jeunes femmes travaillant à la pièce n'arrivaient à gagner cinq piastres dans une semaine qu'en travaillant plusieurs heures en sus des heures ordinaires de travail. Comme, à part quelques exceptions, tous (sic) *les personnes employées dans ces ateliers établis dans des demeures étaient des femmes ou des filles, il semble juste de conclure que très peu d'entre elles, et dans quelques ateliers aucune, ne recevaient de gages suffisants pour leur subsistance, si elles avaient dû compter exclusivement sur ce genre d'ouvrage pour gagner leur vie.*

Il décrit ensuite les conditions de travail:[69]

Généralement, un grand nombre de personnes se trouvaient réunies dans de petits appartements, mal ventilés, et cela pendant les froides saisons, alors que les fenêtres demeuraient fermées et que l'on se servait de fers chauffés aux gaz durant toute la journée; ce qui ne pouvait manquer d'être injurieux (sic) *à ceux qui étaient obligés de se soumettre à cette espèce de réclusion.*[70]

68 Ibidem, p. 8.
69 Ibidem, p. 9.
70 Plus tard, King verra dans ce problème de la confection des uniformes l'application de ce qu'il appelle «the law of Competing Standards»: «Je signale cette enquête et ce rapport à cause de ce qu'ils révèlent de l'action de la loi de la concurrence existant entre les conditions de travail. Les conditions inférieures de l'industrie dans une province ont été utilisées contre les meilleures conditions dans d'autres provinces. Dans chacune des provinces, on a opposé les conditions prévalant à l'atelier aux conditions de la manufacture, et celles du travail domestique à celles de l'atelier. On a opposé la mécanisation au travail strictement manuel, le travail à la machine au travail à la main, le travail à la pièce au travail à la journée ou à la semaine, le travail des jeunes filles et des enfants au travail des hommes. Même le travail non rémunéré des apprentis a été opposé au travail des ouvriers expérimentés. Bien plus, il y a eu opposition entre les sous-entrepreneurs d'une nationalité et ceux d'une autre, entre les revenus d'appoint d'une classe de travailleurs et les besoins absolus d'autres classes. Quels sont les résultats sur les conditions de travail? Dans certains cas, femmes et jeunes filles ont fait des journées beaucoup trop longues, dans des conditions insalubres et ont reçu pour leur travail un salaire de trois ou quatre cents l'heure! Des entrepreneurs, dans un ou deux cas dont j'ai eu connaissance, avaient fait des bénéfices, sur des contrats passés avec le

La *Gazette du Travail* fournit d'autres illustrations:[71]

En 1893, (...) les inspecteurs de Montréal ont attiré l'attention sur l'augmentation rapide du nombre d'ateliers de surmenage, résultat attribué au fait qu'un grand nombre de juifs russes et polonais s'étaient fixés en ville durant les quelques dernières années et s'occupaient à faire la confection taillée dans les entrepôts et les magasins de gros et envoyée pour être finie dans des logements où le travail était exécuté à des prix excessivement bas, par suite d'une forte concurrence. (...) En 1898, l'on fit rapport (...) que près de 10 000 juifs et femmes canadiennes-françaises, à Montréal, étaient engagés dans la confection d'habillements, dans des conditions de surmenage, dans de petits établissements dépourvus d'hygiène, à des salaires très bas, et avec des heures de travail excessives.

A la lecture de ces témoignages, une constatation s'impose: les conditions de travail se détériorent à mesure que la proportion de la main-d'oeuvre féminine et juvénile augmente. Les secteurs de la confection des vêtements et, dans une moindre mesure, du cuir et du tabac, se caractérisent par une exploitation particulièrement grave d'une masse laborieuse abondante et peu coûteuse.

IV. Hygiène et sécurité industrielles

Le tableau des conditions du travail salarié à Montréal serait incomplet s'il n'englobait pas une description de l'hygiène et de la sécurité sur les lieux de travail. En 1890, l'essor industriel montréalais est encore récent. Il repose sur l'exploitation d'ouvriers mal rémunérés plutôt que sur l'intensité du capital et de lourdes immobilisations. En période de difficultés économiques, où les faillites se multiplient, on évite les fortes dépenses. Il n'est pas étonnant que les employeurs dont la

---

gouvernement, de cent pour cent! Les pires conditions en sont venues à prévaloir partout où les conditions économiques le permettaient. L'homme âpre au gain pouvait s'enrichir à cause de cette âpreté même. Lorsque les meilleures conditions sont entrées en compétition avec les pires conditions, le travailleur compétent et honnête a été réduit, petit à petit, au niveau le plus bas.» W.L.M. King, *Industry and Humanity. A Study in the Principles Underlying Industrial Reconstruction*, Toronto, University of Toronto Press, 1973, p. 57.

71 «Inspection des établissements industriels, et conditions de l'emploi dans les fabriques en Canada.» *La Gazette du Travail*, vol. V, no 5 (novembre 1904), p. 505 et p. 506.

marge de profit est précaire hésitent à faire les frais de la sécurité de leurs employés. Les mesures d'hygiène et de sécurité leur répugnent d'autant plus que leurs établissements sont petits. Or, en 1890, sur 1604 établissements manufacturiers, il s'en trouve 1018 qui groupent moins de dix travailleurs: petites boutiques, minuscules ateliers, réduits exigus. Le docteur C.I. Samson, dans son rapport de 1892, note: «L'embarras (...), c'est que nos industries sont jeunes et qu'au début on a dû prendre pour boutique d'anciens logements privés.»[72] L'utilisation de locaux vétustes ou inappropriés ne va pas sans risques, parfois lourds de conséquences. James Mitchell observe, en 1889:[73]

La condition et la sûreté des bâtisses sont des matières importantes. Deux accidents très sérieux sont arrivés l'année dernière à Montréal: l'un par la chute d'un mur mitoyen; l'autre par l'effondrement total de la bâtisse, un grand nombre de personnes ayant été blessées, dont une fatalement. Presque toutes les bâtisses érigées durant les quelques dernières années l'ont été avec égard au confort et à la commodité des artisans, mais toutes celles qui, de résidences privées, ou de magasins ont été transformées pour leur usage laissent beaucoup à désirer.

A des entreprises dont la stabilité financière est éprouvée par la conjoncture économique, dont la rentabilité repose sur les économies réalisées aux dépens des salaires et de la santé des travailleurs, il est malaisé d'imposer des améliorations sensibles des conditions de travail. Les inspecteurs des manufactures se rendent aux impératifs du profit capitaliste:[74]

Vu la variété considérable des machines dont on fait usage dans l'industrie moderne, le contrôle de l'inspecteur, même expérimenté dans les connaissances techniques a besoin d'être fait de la manière la moins agressive (sic) *possible, car certains fabricants dont les moyens sont très restreints et dont l'outillage est vieux auront beaucoup à faire avant d'offrir le degré de sécurité aux employés que la loi exige.*

Satisfaisantes pour l'époque dans les grandes manufactures, les conditions hygiéniques sont déplorables dans la mesure

72 *Rapport du Dr C.I. Samson*, DS, doc. no 2, 1893, p. 259.
73 *Rapport de M. James Mitchell*, DS, doc. no 2, 1890, p. 143.
74 *Rapport de M. Louis Guyon*, DS, doc. no 2, 1890, p. 148.

où diminue la taille des établissements. Les remarques de la CRCTC corroborent les observations des inspecteurs.[75] En 1897, madame Louisa King écrit:[76]

Plus je visite les petits ateliers, plus je constate qu'il était grand temps que quelqu'un intervint entre le patron et les ouvrières, afin que celles-ci puissent obtenir ce qui leur est dû sous le rapport surtout de l'hygiène. J'ai trouvé des ateliers d'une malpropreté dégoûtante et des plus nuisibles à la santé.

L'état lamentable de l'hygiène et de la sécurité dans les établissements industriels provoque évidemment les protestations des travailleurs; l'organisation ouvrière incite les gouvernements à adopter des mesures propres à enrayer certains abus, à soulager les travailleurs. La loi des manufactures de 1885 préconise un train de mesures pour améliorer la sécurité et l'hygiène. La nomination d'inspecteurs des fabriques, à partir de 1888, marque le début d'une observation attentive du milieu de travail.[77] Les remarques des inspecteurs favoriseront l'amélioration, graduelle mais certaine, des conditions de travail. Au trio initial des inspecteurs, se joint, en 1893, un quatrième inspecteur; en 1896, deux femmes complètent l'équipe. Certes, l'imprécision et l'élasticité de la loi desservent les inspecteurs: ils n'ont aucun recours contre des employeurs qui se réfugient derrière la formulation équivoque de la législation:[78]

Des ordonnances générales de ne pas compromettre la santé des ouvriers, de tenir proprement la manufacture, etc. nécessitent dans l'application bien des discussions, des tâtonnements. Cela n'en dit assez ni à l'ouvrier, ni au patron, n'indique pas suffisamment quand l'esprit de la loi est violé.

---

75 CRCTC, *Rapport I*, p. 89.

76 *Rapports trimestriels de Mme Louisa King*, DS, doc. n.n., 1897, p. 63.

77 Le délai de trois ans entre le vote de l'Acte des Manufactures et la nomination des inspecteurs s'explique, en partie, par l'équivoque créée autour des Chevaliers du Travail par le mandement de Mgr Taschereau et par le désir de Mercier de ménager l'épiscopat, naguère hostile aux libéraux. Il serait malaisé à Mercier de confier à Louis Guyon, un Chevalier du Travail, un poste dans la fonction publique provinciale, au moment où l'Ordre est sous le coup d'une condamnation. Par ailleurs, Mercier tient à ne pas abandonner l'application de l'Acte des Manufactures aux seuls patrons, comme le voudrait Taillon. En 1888, c'est à la suite d'un compromis entre employeurs et Chevaliers du Travail que Louis Guyon et le manufacturier James Mitchell sont nommés inspecteurs. (Alphonse Desjardins, *Débats de la Législature de la Province de Québec*, vol. IX (1887), p. 618-619 et vol. X (1888), p. 1154-1155.)

78 *Rapport du Dr C.I. Samson*, DS, doc. no 2, 1893, p. 251.

Dans la pratique les inspecteurs ont dû s'en tenir surtout à la persuasion, n'osant jamais aller devant les tribunaux avec des textes aussi peu formels. Ne vaudrait-il pas mieux, chaque fois que possible, établir un minimum de tolérance sur ces divers sujets? Sans doute, il ne faudrait pas pour cela négliger la persuasion, mais les conseils font beaucoup plus d'impression quand on sent que celui qui les donne peut les changer en ordres.

A la formulation imprécise de la loi, s'ajoute la faiblesse des sanctions que les inspecteurs peuvent brandir contre les contrevenants. Louis Guyon soutient, en 1890:[79]

En ce qui concerne notre loi, les amendes qui peuvent être infligées sont tellement insignifiantes, que même en gagnant l'action engagée, l'inspecteur perdrait en frais de procédure une somme plus forte que l'amende imposée à l'industriel.

Le renforcement et l'élaboration de la législation ne signifient pas la transformation des conditions de travail. Il s'en faut de beaucoup. La malpropreté continue de régner dans de nombreux ateliers, ainsi qu'en témoigne le docteur Samson:[80]

Je viens d'inspecter une manufacture où sont employés un nombre considérable d'hommes, de femmes et d'enfants. Dans la salle où travaillent les femmes, des ordures entassées sous les tables croupissent mêlées à une matière poisseuse formée par l'huile des rouages. De ces ordures s'échappe une odeur qui est loin d'être salubre. Le lavage paraît inconnu. Il n'y a pas de balayage régulier; seulement, aux heures de travail, chaque ouvrière est libre d'épousseter son coin.

L'hiver, tout ce qu'il y a de ventilation s'exerce aux heures de travail. Tout se ferme après la journée, par économie calorique, et les ouvriers à leur retour retrouvent l'air vicié de la veille.

Que d'erreurs dans ces détails au point de vue de l'hygiène? Le balayage soulève les germes, les poussières malsaines et les porte aux organes respiratoires. Fait aux heures de travail, il constitue une véritable hérésie contre la science sanitaire. La brosse avec une bonne lessive pour les planchers, le

---

79 *Rapport de M. Louis Guyon*, DS, doc. no 2, 1890, p. 263.
80 *Rapport du Dr C.I. Samson*, DS, doc. no 2, 1893, p. 252.

blanchissage à la chaux pour les parois et les plafonds, voilà le nettoyage qu'affectionne l'hygiène.

Joseph Lessard donne la description d'une boulangerie:[81]

Ce que nous avons vu dans certaines boulangeries ne peut se décrire: la saleté, la malpropreté érigées en principe; des murs, des planchers, des ustensiles épouvantables de crasse et d'infection. Les w.c. dans la salle commune, sans fermeture, côte à côte avec la pâte et les levains.

Dans une atmosphère viciée, se mélangent des résidus organiques, le gaz, les relents des fosses septiques. A plusieurs endroits, des aspirateurs diminuent la nocivité de l'air. Ailleurs, dans des ateliers où l'on pratique toutes formes de broyage, hachage, polissage, etc., les travailleurs sont munis de masques respiratoires qui interceptent la poussière. Ces mesures préventives ne prévalent pas partout. En effet, des employeurs refusent de croire à la nocivité de leurs ateliers. «Le plus difficile, selon James Mitchell, a été de convaincre le manufacturier de l'existence même de ces substances invisibles à l'oeil nu; il était donc nécessaire de prouver leur existence avant de proposer un remède.»[82] L'absence d'installations hygiéniques adéquates contribue pour beaucoup à l'insalubrité des lieux de travail. L'émoi du docteur Samson à l'apparition dans une manufacture, d'une «cuvette (...) munie d'un siège à charnière en bois dur» souligne la rareté d'une telle installation dans les établissements industriels.[83] Il reconnaît, en effet:[84]

81 *Rapport de M. Joseph Lessard*, DS, doc. no 7, 1897-8, p. 57.

82 *Rapport de M. James Mitchell*, DS, doc. no 2, 1890, p. 268.

83 Le texte vaut d'être cité: «Dans une installation nouvelle l'architecte, à qui un propriétaire philanthrope a donné carte blanche, s'est arrêté au système qui suit: Une cuvette de faïence est fixée au parquet et raccordée au tuyau de chute. Cette cuvette est munie d'un siège à charnière en bois dur, verni et se relevant à angle très droit. Ce siège, espèce de couronne, se rabat sur la faïence au moment de s'en servir et se relève après chaque visite. Au-dessus du siège et à portée de la main pend une chaînette munie d'une poignée. En tirant cette poignée, on actionne un réservoir qui débite une colonne d'eau capable d'entraîner d'un seul coup toutes les matières. La cuvette, dont le fond est visible comme le creux de la main, retient un à deux pouces d'eau puis s'ouvre sur le devant dans un large tuyau qui descend à angle droit vers le plancher. Ce tuyau qui fait le pied de la cuvette en avant est siphonné et ventilé. La gaine de tôle galvanisée qui joue le rôle d'aspirateur s'élève jusqu'au-dessus du toit, se raccordant à chaque étage aux ventilateurs des différents closets. Une autre bouche de ventilation s'ouvre en entonnoir au-dessus du siège à la hauteur du plafond et se raccorde au tuyau principal. etc.» (*Rapport du DR C.I. Samson*, DS, doc. no 2, 1893, p. 253.)

84 Ibidem, p. 254.

Dans nombre d'établissements de cette ville, les cabinets manquent des dispositions les plus nécessaires à la salubrité. Des espèces d'auges en bois revêtu de plomb, à moitié remplies d'eau reçoivent toute la journée les déjections de centaines d'ouvriers. Les émanations de ces matières contaminent plus ou moins les salles pendant les heures de travail et ce n'est que le soir qu'un surveillant vide le tout à l'égout en levant une bonde qui fait occlusion au fond de l'auge. Faute de siège le visiteur grimpe sur le rebord, s'accroupit et le parquet reçoit presque inévitablement une certaine quantité d'urine qui pénètre jusqu'à l'entrevous ou qui est censé être absorbée par une couche de tan concassé qu'on renouvelle de temps à autre.

La ventilation est ordinairement imparfaite, et la répugnance qu'inspirent ces cabinets les fait reléguer dans quelque coin reculé, au grand détriment de l'éclairage.

L'image de ces installations hygiéniques se précise à la lecture du règlement 19, concernant les établissements industriels dans la province de Québec: «Les lieux d'aisance doivent être construits de telle sorte que la chute d'une personne y soit impossible.»[85] Louis Guyon fait ressortir la responsabilité des autorités municipales à l'égard de ce problème. Un système de drainage efficace constitue la condition première à l'amélioration de l'hygiène dans les ateliers. A défaut d'une telle installation, déplore-t-il, de grandes fabriques où s'affairent des centaines d'ouvriers ne disposent que de quelques fosses septiques malsaines.[86] Aux problèmes engendrés par le système manufacturier s'ajoutent les difficultés inhérentes à un climat rigoureux. L'hiver, le chauffage manque souvent d'efficacité. Dans certaines manufactures, on éteint les fournaises du samedi soir au lundi matin. Le lundi, à six heures et demie, les fournaises s'allument; à sept heures, l'atelier ouvre ses portes:[87]

Les ouvrières condamnées au travail assis frissonnent jusqu'à neuf et dix heures. Le froid à certains jours est si vif que force est de renvoyer les ouvrières grelottantes.

Ces différences de température font naître des problèmes secondaires. La chaleur surchauffée de l'après-midi se condense

---

85 *Rapport général du commissaire des Travaux publics de la province de Québec*, DS, doc. no 7, 1897-8, p. 33.

86 *Rapport de M. Louis Guyon*, DS, doc. no 2, 1893, p. 228.

87 *Rapport du Dr C.I. Samson*, idibem, p. 257.

la nuit en givre dans les toits pour retomber en rosée malsaine quand la chaleur remonte, aux heures de travail. (...) Dans les divers établissements on trouve les systèmes de chauffage et les températures les plus variés. Ici la chaleur est émise par des tubes posés directement sur le plancher au centre des salles, ailleurs les conduits circulent au plafond, parfois même on fait usage de poêles. Rarement on a recours au système le plus hygiénique, la tubulure calorifère appliquée à la surface interne des parois extérieures.

Le froid, l'hiver; la chaleur suffocante, l'été; les odeurs nauséabondes, l'air chargé de poussière et de gaz: la liste des désagréments du travail manufacturier est-elle complète?

Il faut encore tenir compte des dangers d'accidents dûs à des installations défectueuses ou à la négligence des manufacturiers à protéger la vie et la santé de leurs employés. Des machines en mauvais état causent de nombreux accidents. L'explosion de bouilloires et de chaudières à vapeur force l'attention des inspecteurs qui proposent le renforcement des normes et une meilleure surveillance. Effectivement, des améliorations sont apportées à la situation. L'adoption et l'application d'une loi sur l'inspection des chaudières à vapeur, en 1893, réduisent considérablement les accidents causés par des explosions de chaudières. De six à dix par année, les explosions tombent à deux, en 1897; les morts causées par ces accidents diminuent de quinze par année à une, en 1897. A la même époque, l'Ontario, qui ne bénéficie pas d'une telle loi, compte onze explosions responsables de seize décès, en 1896.[88] L'installation d'ascenseurs est aussi l'objet de négligence, ainsi que l'observe James Mitchell:[89]

Plusieurs avaient été placés sans aucune mesure de sûreté, pour monter des marchandises d'un étage à un autre et étaient généralement placés dans un coin noir, où l'espace était relativement sans valeur, mais où le passant non prévenu pouvait tomber et être victime d'un accident sérieux, être tué même, puisqu'il n'y avait aucune trappe se fermant automatiquement. Presque toujours le puits et les appareils étaient

---

88 «Inspection des établissements industriels, et conditions de l'emploi dans les fabriques en Canada.» *La Gazette du Travail*, vol. V, no 5 (novembre 1904), p. 502.

89 *Rapport de M. James Mitchell*, DS, doc. no 2, 1890, p. 268.

placés de manière à empêcher les améliorations modernes, telles que les freins et les portes automatiques, à moins de détruire toute l'installation et à en faire une autre, ce qui évidemment entraînait de grandes dépenses.

Les installations de sécurité n'existent pratiquement pas. Même des entreprises importantes comme la Hochelaga Cotton Company, la Merchants Cotton Co., de Saint-Henri, Tassé, Wood & Co., Montreal Wollen Mills, J.M. Tester, le fabricant de cigares, J.M. Fortier, la Canadian Rubber etc., ne disposent pas, en 1889, d'escaliers de sauvetage en cas d'incendie.[90] Certes, les visites industrielles des inspecteurs stimulent le zèle assoupi des manufacturiers et accélèrent l'adoption de certaines mesures de sécurité. Dans leur rapport de 1892, les inspecteurs mentionnent plusieurs cas où des escaliers de sauvetage ont été installés ou modifiés, afin de satisfaire à des conditions minimales de prudence. Les réparations ou modifications de monte-charge sont nombreuses. A la Dominion Cotton d'Hochelaga, l'inspecteur demande d'augmenter d'un tiers le nombre de «water closets» au premier et au cinquième étages; de remplacer l'échelle de sauvetage perpendiculaire par un escalier, en plan incliné, avec paliers; d'installer de nouveaux ventilateurs dans les chambres de tissage et de filage.

Malgré leurs recommandations, les inspecteurs dénombrent plusieurs accidents de travail. Quelles sont les causes de ces accidents?[91]

Parmi les accidents graves relevés par l'inspection, les accidents causés par les arbres de couche et les courroies sont les plus fréquents; l'ouvrier entraîné par une courroie ou par la prise de ses habits à l'arbre de couche échappe rarement à la mort, ou à la perte d'un membre.

Ces accidents se produisent lors du huilage des arbres de couche en marche. L'apparition récente et la multiplication de graisseurs automatiques diminuent la proportion de ce genre d'accidents. A l'usine de cartouches de Brownsburg, en 1892, c'est une explosion qui cause la mort de trois travailleurs et en

---

90 *Rapport du commissaire de l'Agriculture et de la Colonisation de la province de Québec*, DS, doc. no 2, 1890, p. 142.

91 *Rapport de M. Louis Guyon*, DS, doc. no 2, 1890, p. 260.

blesse quatre autres.[92] Il suffit d'une seconde d'inattention, dans les manufactures de textile, dans les imprimeries, dans les scieries, pour expliquer la perte d'un membre. Le mouvement saccadé du métier, le lourd rouleau de la presse déchirent parfois une femme, un enfant. Dans leurs rapports, les commissaires attribuent presque tous les accidents à l'imprudence, à l'inattention, à la négligence des ouvriers. Sinon, selon leur vocabulaire, c'est un «cas fortuit». Occasionnellement, ils mentionnent un engrenage mal couvert, le défaut d'une machine, l'absence d'une rampe de protection, etc. Pour Jean-Baptiste Gagnepetit, le partage des responsabilités est clair:[93]

Souvent et je dirai presque toujours c'est la faute du patron qui ne prend pas les précautions nécessaires à la protection des ouvriers, mais aujourd'hui la responsabilité de ces malheurs retombent (sic) *sur les membres du gouvernement de la province de Québec.*

Si l'inattention du travailleur est la cause immédiate de nombreux accidents, il est malaisé de ne pas admettre l'absence généralisée de dispositifs de sécurité. Presses, métiers, scies, fonctionnent à nu, happant une main, un bras. Les trous béants des puits de monte-charge engouffrent les travailleurs inattentifs; mais la négligence des industriels, l'incurie du gouvernement et son manque d'ardeur sont les causes premières des accidents de travail.

Les inspecteurs amorcent le relevé statistique des accidents; mais l'outil utilisé pour la réalisation de ces statistiques les rend suspectes. En effet, il appartient au patron, dans un délai de six jours, d'avertir les inspecteurs des accidents survenus à ses employés. Évidemment, si l'ouvrier s'est remis de ses blessures avant la fin de ce délai, le patron est tenté de ne pas signaler l'incident. D'autant plus qu'un article de la loi stipule qu'après une période de deux mois suivant l'accident, le propriétaire de la manufacture n'est plus passible d'amende pour avoir omis de déclarer l'accident. À partir de 1894, le patron ne dispose plus que de quarante-huit heures pour avertir les inspecteurs de l'accident. Ce système de calcul, on le voit, est sujet à caution.

---

92 *Rapport du commissaire de l'Agriculture et de la Colonisation de la province de Québec*, DS, doc. no 2, 1893, p. 224.

93 *La Presse*, 17 octobre 1885.

Les inspecteurs, d'ailleurs, ne sont pas dupes. James Mitchell écrit, en 1892: «Un grand nombre d'accidents, j'en ai la certitude, se sont produits, sans que les chefs d'établissements en aient notifié l'inspecteur.»[94] Nonobstant ces réserves, les chiffres cités par les inspecteurs conservent une signification. Tout au moins fournissent-ils un seuil en deça duquel le nombre d'accidents de travail ne peut descendre. De 1890 à 1896, les accidents passent de dix-sept à quatre-vingt-seize. La raison de cet accroissement est sans doute le raffinement du système de dépistage. Le nombre des enfants touchés excède largement leur proportion dans la main-d'oeuvre totale. Entre 20% et 30% des accidents, selon les années, frappent des travailleurs de moins de seize ans. Les femmes comptent pour une part négligeable dans cette statistique. Entre 45% et 70% des accidents surviennent sur des machines ou appareils en mouvement: arbre de couche ou de transmission, courroie, scie, presse, rouleau, métier, et, dans une proportion d'environ 25%, causent l'amputation d'un membre. Une part non négligeable d'accidents est attribuable à des chutes dans des puits de monte-charge ou dans des ouvertures de toutes sortes, à des ascenseurs défectueux: de 11% à 21%, selon les années. En 1891, un tanneur de quatre-vingt-un ans meurt des suites d'une chute dans un puits de montage! Le nombre de morts varie de deux, en 1892, à dix, en 1896. Les accidents mortels causés par des machines en marche sont les plus fréquents. Certains secteurs de l'activité manufacturière sont particulièrement dangereux. L'estampage en fer-blanc fait chaque année quelques estropiés: jusqu'à six, en 1890. La fabrication d'objets en fer (forges, fonderies, fabriques de clous, de tuyaux, de poêles, etc.): dix blessés, en 1892, sur un total de trente-quatre. La confiserie et la pâtisserie comptent quatre blessés, la même année. Les raffineries de sucre comptent peu d'accidents; elles sont néanmoins le théâtre d'une mort accidentelle, en 1896. Les manufactures de textile prélèvent, elles aussi, leur sinistre ponction: en 1892, huit blessés, en 1896, un mort.

Malgré les réserves qu'ils exigent, les relevés des inspecteurs établissent avec autorité le nombre d'accidents graves: les

---

94 *Rapport de M. James Mitchell*, DS, doc. no 2, 1893, p. 241. En 1890, Louis Guyon faisait la même réflexion: DS, doc. no 2, 1890, p. 260.

employeurs n'oseraient pas cacher la mort d'un travailleur. Les accidents mineurs, par contre, coupures, éraflures, foulures, luxures, etc., sont certainement sous-estimés. Le nombre d'accidents est multiplié par cinq, de 1890 à 1896: cette marge est atttribuable, en partie, au mutisme des patrons. Il est impossible de connaître le nombre exact d'accidents de travail, à la lumière des données disponibles. Cependant, on se rend compte que les machines qui fonctionnent à nu constituent la cause première d'accidents et que les enfants sont une proie privilégiée.

Au terme de ce voyage d'observation dans les établissements manufacturiers, les conditions de travail se précisent. Rarement avons-nous rencontré, dans ces pages, l'ouvrier heureux, qu'un patron compréhensif emploie dans un atelier bien aéré, à un travail sans danger, pendant dix heures chaque jour. Le bonheur n'a pas d'histoire. Une société se définit par le degré d'exploitation à laquelle elle soumet les plus faibles de ses membres. La vie manufacturière dans le Montréal de la fin du XIXe siècle ne se comprend qu'à l'analyse du sort des femmes et des enfants soumis au «sweating system», qu'au spectacle d'ateliers malsains et dangereux où des travailleurs s'engouffrent dès le petit matin. Ce type de travailleurs ne constitue peut-être pas la majorité de la population ouvrière de Montréal; cependant, il est l'indice privilégié qui permet de préciser le rapport de force qui prévaut entre le travail et le capital dans un Montréal colonial, libéral et industriel.

Le salaire et le coût de la vie: le budget ouvrier

Le salaire, c'est le prix du travail sur la place du marché; c'est la mesure à laquelle l'ouvrier se réfère pour planifier ses dépenses. Question capitale, dans l'étude de la condition ouvrière. En aval, se situent les débats sur la valeur du labeur ouvrier, le marchandage entre le capitaliste et le prolétaire afin d'établir le prix de cette denrée, tantôt rare et précieuse, tantôt courante et dévaluée: le travail. Le salaire, dans cette perspective, révèle le pouvoir de marchandage de l'une et l'autre partie, l'équilibre, ou plutôt, en ce XIXe siècle libéral, le déséquilibre des forces économiques. Il traduit, dans une certaine mesure, le degré d'organisation ouvrière et la précarité de l'entreprise capitaliste, en même temps que la concurrence que se livrent les entrepreneurs. En amont, s'étale l'univers de l'ouvrier. Que représente le dollar gagné au comptoir de l'épicier? Le logement, la nourriture et le vêtement dépendent, en quantité et en qualité, du salaire. Ils sont les expressions secondaires du degré d'exploitation à laquelle est soumis le travailleur. La plus ou moins grande difficulté de réaliser l'équilibre budgétaire, à partir du revenu ouvrier, modèle la qualité de la vie, engendre une existence modeste ou les affres de la pauvreté.

Les questions relatives au salaire affleurent, en nombre. Salaire en nature ou en argent? Salaire à la pièce, à l'heure, à la journée? Précarité du salaire: chômage, maladie, conjoncture économique? Disparités salariales, selon les sexes, les âges, les nationalités, les types d'industrie, la taille de l'établissement, le degré de syndicalisation?

I. Les théories des salaires

A la fin du XIXe siècle, un débat séculaire se poursuit, celui du juste salaire. Débat stérile, suggèrera-t-on, d'un intérêt secondaire pour la connaissance du salaire véritable. Certes, l'appétit de l'entrepreneur, beaucoup plus que les arguments du polémiste, justifie le niveau des salaires. Pourtant, les polémistes de *L'Étendard* et de *La Presse* expriment l'idéologie ambiante, tracent les limites de l'univers mental où évoluent les esprits de leur époque. A ce titre, à défaut de suggérer des taux précis de rémunération, leurs écrits dégagent les raisons pour lesquelles les salaires tardent à s'élever et sont soumis aux fluctuations parfois brutales d'un marché instable.

Montréal célèbre le triomphe du libéralisme économique. Au nom de l'autonomie individuelle, du libre contrat entre deux personnes, le syndicalisme ouvrier est contesté. Un courant social se développe pourtant, porte-parole des gagne-petit qui entrevoient dans l'association des travailleurs un moyen d'améliorer leur sort. Justification, a posteriori, d'un régime économique à la faveur duquel une classe d'entrepreneurs édifie sa richesse à même le labeur extorqué à des prolétaires; anticipation d'un contrat social où le travail salarié, enfin réhabilité, jouirait de sa modeste part de richesses. L'exposé de ces positions contradictoires occupe des colonnes complètes des journaux montréalais de 1890. Signe non équivoque de la mise en question du primat du capitaliste, du bouillonnement et de l'effervescence du peuple des travailleurs. Mais aussi, affirmation claire, de la part du capital, de ses ambitions de profit.

Le Moniteur du Commerce propose le point de vue du patronat de l'époque:[1]

Dans le sens le plus large, le travail est un article acheté et vendu comme toute autre espèce de marchandise; le prix étant déterminé par la qualité, l'offre et la demande. C'est le droit et le devoir de l'ouvrier, soit qu'il se serve de son cerveau ou de ses bras, de vendre son travail aussi cher que possible, comme c'est également le droit et le devoir du patron de l'acheter aussi bon marché qu'il peut. (...)

---

1 *Le Moniteur du Commerce*, 7 août 1885, p. 681.

Il est vrai qu'à quelques exceptions près, les services ne sont retenus qu'aussi longtemps qu'ils valent plus au patron qu'ils (sic) *ne les paient. S'il n'en était pas ainsi, où serait le mobile de donner de l'emploi au travail? Il est tout aussi essentiel à l'ouvrier qu'à son patron que ce dernier fasse un profit en employant les services du premier, car sans le succès du patron, la place de l'employé cesse.*[2]

Le Monde défend les mêmes opinions. Un journaliste, qui signe J de L, comparant le travailleur au poisson offert au marché Bonsecours, conclut:[3]

En d'autres termes, plus la marchandise est abondante, c'est-à-dire plus l'offre est grande et la demande petite, plus le prix est faible. Au contraire, plus la marchandise est rare, c'est-à-dire plus l'offre est petite et plus la demande est grande, plus le prix est fort. De même, plus les ouvriers sont nombreux, plus le salaire est restreint; plus les ouvriers sont rares, plus le salaire est étendu. C'est pourquoi un manoeuvre de maçon, genre très nombreux, coûte une cinquantaine de cents par jour. Alors que le sculpteur, genre très rare, coûte trois ou quatre piastres.

S'appuyant sur l'autorité du fabuliste La Fontaine,[4] J de L développe une théorie organiciste, fort en vogue à l'époque, sur la hiérarchie et l'interdépendance des fonctions du corps social et condamne le recours des travailleurs à la grève, comme la révolte de l'estomac contre le cerveau.

Le courant de pensée libéral, largement dominant, ne rallie pas toutes les opinions. De plus en plus, dans les milieux ouvriers, se répandent des conceptions plus humaines des rapports économiques. Jean-Baptiste Gagnepetit, chroniqueur du journal montréalais qui affiche le plus haut tirage, relie la théorie de l'offre et de la demande aux abus les plus flagrants de l'époque:[5]

---

2 J.J. Beauchamp, paraphrasant l'article 1602 du code civil sur le louage d'ouvrage commet un lapsus peut-être significatif, inversant les mots locataire et locateur: «Le louage d'ouvrage est un contrat par lequel le locataire s'engage à faire quelque chose pour le locateur moyennant un prix que ce dernier s'oblige à lui payer.» (J.J. Beauchamp, *Répertoire Général de jurisprudence canadienne*, tome III. Montréal, Wilson et Lafleur, 1914, p. 2290.) Dans cette perspective juridique, où le travailleur devient locataire d'un ouvrage, les revendications ouvrières risquent d'apparaître odieuses!

3 *Le Monde*, 26 mars 1892.

4 Livre III, Fable 2, «Les membres et l'estomac».

5 *La Presse*, 9 mai 1891.

C'est au nom de cette théorie que les industriels ont introduit dans des proportions dangereuses le travail de la femme et de l'enfant sur le marché de la main-d'oeuvre au point que les gouvernements ont dû intervenir pour protéger le salaire de l'ouvrier et la santé des femmes et des enfants.

Se référant à des économistes européens, Vandervelde et Molinari, Gagnepetit soutient que le salaire n'est suffisant que s'il permet à l'ouvrier d'entretenir décemment sa famille et aussi d'épargner, afin de s'assurer contre la mauvaise fortune. Gagnepetit utilise l'enseignement catholique contre les ultramontains du *Monde* et de *L'Étendard*. Il trouve dans l'encyclique *Rerum Novarum* une contrepartie aux idées des penseurs catholiques du Québec:[6]

Voilà qui console des théories de M. J de L et qui élève l'homme créature faite à l'image de Dieu au-dessus des morues et des maquereaux que les marchandes vendent au marché Bonsecours et sur l'abondance ou la rareté desquels le chroniqueur du Monde *appuyait les principes qui doivent régler les taux des salaires.*

Ainsi se dégagent les deux conceptions autour desquelles se cristallisent les opinions. Une vague dominante, portée par la profonde marée individualiste du XIXe siècle, continue de baigner les esprits. Cependant, dans ce courant, surgissent, de plus en plus nombreux, les écueils que dresssent des penseurs sociaux et des syndicalistes. Peu à peu, ces résistances isolées formeront une digue qui brisera les abus scandaleux du régime de la révolution industrielle. En 1890, à Montréal, on construit, tant bien que mal, ce rempart de l'organisation ouvrière.

II. Les salaires nominaux

Ces considérations théoriques doivent s'assortir de leur illustration statistique. Au fil des ans, comment se comportent les salaires? Subissent-ils les contrecoups d'une conjoncture défavorable? Mais d'abord: quelle est la forme et la fréquence du salaire?

---

6 *La Presse*, 16 avril 1892.

A. Fréquence des payes

Les employeurs montréalais paient en argent: règle générale qu'aucun document ne permet d'infirmer. Sans doute, peut-on citer des cas où des travailleurs doivent troquer leur travail contre des denrées alimentaires ou de l'alcool.[7] De telles situations ne semblent cependant pas prévaloir dans plusieurs entreprises. Le salaire à la pièce est fréquent dans certains secteurs de l'industrie manufacturière: cigare, chaussure, vêtement. La périodicité des salaires varie selon les établissements et l'activité manufacturière. Chez les journaliers, on rencontre quelques cas de paye quotidienne, le paiement bimensuel demeure le plus fréquent. Le salaire mensuel persiste, néanmoins, en maints endroits: chez les employés municipaux, les charretiers, les domestiques, les cuisiniers et les jardiniers. Dans certaines fabriques, les travailleurs obtiennent la paye hebdomadaire. L'ouvrier de l'époque n'est pas indifférent à la périodicité de sa rétribution. En effet, des conditions économiques contraignantes rendent hasardeux et difficiles les intervalles trop longs. Le salaire mensuel favorise l'exploitation de l'ouvrier. Dans l'annexe «L» du rapport de la CRCTC, Gagnepetit cite le cas des jardiniers de Spencer Wood qui, payés soixante-quinze centins par jour, doivent attendre leur salaire huit à neuf semaines.[8] Lorsque le travailleur a fourni plusieurs semaines de travail sans rémunération, il est lié à son employeur jusqu'à ce que celui-ci s'acquitte de sa dette. Jean-Baptiste Gagnepetit illustre le dilemme:[9]

Cet ouvrier a quelquefois chômé pendant quelque temps. Les fonds sont bas, l'hiver approche. Il a femme et enfants. Il sait que l'ouvrage va devenir rare et que s'il quitte sa place il n'en trouvera peut-être pas d'autres d'ici au printemps.

---

7 William Keys, machiniste de Montréal, comparaît devant la CRCTC:

«Q- Le système du troc est-il en pratique à Montréal?

R- Oui; j'ai travaillé dans un atelier, où on était payé, si on le désirait, en épiceries, en chaussures, et même en whiskey.

Q- Les ouvriers étaient-ils obligés d'accepter ces bons à payer?

R- Ils avaient de la difficulté à obtenir de l'argent. Le patron ne payait pas régulièrement; de fait, il n'y avait pas de jour de paie, et il fallait accepter ces bons.

Q- Ce système est-il encore suivi dans cette ville?

R- Je l'ignore mais il n'y a rien pour l'empêcher.» (CRCTC, vol. I, p. 579-580.)

8 CRCTC, *Rapport I*, p. 63.

9 *La Presse*, 26 octobre 1884.

Le patron peu consciencieux sait tout cela aussi, et il l'exploite; à la moindre demande d'argent un peu pressante, il répond par une fin de non recevoir et enfin il dit: si vous n'êtes pas content, allez-vous-en; les ouvriers ne manquent pas. Et l'ouvrier, qui sait cela aussi, reste, plus malheureux que jamais parce que maintenant le patron sait qu'il ne s'en ira pas. Alors commence un vrai martyre pour le travailleur; les acomptes sont moins nombreux et moins forts, il s'endette et il reste parce qu'on lui doit beaucoup et qu'il perdrait tout en s'en allant, comme il est resté au début parce qu'on lui devait peu et qu'il avait besoin.

Les payes espacées, en période de contraction économique où les faillites sont nombreuses, menacent sérieusement le budget ouvrier. Même pour celui qui reçoit régulièrement son écu, le long espacement des versements est néfaste. Pour illustrer l'influence de la fréquence de la paye sur le budget ouvrier, Gagnepetit cite un enquêteur américain:[10]

L'opinion générale de vingt épiciers que j'ai interrogés à Lawrence, est en faveur des paiements mensuels; ils disent qu'un homme achète plus et paie plus cher, lorsqu'il achète à crédit que lorsqu'il est payé souvent et qu'il paie comptant.

«La paye par mois, commente le chroniqueur de *La Presse*, est un des obstacles les plus grands que l'ouvrier rencontre sur le chemin de l'indépendance et de la réussite.»[11] Le travailleur qui achète à crédit doit accepter les prix de son créancier. En outre, le crédit stimule la vente. Parce que l'acheteur n'a pas à limiter ses déboursés quotidiens, le crédit «l'éblouit». Tenu de magasiner au même endroit, il ne profite pas des meilleurs prix offerts, des soldes, etc. Gagnepetit présente en détail le livret de crédit d'un ouvrier de l'usine de coton d'Hochelaga, dont on peut suivre, de semaine en semaine, l'endettement progressif.[12] Depuis longtemps, les travailleurs de cette fabrique réclament des payes plus fréquentes. En 1887, ils obtiennent de toucher leur salaire tous les quinze jours.

---

10 *La Presse*, 18 avril 1885.
11 Ibidem.
12 *La Presse*, 13 août 1887.

B. Fluctuations des salaires

Le travailleur ressent confusément l'influence pernicieuse de payes trop rares; cependant, la périodicité ne constitue pas l'explication déterminante de ses difficultés. Il faut chercher dans le niveau du salaire, la véritable raison de ces problèmes budgétaires. Le poids du montant versé entraîne l'aisance ou la pauvreté du travailleur.

Faut-il imputer à l'imprévoyance et à la prodigalité du travailleur ses tiraillements financiers? Les statistiques de l'époque suggèrent une réponse. Un simple coup d'oeil sur la moyenne des revenus ouvriers, durant le dernier quart du XIXe siècle, suffit à dégager une première constatation: la stabilité du salaire nominal. En 1877, certains travailleurs privilégiés, comme les tailleurs de pierre du canal Lachine, réclament une hausse de salaire: de $1.60 à $2 par jour.[13] Les ouvriers non spécialisés ambitionnent de passer de $0.80 à $1 par jour.[14] Or, vingt ans plus tard, en 1896, H.B. Ames soutient que le salaire moyen du travailleur qui vit en bordure du canal Lachine est de $1.20 par jour.[15] On constate, à la lecture des statistiques de la Commission royale d'enquête sur le coût de la vie (1915), que, sur une échelle graduée à 200, la courbe du salaire nominal varie d'environ huit points, soit 4% en vingt ans.[16] Cette légère augmentation se produit en 1889-1890. De 1875 à 1888, aucune fluctuation notable; de même en 1890, on atteint un nouveau plancher qui se stabilise jusqu'en 1896. Dans l'annuaire statistique du Canada, en 1894, on trouve la moyenne des gages de 1860 à 1890, à partir d'un indice 100 établi en 1860. On constate, malgré des écarts notables à court terme, la stabilité des salaires.

---

13 Jean Hamelin, Paul Larocque, Jacques Rouillard, *Répertoire...*, p. 36.
14 Ibidem, p. 35.
15 H.B. Ames, *The City...*, p. 24.
16 *Report of the Board of Inquiry into Cost of Life*, Ottawa, King's Printer, 1915, vol. II, p. 441.

TABLEAU VI

Salaires nominaux au Canada. (indice 100: 1860)

Année	Indice
1860	100
1865	143.1
1870	162.2
1875	158.4
1880	141.5
1885	150.7
1890	158.9

Source: *Résumé statistique, 1894,* p. 209.

Des statistiques établies par M. Jacques Bernier, pour quelques métiers à Montréal, entre 1882 et 1899, se dégage la même impression de stagnation du salaire nominal.[17] Le revenu des maçons et des conducteurs de locomotive demeure gelé à $2.50, celui des charpentiers baisse de $2.25, en 1882, à $2, en 1899, celui des cordonniers, de $2 à $1.50, tandis que les journaliers bénéficient d'une augmentation de $1.25 à $1.50.

C. Disparités salariales

Le salaire moyen est une abstraction qui ne jouit que d'une existence théorique. Dans la réalité, il se décompose en d'innombrables courbes salariales, influencées par l'âge et le sexe du travailleur, par son degré de spécialisation, la nature et la dimension de l'entreprise qui l'emploie. Une analyse de la rémunération ouvrière doit pondérer l'influence de ces différents facteurs. Dans le *Rapport du commissaire de l'Agriculture et des Travaux publics*, en 1887, on trouve une liste des gages payés dans la ville et le district de Montréal.[18] En reprenant les chiffres sur une base hebdomadaire (six jours de travail), on obtient le tableau suivant:

---

17 J. Bernier, «La condition ouvrière à Montréal à la fin du XIXe siècle. (1874-1896).» Thèse de M.A., Université Laval, 1970, p. 17.

18 DS, doc. no 2, 1888, p. 124-125.

TABLEAU VII

Salaires hebdomadaires par métiers à Montréal, en 1887

métier	salaire hebdomadaire de $	à $
boulanger	6	9
fabricant de bouilloires	9	12
forgeron	9	12
ouvrier de cuivre	9	12
briqueteur	7.50	9
maçon de briqueteur	12	16.50
ébéniste	9	12
charpentier	9	12
carossier	9	12
tonnelier	7.50	10.50
cuisinier (homme)	5	7.50
cuisinier (femme)	2	3.50
coupeur de drap	12	16
coupeur de cuir	12	16
tailleur de pierre	12	18
modiste (femme)	2.50	3.75
conducteur de locomotive	10.50	15
teinturier	10	12
ajusteur	8	12
chauffeur	7	10
jardinier	6	7.50
maréchal-ferrant	9	12
orfèvre	9	12
serrurier	12	15
journalier	6	9
machiniste	9	15
employé de scierie	6	9
mouleur	9	15
peintre	7.50	10.50
imprimeur	8	12
plâtrier	9	15
plombier	10.50	16.50
sellier	9	12
garde-magasin	8	10
fileur	7.50	10.50
tanneur	7.50	10.50
tisserand (femme)	4.80	7.50
tisserand (homme)	7.50	9
charron	10.50	15
horloger	10	14

Source: *Rapport du commissaire de l'Agriculture et des Travaux publics,* 1887, p. 124-125.

Cette nomenclature appelle des réserves. A l'époque, il n'existe pas de relevé statistique officiel. Les gouvernements établissent leurs données sur la base de témoignages disparates: employeurs, travailleurs, agences d'immigration.[19] Il semble bien, en l'occurrence, que les chiffres fournis au commissaire de l'Agriculture, en 1887, pêchent par optimisme. Pour corriger cette impression, il suffira de noter que le salaire normal se rapproche le plus souvent du montant minimum. Nonobstant cette réserve, le tableau a valeur d'indice. On y observe des variations de salaire importantes selon les métiers. De plus, pour une même occupation, homme et femme n'ont pas droit à la même rémunération. Dans le cas des tisserands, par exemple, la femme touche 64% du salaire masculin. Dans le rapport de la CRCTC, la différence entre les gages versés aux hommes et aux femmes se confirme.

TABLEAU VIII

Salaires hebdomadaires pour les hommes, femmes et enfants à Montréal en 1889

métier	hommes	femmes	enfants
employé de filature de coton[20]	4.80 à 6	4.50 à 4.80	1.50 à 1.80
cordier[21]	7.20 à 18	3.75 à 4.80	
employé de manufacture de chaussures	6 à 16	1.50 à 7	
employé de manufacture de[20] machines à coudre	7.50	3 à 5.10	
tailleur et mercier[21]	6 à 9	3.50 à 5	
employé de manufacture de tabac[21]	6 à 8.50	1.50 à 3.75	1.50 à 5

Source: CRCTC, *Rapport I*, pp. 150-155.

19 C'est le cas, par exemple, de la CRCTC, qui s'appuie sur les affirmations souvent contradictoires des ouvriers et de leurs patrons.

20 Salaires correspondant au témoignage des employés.

21 Salaires correspondant au témoignage des patrons.

Une évidence: l'infériorité marquée du salaire féminin. Le fossé s'élargit dans les secteurs où s'impose la main-d'oeuvre féminine. Les modistes de 1887 se satisfont de $2.50 par semaine; les tailleurs de 1889, de près de $3.50. Or, on le sait, la fabrication du vêtement repose en grande partie sur le «sweating system», sur l'exploitation abusive du travail féminin.[22] Un autre exemple: en 1888, les Religieuses de l'Hôtel-Dieu de Montréal déboursent $0.40 pour le salaire quotidien d'une employée, soit le prix de deux poulets. En 1896, le salaire n'a pas changé, mais il ne correspond plus qu'au prix d'une poule! Par contre, le salaire d'un homme coûte $2 par jour. En 1896, les Religieuses trouvent le moyen de payer $200 d'honoraires pour trois mois à leur agent d'affaires, M. Cyrille Laurin.[23] Dans le secteur des services, une échelle semblable prévaut. Un commis de magasin expérimenté retire de $5 à $9 par semaine, un débutant (douze ans) se contente de $1.50 à $2.24.[24] Les conducteurs de chars urbains gagnent de $7 à $8 par semaine: ils sont au travail de douze à quinze heures par jour, dimanche inclus.

Age, sexe et métier influencent le revenu du travailleur. La taille de l'entreprise qui l'emploie joue aussi un rôle important. En 1891, 234 établissements emploient une moyenne de 106 ouvriers et versent $8 803 562 en salaires, soit $353.24 en moyenne. Par ailleurs, 117 établissements occupent une moyenne de vingt-cinq travailleurs qui touchent un salaire de $352.48 par année. Dans 235 établissements, où la moyenne des travailleurs est de quatorze, ceux-ci gagnent $331.53 par année. Un groupe de 708 établissements, où travaillent en moyenne ccinq personnes, versent un salaire annuel de $296.46. Les 310 dernières entreprises donnent du travail à 567 personnes pour $170 par année.[25] Les chiffres se passent de commentaires.

---

22 «C'est un fait notoire que plus longue est la journée de travail dans une branche d'industrie, plus bas y est le salaire. (...) Mais si la prolongation de la journée est aussi l'effet naturel du bas prix du travail, elle peut, de son côté, devenir la cause d'une baisse dans le prix du travail et par là dans le salaire quotidien ou hebdomadaire.» (K. Marx, *Le Capital*, Livre I, p. 394.)

23 «Journal des dépenses des pauvres de l'Hôtel-Dieu de Montréal, 1877-1900», et «Journal des dépenses du Monastère des Religieuses Hospitalières de l'Hôtel-Dieu de Montréal, 1886-1899.» Ces documents sont aux archives de l'Hôtel-Dieu de Montréal.

24 CRCTC, vol. I, p. 211.

25 *Recensement du Canada, 1890-1891*, vol. IV, p. 283.

D. Le chômage

L'étude du salaire hebdomadaire, malgré les indications qu'elle fournit ne tient pas compte d'un élément déterminant: le chômage, conjoncturel ou saisonnier. En fait, une juste évaluation du revenu ouvrier n'est possible que sur une base annuelle. Certes, d'une année à l'autre, les conditions de l'emploi varient et risquent d'altérer la signification de conjectures basées sur une année moyenne; nonobstant cette restriction, le recours à l'unité de mesure annuelle constitue l'opération la plus sûre. Quelques opérations arithmétiques sur le recensement de 1891 dégagent de ce magma des chiffres évocateurs.[26]

TABLEAU IX

Salaires annuel et hebdomadaire par métiers
à Montréal, en 1891

métier	salaire annuel en $	salaire hebdomadaire moyen en $
forgeron	406	7.80
cordonnier	377	7.20
boulanger	433	8.30
relieur	558	10.60
travailleur de brasserie	481	9.20
briqueteur	276	5.30
menuisier	453	8.70
ouvrier du meuble	417	8
travailleur dans les produits chimiques	494	9.40
cigarier	301	5.70
imprimeur	546	10.50
travailleur dans les fonderies et confection de machine	367	7.05
confiseur	348	6.60
employé de filature de coton	454	8.70

Source: *Recensement du Canada, 1890-1891,* vol. III, pp. 2-387, passim.

26 Il suffit de diviser le montant total versé en salaires par le nombre de travailleurs. Cependant, afin de tenir compte de la présence de femmes et d'enfants, il faut réduire chaque travailleur à une unité de salaire uniforme. Il est justifiable de penser que les enfants gagnent 33% et les femmes 66% du salaire des hommes. Ainsi, un enfant constituera une unité de travail, une femme, deux unités, un homme, trois.

Le chômage saisonnier explique, en partie, l'écart entre le salaire hebdomadaire réel et la moyenne annuelle. Certains travailleurs, les imprimeurs, par exemple, jouissent d'un emploi stable qui leur assure un revenu annuel élevé. Les débardeurs, qui gagnent de $12 à $20 par semaine accumulent difficilement plus de $300, à cause d'une période d'inactivité de cinq mois. Dans les manufactures de cigares, on chôme deux mois par année, de même chez les tailleurs de cuir. Les plâtriers travaillent neuf mois par année et les décorateurs, sept mois.

Si le cycle saisonnier affecte sérieusement le niveau de l'emploi, les fluctuations décennales ne sont pas pour autant négligeables. Le mouvement conjoncturel de l'économie influence la courbe de l'emploi: une amélioration de la situation économique se traduit par une baisse du chômage et une hausse des salaires. C'est le cas en 1889-1890 où la courbe du chômage aurait connu une chute radicale entre deux clochers, entre 1885-1886 et 1892-1893.[27] La faiblesse de l'organisation ouvrière et la vive concurrence des ouvriers sur le marché du travail permettent aux employeurs de modifier les salaires selon la disponibilité de la main-d'oeuvre et la situation financière de leur entreprise. Lors de la réunion semi-annuelle des actionnaires du Grand Trunk Railway, en 1886, année difficile, le président Tyler déclare: «Le Grand-Tronc n'a évité des conséquences sérieuses qu'en rétablissant les anciennes échelles de salaires.»[28-29] En 1892, les ouvriers du Grand Trunk Railway brandissent la menace de grève si la compagnie ne consent pas des déboursés de $50 000 par année en augmentation de salaires. Ils essuient un refus. Après des concessions de la part des employés, le GTR

27 Voir le tableau de la Commission sur le coût de la vie, *Report...*, vol. II, p. 441. Jean Hamelin et Yves Roby (*Histoire économique...*, p. 93) citent le *Montreal Daily Star* du 15 janvier 1885 selon lequel il y aurait, à Montréal-Ouest et dans les villages avoisinants, 6000 chômeurs sur 8533 hommes. Le chiffre semble fort. Comment le *Montreal Daily Star* établit-il ses statistiques? Quelle est sa définition du chômeur? Un enfant de douze ans que ses parents ne réussissent pas à faire embaucher est-il chômeur? Quoi qu'il en soit de l'exactitude des chiffres du *Star*, ils ont une valeur d'indice. Ils permettent de conclure que l'hiver 1885 est très dur, que le chômage y atteint des proportions telles que paraisse vraisemblable un taux de 70%. En 1894, le *Montreal Herald* du 12 juin dénombre 10 000 chômeurs. (Cité par Jacques Bernier, «La condition ouvrière à Montréal...», p. 31.)

28 «The Grand Trunk avoided serious consequences *only* by restoring the old rates of pay.» Le souligné est de l'auteur.

29 A.W. Currie, *The Grand Trunk Railway of Canada*, Toronto, University of Toronto Press, 1957, p. 344.

consent à une dépense de $2000, soit 4% des exigences des travailleurs.[30]

Les variations saisonnières et conjoncturelles sont-elles les seules à imprimer leur mouvement au niveau de l'emploi? La tendance structurelle de l'époque est aussi génératrice de chômage. Le flux démographique, qui vide les régions rurales au profit des agglomérations urbaines, se double d'une vague d'immigration. Démographie et économie se conjuguent pour accentuer le mouvement malthusien de l'emploi. Ainsi se recrute l'armée de réserve du prolétariat décrite par Marx. Témoignage de cette pression des travailleurs: les nombreux appels des organisations ouvrières au gouvernement en vue d'obtenir un contingentement de l'immigration d'ouvriers spécialisés et la suppression du travail dans les prisons dont la production concurrence dangereusement celle du travailleur libre.[31] L'immigration d'ouvriers spécialisés menace-t-elle sérieusement les travailleurs montréalais? Les statistiques d'immigration[32] sont sujettes à caution. Admettons néanmoins l'exactitude des chiffres fournis par les bureaux d'immigration de Québec et de Montréal.[33] Les immigrants qui débarquent dans ces deux villes n'y demeurent pas tous, même s'ils en manifestent l'intention. Compte tenu de ces restrictions, une évaluation grossière du phénomène demeure possible. Selon les rapports annuels du commissaire de l'Agriculture, de 1885 à 1895, 33 321 immigrants débarqués à Québec se dirigent vers

---

30 Ibidem, p. 345.

31 Les prisonniers font différents travaux: meubles, chaussures, serrurerie, imprimerie, etc. Jean-Baptiste Gagnepetit réagit à cette concurrence: «A une époque où les travailleurs gagnent à peine de quoi nourrir leurs familles, il est pénible de penser qu'il suffit d'avoir commis un crime pour être logé et entretenu aux frais de l'État. (...) Nos fabriques ne sont pas assez puissantes et notre marché n'est pas assez vaste pour supporter une telle concurrence.» (*La Presse*, 26 juin 1886.) Ce qui répugne aux chefs ouvriers, c'est que le travail des prisonniers soit loué par l'État à des entrepreneurs privés qui réalisent une économie de 25% du coût de la main-d'oeuvre. (A.T. Lépine, *Explication de la déclaration de principes de l'ordre des Chevaliers du Travail*, Montréal, Imprimerie du Trait d'Union, 1887, p. 12-13.)

32 Dans le *Rapport du commissaire de l'Agriculture de la province de Québec.*

33 En règle générale, les chiffres des *Résumé Statistique* annuels du Canada sont supérieurs à ceux qu'affichent les statistiques provinciales. Nombre d'immigrants au Québec: 1886: 12 436; 1887: 834; 1888: 18 468; 1889: 19 663; 1890: 19 654; 1891: 20 852. L'utilisation des données numériques relatives à l'immigration commande des réserves sérieuses. En effet, de l'aveu même des fonctionnaires canadiens, les méthodes de contrôle fédérales ne permettent pas de vérifier le lieu de destination réel des nouveaux arrivés. Et qui plus est, le transit, sur la frontière américaine, se fait librement, si bien qu'on ignore le nombre d'immigrants américains et d'émigrants canadiens vers les États-Unis.

Montréal; durant la même période, 41 624 nouveaux venus s'inscrivent au bureau d'immigration de Montréal. De 1890 à 1895, 28% de ces étrangers inscrits au bureau de Montréal manifestent le désir de s'établir dans le district de Montréal. En appliquant, par extrapolation, cette proportion à tous les immigrants qui parviennent directement à Montréal ou via Québec durant cette décennie,[34] on conclura que Montréal s'accroît ainsi de 20 984 habitants, soit près de 1900 par année. On sait, par ailleurs, que, de 1888 à 1895, 21% des immigrants parvenus au bureau d'immigration de Montréal sont des femmes ou des enfants de moins de douze ans. C'est donc, en moyenne, environ 1500 travailleurs étrangers qui tentent de se tailler une place sur le marché du travail montréalais, sans tenir compte des femmes, soit 4.3% de la main-d'oeuvre manufacturière de Montréal en 1891. Or, les emplois manufacturiers n'augmentent que de 3614, de 1881 à 1891. Inutile de décrire la pression démographique que représente l'immigration montréalaise, en cette fin du XIXe siècle. Elle avive la concurrence des travailleurs et accélère un mouvement centrifuge sur la population francophone de Montréal; en effet, 13 736 Canadiens français auraient quitté Montréal, de 1881 à 1891, pour se lancer dans l'odyssée américaine.[35] Les statistiques d'immigration et d'émigration seraient-elles indûment gonflées, faudrait-il, par exemple, les réduire de moitié,[36] le phénomène n'en garderait pas moins une acuité évidente.

Les protestations des sociétés ouvrières prennent un relief particulier lorsqu'on les considère à la lumière des pratiques patronales de l'époque. Nombreux sont les entrepreneurs qui incitent des travailleurs européens à immigrer au Canada où des conditions avantageuses les attendent. Mirage pour ces nouveaux venus et menace pour les travailleurs montréalais. Un pressier belge affirme devant la CRCTC avoir été attiré au pays sous de fausses représentations: il connaît plusieurs cas analogues.[37] Un polisseur de marbre déclare: «Il y a encombrement

34 Soit 74 945 immigrants.

35 Gilles Paquet, «L'émigration des Canadiens français vers la Nouvelle-Angleterre, 1870-1890: prises de vue quantitatives.» *Recherches Sociographiques*, vol. V, no 3 (sept.-déc. 1964), pp. 342-343.

36 Yolande Lavoie, dans *L'émigration des Canadiens aux États-Unis avant 1930*, Montréal, Presses de l'Université de Montréal, 1972, p. 75, critique la méthode de G. Paquet. Selon elle, ce ne sont pas 345 000 mais 150 000 personnes qui quittent le Québec, de 1881 à 1891.

37 CRCTC, vol. I, p. 801.

d'ouvriers importés, des ouvriers qui travaillent à vil prix. La classe d'ouvriers qui nous nuit ainsi, se compose de journaliers.»[38] Pour sa part, le président du Grand Trunk Railway, Tyler, révèle aux actionnaires londoniens de la compagnie:[39]

Il y avait quelques problèmes à Montréal avec les mouleurs canadiens-français. Quelques-uns d'entre eux ont attaqué un de leurs camarades qui refusait de débrayer. La solution que nous avons adoptée a été tout simplement d'envoyer quelques mouleurs de ce pays prendre leur place. Cela les a fait réfléchir et ils ont repris le travail. En fait, il était difficile de trouver de bons mouleurs en Angleterre parce que tous les bons mouleurs avaient déjà du travail ici.

Jean-Baptiste Gagnepetit explique l'attitude des sociétés ouvrières, taxées de xénophobie par le quotidien québécois *La Justice*:[40]

Tout d'abord, les ouvriers ne demandent pas la suppression absolue de l'immigration des ouvriers; ils demandent simplement que les patrons n'aillent pas chercher à l'étranger des ouvriers qu'ils engagent presque toujours sous de faux prétextes, et surtout que le gouvernement ne dépense pas l'argent des contribuables pour créer à ces derniers, à leurs propres frais, une concurrence des plus nuisibles aux taux des salaires. (...) Si les embaucheurs et les compagnies de transport avaient agi loyalement, si depuis des années, on n'avait pas trompé les ouvriers, jamais les travailleurs de ce continent n'auraient songé à mettre dans leur programme la suppression de l'immigration par contrat.

Enfin, la politique nationale doit signifier quelque chose, et nous ne voyons pas pourquoi La Justice juge si mal les ouvriers qui veulent protéger leurs salaires, c'est-à-dire l'existence de leurs familles, alors qu'elle se montre moins sévère vis-à-vis des patrons qui ne cessent de demander des augmentations

---

38 Ibidem, p. 529.

39 Tyler, cité par A.W. Currie, dans *The Grand Trunk Railway...*, p. 345. Le souligné, dans la citation, est de moi. «There was some little trouble at Montreal with French-Canadian moulders. Some of them assaulted one of their comrades who refused to quit work. The remedy we adopted was *simply* to send over some moulders from this country to take their places. That brought them to their senses and came back to work again. Actually, it was hard to get good moulders in England because all the good ones here had regular work.»

40 *La Presse*, 6 août 1887.

de tarif de douane, pour protéger leur prix de vente.

Le contrôle de l'immigration figure parmi les moyens de comprimer le chômage. De même la réduction des heures de travail permettrait, selon Gagnepetit, «de donner de l'ouvrage et des salaires à des ouvriers inoccupés, ouvriers qui représentent un cinquième des travailleurs».[41] Pour venir en aide à ces chômeurs, le chroniqueur préconise la création de bureaux de placement aux frais de l'État:[42]

Avant l'établissement de ces bureaux surveillés par la police et sous le contrôle des autorités municipales, les ouvriers et les domestiques parisiens étaient dans des conditions identiques à celles dans lesquelles se trouvent, à Montréal, les travailleurs sans ouvrage.

Ils n'avaient aucun point de ralliement, ils ne savaient à qui et où s'adresser pour avoir des renseignements, il leur fallait arpenter le pavé de la ville pendant de longues heures et frapper à bien des portes avant qu'ils puissent trouver ce qu'ils cherchaient. Souvent aussi, ils étaient exploités par des espèces de placeurs qui faisait (sic) *payer ou promettre de fortes remises sur les premières semaines de salaires, remises qu'ils partageaient avec le patron qui trouvait ainsi moyen de faire travailler des hommes à bas prix, tout en laissant croire aux ouvriers qu'il les payait un prix régulier.*

Pour prouver le sérieux de la suggestion, *La Presse* entretient, durant un an, un bureau de placement qui utilise gratuitement les annonces classées du journal pour établir le contact entre le travailleur et son employeur.[43]

Les fluctuations du marché de l'emploi figurent, certes, au premier rang des causes du chômage. Cependant, nombreux sont les ouvriers dont le salaire est compromis par des accidents. L'élasticité du système de contrôle des accidents de travail et l'état souvent lamentable de la sécurité dans les manufactures suggèrent un taux élevé d'accidents. L'arrêt de travail ampute le revenu annuel du salaire d'une ou plusieurs

41 *La Presse*, 13 février 1893.

42 *La Presse*, 13 février 1886.

43 Geste philanthropique dont il ne faut pas sous-estimer la valeur publicitaire. *La Presse* est, à l'époque, en vive concurrence avec *Le Monde* et compte sur les quartiers populaires et ouvriers pour accroître son tirage.

semaines. Aucun organisme public n'assure les travailleurs contre les risques de leur métier. C'est dans les petites entreprises, celles qui consentent les salaires les plus bas, que la sécurité du revenu est le plus menacée. Certains employeurs, les plus importants, imposent la création de sociétés de prévoyance qui, en les déchargeant de la responsabilité financière des accidents, assurent toutefois aux victimes un revenu durant la période d'invalidité. La ligne maritime Allen retient dans ce but 1% du salaire de ses employés. En cas de décès, elle verse $500 aux héritiers et $5 par semaine en cas d'invalidité.[44] Le GTR soutire à chaque employé de $0.40 à $0.50 par mois pour la caisse de prévoyance; la compagnie verse, pour sa part, $10 000 par année. Un travailleur immobilisé par un accident peut toucher $3 par semaine, pendant vingt-six semaines. La société de prévoyance risque, cependant, de devenir un nouveau prétexte à l'exploitation des travailleurs. Gagnepetit dénonce cet abus:[45]

Cette société de prévoyance du Grand-Tronc est entièrement gouvernée par les directeurs du Grand-Tronc (chapitre neuf et onze des règlements), et les employés n'ont absolument aucun contrôle sur la manipulation des fonds qu'ils versent. De fait la direction du Grand-Tronc s'est réservé le droit de contrôler entièrement cette assurance, quoique la compagnie ne contribue que pour vingt pour cent dans les recettes totales des fonds des malades. (...) Les travailleurs ne sont pas opposés au principe de la prévoyance, au contraire, mais ils veulent une prévoyance basée sur un système solide dont ils aient le contrôle.

La marge entre les primes reçues et les versements consentis mesure la fraude à laquelle donne lieu la formule:

Primes reçues:	Primes payées:
1885: $145 202	1885: $59 358
1886: $165 384	1886: $80 431
1887: $194 610	1887: $83 318

Plusieurs fois, à partir de 1890, les travailleurs du Grand Trunk Railway accusent la compagnie de décider unilatérale-

44 CRCTC, *Rapport I*, p. 20: il s'agit de l'annexe «C», rédigée par Jules Helbronner.
45 Ibidem, p. 21.

ment le montant des allocations versées en cas de maladie et de menacer de renvoi les travailleurs qui se plaignent de l'insuffisance de ces prestations.[46] Certains employeurs, et non des moindres, imposent à leurs employés des contrats de travail qui déchargent l'entreprise de toute responsabilité en cas d'accident.[47] Les sociétés de prévoyance se développent à l'extérieur des cadres de l'entreprise:[48]

Il existe à Montréal de grandes sociétés de secours et d'assurances mutuels, parfaitement solvables, offrant une sécurité absolue à leurs membres; mais toutes grandes qu'elles soient, elles sont loin d'avoir des rôles aussi importants qu'elles devraient avoir si les travailleurs se montraient soucieux de l'avenir et du bien-être de leurs familles.

Gagnepetit conclut:[49]

C'est pour rendre l'assurance contre les accidents facile à tous, que l'État doit assumer la direction d'une assurance de cette nature et supprimer les cinquante-cinq pour cent d'excédent de prime, en prenant à sa charge tous les frais d'administration.

III. Le salaire réel

On le voit bien, au terme de cette enquête sur le revenu ouvrier: les règles du jeu en vigueur à l'époque desservent les travailleurs. Leur salaire est soumis aux pressions du marché. Le chômage et le salaire sont posés sur deux plateaux d'un balancier: la hausse du chômage s'accompagne de la baisse du salaire. Même si, à moyen terme, ces mouvements s'annulent, ils n'en demeurent pas moins sensibles au journalier qui peine pour boucler un maigre budget. L'analyse du revenu ouvrier forme un diptyque. Les considérations sur la courbe des salaires demeurent caduques, si elles ne s'accompagnent pas de la mesure du dollar gagné à des étalons stables que sont le gîte, le pain, etc. Salaire nominal et salaire réel: ce rapport introduit la

46 A.W. Currie, *The Grand Trunk Railway...*, p. 345.
47 CRCTC, *Rapport I*, p. 50.
48 *La Presse*, 9 janvier 1893.
49 CRCTC, *Rapport I*, p. 22.

notion de niveau de vie, essentielle lorsqu'on s'intéresse à la condition ouvrière.

A. Revenu moyen ou revenu médian

Le premier terme de la comparaison: le salaire. Il faut préciser la nature de ce salaire. S'agit-il du seul salaire du père ou d'un revenu familial? La distinction est de taille. H.B. Ames, par exemple, établit à $7.20 le salaire hebdomadaire moyen tandis que le revenu familial oscille près de $11 par semaine.[50] Selon Ames, en moyenne, 1.41 personne contribue au revenu familial.[51] Si le sociologue montréalais s'accommode de revenus familiaux moyens, il est, par ailleurs, malaisé de se satisfaire de ces approximations. L'ouvrier moyen, de toute évidence, n'existe pas; c'est un être de raison qui émane de l'esprit du statisticien. Parmi ces travailleurs, on compte des célibataires, des époux que leurs enfants accompagnent au travail, des veuves, seuls soutiens de leur famille. Il faut préférer un autre concept: le revenu de l'individu médian.[52] Plutôt que de considérer un revenu familial moyen, on retiendra des situations familiales concrètes. Plusieurs auteurs se sont attachés à décrire les âges de la famille ouvrière.[53] François Simiand décrit ainsi les phases alternatives d'expansion et de compression du revenu familial:[54]

Dans les premières années, la personne ouvrière que nous allons suivre n'a pas jusqu'à présent de revenu propre, puis-

---

50 H.B. Ames, *The City...*, p. 21.

51 Soit 10 853 travailleurs pour 7671 familles.

52 «L'individu médian et l'individu modal sont des réalités. En établissant un rapport entre la somme des valeurs d'une série et le nombre de ses éléments, on crée un «type» qui n'a pas de correspondant réel. Par contre, en indiquant les éléments ou l'élément les plus fréquents d'une série, ou en fixant l'élément qui partage une série de proportions déterminées, on désigne un individu ou un phénomène réel. Autrement dit, toutes les valeurs centrales, mathématiquement légitimes, n'ont pas une signification aussi pleine lorsqu'on les déduit de séries naturelles, particulièrement en sociologie. Les valeurs centrales les plus directement liées aux séries réelles seront donc les plus intéressantes en analyse sociale, tandis que celles qui nous rapprochent plutôt d'un concept, essentielles en certains cas, sont ici dangereuses.» (Pierre Naville, *La vie de travail et ses problèmes*, Paris, Armand Colin, 1954, p. 90.)

53 B.S. Rowntree, *Poverty: A Study of Town Life*, London, Macmillan & Co., 1901; Georges Duveau, *La vie ouvrière en France sous le Second Empire*, Paris, Gallimard, 1946; Maurice Halbwachs, *L'évolution des besoins dans les classes ouvrières*, Paris, Alcan, 1933; François Simiand, *Cours d'économie politique professé en 1929-1930*, Paris, Domat Montchrestien, 1930.

54 François Simiand cité par Maurice Halbwachs dans *L'évolution des besoins...*, p. 62-63.

qu'elle ne travaille pas encore, et vit donc sur le revenu de la famille dans laquelle elle compte. Celui-ci se trouve diminuer dans cette période parce que, par exemple, il vient de nouveaux enfants, et que leur mère ne peut plus travailler. Dans cette phase, le disponible par unité de consommation s'abaisse progressivement de quatre à un. Puis le jeune homme commence à gagner à partir de treize ans; il gagne de plus en plus, jusqu'à vingt et vingt-cinq ans. En même temps que ses frères, soeurs se mettent à travailler, la mère peut également recommencer à travailler. C'est une période dans laquelle le revenu familial va croissant au total, et aussi le revenu disponible par unité de consommation: nous voyons ce dernier remonter de un jusqu'à près de quatre. A ce moment, notre ouvrier se marie et sort de la famille à laquelle il appartenait jusque-là. Nous atteignons et suivons donc maintenant le revenu du nouveau ménage qu'il vient de fonder, formé de son gain à lui, et du gain de sa femme qui va diminuer si elle a des enfants, et ne peut plus travailler tant qu'ils sont en bas âge. Dans cette période où il est seul de la famille à travailler, alors que le nombre de personnes qu'elle comprend augmente, on aperçoit une restriction notable du revenu total, et plus considérable encore du disponible par unité de consommation, qui retombe de quatre jusqu'à près de un. Puis de nouveau, dans cette nouvelle famille, les enfants viennent en âge de gagner, la femme recommence à travailler: nous trouvons une période de la vie de notre ouvrier, qui s'étend jusqu'à cinquante-cinq ou soixante ans, dans laquelle le total des gains de la famille augmente, et en même temps aussi le disponible par unité de consommation qui monte de un à quatre. Puis les enfants s'en vont, se marient, sortent de ce groupe familial. L'ouvrier que nous suivons gagne lui-même de moins en moins. De nouveau, alors, nous avons une diminution par unité de consommation jusqu'à soixante-dix ans. Au-delà de soixante-dix ans, on pense que, vraisemblablement, il ne vit plus sur son travail propre et n'a de ressources, si possible, que sur les revenus d'autres personnes.

Le texte de Simiand substitue à l'individu moyen un ouvrier dont la condition matérielle s'améliore ou se détériore selon son statut familial. Considérations très générales, certes, qui ont néanmoins le mérite d'étaler une perspective sous-jacente à l'étude du revenu ouvrier. Le revenu familial moyen devient, dans cette hypothèse, un concept caduc. On recourt plutôt à des situations familiales courantes dans le milieu ouvrier. A la lumière de ces observations, on retiendra, comme mesure du niveau de vie, le salaire individuel d'un travailleur adulte, élément le plus stable du revenu familial. A partir de cette unité de salaire, il sera possible d'opérer des ajustements qui reflètent d'autres situations familiales.

B. Le coût de la vie: les prix

Les observations sur les oscillations du coût de la vie constituent une seconde étape dans la définition du salaire réel. Les témoignages des Montréalais de 1890 illustrent une réalité contradictoire. Les comptes rendus de la CRCTC fourmillent d'affirmations selon lesquelles le prix des biens de consommation courante diminue. Les prix des objets manufacturés, en particulier, subissent une chute notable. Les meubles, par exemple, baissent de 50% en quinze ans.[55] Par contre, de nombreux témoins révèlent les difficultés financières croissantes des couches populaires; les salaires, dit-on, n'augmentent pas en proportion du coût de la vie.[56] Dans l'annuaire statistique de 1894, on retrace l'évolution des différents prix. Le tableau remplit d'optimisme l'observateur distrait.

TABLEAU X

Prix, gages et pouvoir d'achat au Canada[57]
de 1860 à 1890
(1860: 100)

	1860	1865	1870	1875	1880	1885	1890
viande	100	107.0	174.3	140.4	103.6	107.6	99.6
autre nourriture	100	200.3	146.3	135.0	116.9	97.2	103.5
vêtement	100	299.2	139.4	120.1	104.5	84.8	82.4

55 CRCTC, vol. I, p. 812.

56 Ibidem, p. 817.

57 Ces statistiques citées dans l'*Annuaire statistique* de 1894 ne sont pas établies à partir d'enquêtes canadiennes. Il s'agit d'un tableau dont les données proviennent, d'autres pays industrialisés et qui, au dire du statisticien, «semble applicable au Canada». Or, la pertinence de cette affirmation est loin d'être démontrée (*Annuaire...*, p. 208).

	1860	1865	1870	1875	1880	1885	1890
combustible et éclairage	100	237.8	196.5	156.5	100.2	89.6	92.5
instruments aratoires, métaux	100	191.4	127.8	117.5	96.3	77.4	73.2
bois, matériel de construction	100	182.1	148.3	143.7	130.9	126.6	123.7
drogues et médicaments	100	271.6	149.6	144.2	113.1	86.9	87.9
ameublements	100	181.1	121.6	95.0	85.2	70.1	69.5
divers	100	202.8	148.7	122.9	109.8	97.5	89.7
moyenne des prix	100	216.8	142.3	127.6	106.9	93.0	92.3
moyenne des gages	100	143.1	162.2	158.4	141.5	150.7	158.9
pouvoir d'achat	100	66.0	114.1	124.1	132.3	162.0	172.1

Source: *Résumé Statistique, 1894*, p. 209.

Selon la Commission d'enquête sur le coût de la vie (1915), sur un tableau gradué à 200, le revenu grimpe de trente-cinq points (17%) et les prix au détail baissent de vingt-cinq points (12%), de 1875 à 1895.[58] Une conclusion s'impose donc: la situation des consommateurs s'améliore graduellement, et les récriminations des représentants ouvriers devant la CRCTC relèvent d'un manque flagrant de réalisme. Pourtant, Gagnepetit, disposant d'un rapport sur la situation des ouvriers en Ontario, écrit:[59]

Ce rapport, nous avons peine à le constater, prouve que dans l'Ontario, la position des ouvriers ne s'est pas améliorée et que les salaires n'ont pas augmenté dans la même proportion que celui de l'existence. (...) Il n'y a pas eu de changement sérieux dans la condition des ouvriers des villes, et les changements que l'on a constatés ne sont pas à l'avantage des travailleurs. (...) Une étude consciencieuse du rapport prouve que ceux qui ont pu économiser quelque chose, ont été constamment employés, et qu'ils n'ont pu faire des économies qu'en ne dépensant que ce qui est strictement nécessaire à l'existence. Encore ces surplus sont-ils presqu'insignifiants (sic), *et les rapporteurs constatent qu'ils auraient disparu si leurs heureux propriétaires s'étaient permis le moindre plaisir, ou un confort raisonnable. Si telle est la condition des ouvriers sobres, prudents, économes et intelligents, une étude approfondie de la*

58 *Report of the Board...*, vol. II, p. 441.
59 *La Presse*, 15 octobre 1887.

question le prouvera sans aucun doute, parmi les familles de ceux qui sont moins heureux ou moins sages, il doit y avoir des jours de grande privation.

Les réflexions de Jean-Baptiste Gagnepetit incitent à considérer avec circonspection les statistiques. Les fonctionnaires de la fin du XIXe siècle tracent de la vie des citoyens canadiens un tableau optimiste: les prix baissent, les salaires augmentent. Soit. Mais dans quels secteurs baissent-ils? Les loyers peuvent augmenter et le coût de la place au théâtre diminuer sans que la moyenne des prix en soit affectée. Cependant, le sort du travailleur, qui ne va pas au théâtre, se détériore. Les salaires sont à la hausse; mais à quoi correspond l'indice 100, établi en 1860? Si l'on quitte une situation de famine pour un état de misère endémique, la hausse de salaire n'assure qu'une pauvre subsistance. On meurt à cause de la saleté de son taudis plutôt que de la faim... De plus, il faut décomposer cette moyenne des prix et analyser le comportement des prix qui grèvent le plus lourdement le revenu ouvrier. Traduire aussi en biens de consommation courante la courbe ascendante du salaire réel.

Jean Fourastié propose une interprétation de l'évolution des prix qui s'applique à la situation montréalaise de ce XIXe siècle.[60] Selon lui, l'évolution de la moyenne des prix est

60 Selon Fourastié, c'est le progrès technique, donc la productivité du travail, qui est la clé du développement économique. Le progrès se manifeste avec un rythme inégal selon les secteurs de l'activité économique. A partir du rythme de ce développement, Fourastié distingue trois secteurs économiques: primaire, secondaire, tertiaire. La terminologie, empruntée à Colin Clark, ne recoupe pas d'une façon stricte les mêmes réalités. L'économiste Clark divise l'économie en catégories selon le type d'activité plutôt que selon la dose de progrès qui s'y manifeste à une période donnée. Selon Fourastié, dans le primaire, le progrès technique existe, mais il est lent. Dans le secondaire, le progrès technique devient un facteur essentiel et bouleverse les conditions de production. Dans le tertiaire, il égale presque le néant. On peut ranger, selon les époques, l'agriculture et l'extraction minière dans les secteurs primaire et tertiaire. Les transports se rangent dans le tertiaire, du XVe au XIXe siècle, puisqu'on n'y décèle aucun progrès significatif: la traction animale permet des vitesses constantes durant toute la période. Au XIXe siècle et surtout au XXe siècle, avec l'utilisation de la vapeur, le moteur à combustion interne, l'aviation, etc., les transports passent dans le secteur secondaire. Or, selon Fourastié, la courbe des prix dépend du progrès technique: là où il n'y a pas de progrès technique, les prix ont tendance à augmenter (tertiaire). Si les progrès sont faibles ou marginaux, les prix se maintiennent avec des oscillations (primaire). Dans le secteur secondaire, enfin, les prix baissent à cause de la mécanisation. «Les indices généraux classiques des prix ne sont d'ailleurs pas les meilleurs instruments d'observation de la réalité des faits; comme on vient de le voir, ils sont en effet, d'impénétrables mélanges de prix à progrès techniques différents. Les économistes qui les ont définis et calculés, n'ayant aucune idée du progrès technique et de ses effets, les ont formés de prix absolument hétérogènes et divergents. (...) Ils n'ont pas plus de signification

fonction du progrès technique: les prix baissent dans les secteurs qui bénéficient d'un développement technique intensif. La théorie de Jean Fourastié assure une meilleure compréhension de la statistique fédérale de 1894. Le prix de la viande ne connaît pas une baisse sensible. Il se maintient près de l'indice 100, avec deux clochers de 174.3 et 140.4, en 1870 et 1875. L'amélioration des méthodes d'élevage et d'abattage serait un facteur négligeable. Les fluctuations de 1870-1875 seraient attribuables à une compression de l'offre. La nourriture, de 1865 à 1890, passe de 200.3 à 103.5. La chute se produit principalement entre 1865 et 1875, au plus fort de la crise économique. Après cette décennie, les variations s'amenuisent. Il faut mettre la courbe de la nourriture en parallèle avec celle des métaux et instruments aratoires qui glisse de 191.4 à 117.5, de 1865 à 1875. Les améliorations techniques apportées à la fabrication d'instruments aratoires entraînent une baisse des coûts de production agricole; ils influencent aussi la production de viande. Après 1875, les deux indices se stabilisent à la baisse. Dans le secteur des produits manufacturés, vêtements, médicaments, meubles, etc., l'augmentation de la productivité entraîne une chute radicale des prix: de 299.2 à 82.4 pour les vêtements, de 271.6 à 87.9 pour les médicaments, de 181.1 à 69.5 pour l'ameublement.

Ainsi s'expliqueraient les opinions incompatibles exprimées devant la CRCTC. Un marchand de chaussures affirme que les souliers sont moins chers;[61] un marchand de «ferronneries» note une tendance semblable dans la quincaillerie;[62] un vendeur de vêtements soutient que les prix, dans ce secteur, accusent des baisses de 16% à 25%;[63] un marchand de meubles propose une chute de 50%.[64] Par contre, un «marchand de provisions» dit que les prix du beurre, des oeufs et du fromage n'ont que peu varié depuis 1880. Dans toutes les grandes villes,

---

scientifique qu'un indice général de la vitesse de circulation des véhicules en France, où l'on additionnerait la vitesse des avions et des voitures à âne. Ainsi, la valeur de l'indice et son évolution depuis 1900, par exemple, dépendent de sa constitution même; s'il y a beaucoup d'ânes et peu d'avions l'indice sera stagnant; s'il y a beaucoup d'avions et peu d'ânes, l'indice sera rapidement croissant.» (Jean Fourastié, *Le grand espoir du XXe siècle*, Paris, Gallimard, 1963, p. 168-169.)

61 CRCTC, vol. I, p. 798.

62 Ibidem, p. 798.

63 Ibidem, p. 810.

64 Ibidem, p. 811.

les loyers ont augmenté.[65] Dès lors que des distinctions marquées s'établissent entre le comportement des différents prix, l'importance relative de chacun de ces prix dans le budget ouvrier traduira la situation matérielle du travailleur et l'évolution de son salaire réel.[66]

C. Structure de la consommation

Ernst Engel a établi des lois relatives au budget des travailleurs. Sans être universelles, ces lois se sont vérifiées dans les sociétés industrielles où on a tenté de les appliquer. Selon Engel, «plus le revenu est faible, plus est grande la proportion de la dépense totale qui doit être consacrée à la nourriture».[67] Il ajoutait, en 1882, qu'en même temps que la proportion de la dépense-nourriture augmente, la nourriture elle-même devient médiocre; les revenus sont alors plus faibles et les dépenses alimentaires absolues diminuent.[68] Engel énonce une seconde loi, relative aux besoins vestimentaires: «La proportion de la dépense pour le vêtement reste approximativement la même, quel que soit le revenu.»[69] De ses enquêtes sur les revenus ouvriers, Maurice Halbwachs tire les conclusions suivantes:[70]

A mesure que son revenu augmente, l'ouvrier réduit la proportion de sa dépense qu'il consacre à la nourriture, mais il réduit au moins autant, et peut-être davantage, celle qu'il consacre à son logement. (...) Mais on pourrait dire aussi, partant des revenus les plus élevés, qu'à mesure que le revenu baisse, le montant de la dépense diminue plus vite pour le logement que pour la nourriture.

---

65 CRCTC, *Rapport I*, p. 18.

66 «L'étude du niveau de vie doit être basée avant tout sur l'étude de l'évolution de la structure des consommations individuelles.» (Jean Fourastié, *Le grand espoir...*, p. 301.)

67 Cité par Maurice Halbwachs dans *L'évolution des besoins...*, p. 19.

68 Halbwachs raffine les observations d'Engel; il soutient que la famille qui dispose d'un faible revenu a tendance à comprimer ses dépenses alimentaires. L'augmentation du revenu n'entraîne pas une diminution immédiate de la proportion réservée à la nourriture. Les besoins alimentaires comprimés sont d'abord satisfaits. Lorsqu'ils sont comblés, la part de la nourriture dans le budget diminue. (Ibidem, p. 21.)

69 Halbwachs corrige la proposition d'Engel, sans pourtant en affecter la nature: «la proportion de la dépense pour le vêtement a plutôt tendance à augmenter, avec des arrêts et des retours, et (...) son montant absolu augmente nettement plus que la dépense absolue pour la nourriture, à mesure que le revenu augmente. (Ibidem, p. 21.)

70 Ibidem, p. 24.

Selon Halbwachs et Engel, la proportion des dépenses pour l'entretien du logement, l'ameublement et les dépenses diverses s'élève avec la hausse du revenu.[71]

En 1891, le travailleur belge consacre 61.3% de son revenu à la nourriture, 14.5% au vêtement, 9.6% au logement, 5.2% au chauffage et à l'éclairage, 1.2% à ses besoins hygiéniques (santé, toilette), 1.9% à ses besoins intellectuels et moraux, 5.7% à ses divertissements.[72] En 1898, Émile Levasseur tire de ses recherches la conclusion «qu'aux États-Unis la nourriture absorbe la moitié ou au moins les deux cinquièmes du revenu de l'ouvrier, que le loyer prend un sixième environ, le vêtement autant, et qu'il reste à peu près un cinquième pour les autres dépenses».[73] Les relevés canadiens ne permettent pas de répéter ces opérations pour les ouvriers montréalais. Des statistiques établies à partir de 1900 démontrent néanmoins qu'un travailleur canadien dont le revenu annuel est de $600 dépense $280 pour sa nourriture, soit 47.5% de son salaire, et $125, soit 20.9%, pour son logement. Or, en 1900, un mouleur de fer montréalais, occupé soixante heures par semaine, cinquante-deux semaines par année, gagne $624 par année, un charpentier, $546, un cordonnier, $520, un tailleur, $260.[74] Il est évident que la proportion de 47.5% pour les dépenses alimentaires ne peut s'appliquer qu'à l'ouvrier favorisé. Le charpentier qui chôme deux ou trois mois, le tailleur au salaire dérisoire se résigneront probablement à affecter de 55% à 65% de leur salaire à la nourriture. Ces chiffres traduisent une moyenne nationale. Or le prix des denrées alimentaires est plus élevé à Montréal qu'à Toronto ou à Québec.[75] De même, les loyers y sont de $20 à $40 par année supérieurs à la moyenne nationale: de $144 à $168.[76]

Pour la région montréalaise, H.B. Ames suggère quelques indications, sans toutefois étudier systématiquement le budget des riverains du canal Lachine. Force nous est donc de puiser

---

71 Ibidem, p. 25.
72 Ibidem, p. 73.
73 E. Levasseur, *L'ouvrier américain*, Paris, Librairie de la Société du recueil général des lois et arrêts, 1898, tome II, p. 197.
74 *Report of the Board...*, vol. II, p. 1016.
75 Ibidem, vol. II, pp. 102-119, passim.
76 Ibidem, vol. II, p. 399.

dans les commentaires contemporains les indications qu'aucune statistique ne fournit formellement. En 1885, Gagnepetit écrit:[77]

Le jour où un homme gagnant $1 par jour, ou plus, sait avec certitude qu'il peut se nourrir convenablement à raison de seize centins, nourrir les siens à raison de deux, trois fois seize centins, ce jour-là cet homme est affranchi. Il sait où il va, il voit devant lui.

Ce travailleur affranchi réserve à la nourriture une proportion de 55% de son revenu (soit de 48% à 64%). Dans un autre texte, le chroniqueur de *La Presse* analyse les dépenses alimentaires d'un employé de la fabrique de coton d'Hochelaga dont le salaire hebdomadaire est de $6.[78] Le livret de crédit de cet ouvrier renferme le détail des achats à l'épicerie. Au mois de juin, il dépense $13.12 pour la nourriture. Dans la liste des emplettes, aucune dépense excessive; pas d'alcool. L'épicier ne fournit pas le lait, ni la viande fraîche. Néanmoins, ce travailleur lui cède plus de 54% de son revenu mensuel. Lorsqu'il aura payé le lait, un peu de viande fraîche, quelques légumes de saison (s'il en trouve les moyens), la part des dépenses alimentaires sera passée à 60%. Complètent les achats de ce client: $0.75 de tabac et $0.30 de savon; c'est donc 3% du salaire qui s'envole en fumée. «Il suffit de lire ce détail, commente Jean-Baptiste Gagnepetit pour voir que la dépense est réduite aux plus simples nécessités de la vie.»[79] Selon les observations de Gagnepetit, un travailleur au revenu modique, en comprimant au maximum ses dépenses alimentaires, devra débourser 60% de son salaire pour la nourriture.

A Montréal, en 1900, le loyer accapare, selon les chiffres de la Commission d'enquête sur le coût de la vie, environ 25% du revenu ouvrier. Certes, cette proportion s'applique à un travailleur au revenu élevé: $600. Dans les quartiers où H.B. Ames mène son enquête, les familles aisées consacrent de même le quart de leur budget au loyer. Chez les pauvres, la proportion descend à 15% ou 20%. Il est malaisé, vers 1890, de trouver une demeure décente à moins de $5 ou $6 par mois. Un employeur, J.C. Wilson, déclare devant la CRCTC qu'un travailleur qui consacre plus de 20% de son salaire au loyer n'arrive pas à

---

77 *La Presse*, 4 juillet 1885.
78 *La Presse*, 13 août 1887.
79 Ibidem.

boucler son budget.[80] Si ce témoignage est juste, il implique que de nombreux travailleurs sont réduits à habiter des résidences exiguës, malpropres, voire des taudis, pour contenir le coût du logement dans des limites compatibles avec leur salaire. Ces deux seuls postes du budget, la nourriture et le logement, accaparent de 75% à 80% du salaire ouvrier. Pour le chauffage, le vêtement, les chaussures, les meubles, le tabac, les besoins hygiéniques, la santé, les taxes, le divertissement, il reste moins de 25% du salaire.

De ces chiffres, une évidence se dégage: l'importance de la nourriture et du logement dans les dépenses de la famille ouvrière. Les produits manufacturés, vêtements, chaussures, etc., n'occupent qu'une place secondaire. Or, c'est la chute de ces prix qui suggère aux Montréalais de 1890 que les conditions de vie s'améliorent. Les loyers, 20% du budget, augmentent; les prix alimentaires ne diminuent que lentement: ces deux postes continuent de gruger voracement les revenus ouvriers. S'il n'est pas permis de conclure à une aggravation de la situation des travailleurs, à une diminution de leur salaire réel, les commentaires optimistes des bourgeois contemporains sonnent faux. Il appert que la stabilité relative des salaires nominaux et de postes importants du budget ouvrier sont des éléments plus importants dans l'appréciation du niveau de vie ouvrier vers 1890 que le mouvement de certains prix (vêtements, meubles, etc.) très largement commenté par les contemporains. Il est clair que la condition de vie des ouvriers, quand elle n'est pas misérable, ne leur permet pas de vivre à l'aise. A preuve, le nombre de brefs de saisie délivrés pour le recouvrement de la cotisation, de la taxe personnelle ou de la taxe d'eau, qui est de 16 000 en 1890, selon le rapport du chef de police de Montréal.[81] En 1886, selon Gagnepetit, 4000 familles sur 26 000 ont été privées d'eau pour n'avoir pas payé leur taxe d'eau.[82] Un policier montréalais déclare, en 1891:[83]

---

80 CRCTC, vol. I, p. 364.

81 *Rapports sur les comptes de la corporation de la cité de Montréal et rapports des chefs de départements pour l'année 1890*, Archives de la ville de Montréal, p. 21.

82 *La Presse*, 27 décembre 1890.

83 *The Montreal Herald*, 14 mars 1891, cité par J. Bernier dans «La condition ouvrière à Montréal...», p. 55. «The protectors of the city's morals can hardly be expected to maintain morality even in their own homes on a dollar and half a day. Why, said he, for a family of five, with father and mother, this means the paltry pittance of 21 cents a piece less than half a cheapest possible boarding-house rate. What can be the education provide for each child from 20 cents a day after the payment of the high rents that now obtain in Montreal.»

On peut difficilement s'attendre à ce que les protecteurs des moeurs publiques puissent maintenir la moralité même dans leur propre maison avec un dollar et demi par jour. Parce que, dit-il, pour une famille de cinq, avec le père et la mère, cela signifie la maigre provende de 21 cents par personne de moins que la moitié du loyer de la plus humble pension. Quelle peut être l'éducation fournie à un enfant avec les 20 cents par jour qui restent après le paiement des loyers élevés qui prévalent actuellement à Montréal?

Ce policier, qui exprime l'insécurité que lui impose son maigre revenu, bénéficie néanmoins d'un emploi stable et, partant, d'un salaire annuel supérieur à la moyenne. Dans *Le Travailleur de Lévis*, on étale le budget d'un peintre de Montréal. Son salaire le classe au-dessus de la moyenne; il accuse cependant un déficit à la fin de l'année:[84]

Revenu	$452.96
Loyer	$108
Taxe d'eau	$ 10
Chauffage	$ 52
Habillement et nourriture	$365
Total	$535
Déficit	$ 82

Ames décrit la situation de la classe pauvre des quartiers ouvriers. Dans l'aire d'investigation sur laquelle il s'est penché, il dénombre 888 familles, soit 11.6% de la population du quartier, qui vivent avec un revenu inférieur au minimum vital de $5 par semaine. C'est, selon l'expression de Ames, les «10% submergés»: ceux qui n'arrivent pas à s'arracher à la misère.[85] La cause première de leur pauvreté: l'insuffisance de l'emploi. Peu de familles sont dépourvues de tout revenu. En général, il y a un salarié dans la maison: mais son travail est ponctué de périodes plus ou moins longues de chômage. Quand le travail cesse, il recourt à la charité publique. Dans la «city below the hill», ce sont 23% des familles qui ne peuvent anticiper un revenu annuel stable.[86] Sur les 1550 familles de Griffintown, 600 ignorent la régularité du salaire et la sécurité d'emploi. Ces

84 *Le Travailleur de Lévis*, 12 mars 1890.
85 H.B. Ames, *The City...*, p. 20.
86 Ibidem, p. 33.

travailleurs s'occupent sur les quais durant l'été et vivotent durant l'hiver. Les dettes accumulées durant la saison froide rendent impossible l'épargne durant les quelques mois d'activité. Ames étudie le comportement de 436 de ces familles pauvres. Dans les deux mois précédant l'enquête, quarante-six familles, soit 10.5%, avaient déménagé: elles n'arrivaient pas à payer le loyer. Chaque mois, conclut Ames, 5% des pauvres déménagent et risquent de se voir frappés par une saisie. Ces pauvres ne sont pas des immigrants de fraîche date; ils sont établis dans le quartier depuis longtemps. Sur 323 familles qui acceptent de livrer les raisons de leur état, 109, soit 34%, l'attribuent à l'irrégularité de l'emploi; quatre-vingt-sept, soit 28%, n'envisagent pas trouver un travail dans un délai prévisible; vingt-sept familles, soit 9%, expliquent leur pauvreté par la vieillesse et la maladie. Dans 7% des cas seulement, l'ivrognerie s'avère la source des problèmes. Dans 36% des cas, la famille est décapitée: le mari est mort, trop vieux ou malade. Il reste 64% des familles pauvres: deux tiers d'entre elles ne demandent pas la charité mais du travail; 30% auraient besoin d'une aide passagère pour subsister durant l'hiver.[87]

Il faut pénétrer dans le foyer de ces pauvres d'occasion pour réaliser leur humiliation et les brimades d'une société libérale qui les déconsidère. Retenons un fait divers, relaté dans une chronique de Jean-Baptiste Gagnepetit, auquel la CRCTC confère un sceau d'authenticité:[88]

> *Une famille nombreuse, poussée par la nécessité, s'était endettée de $11 pour acheter des provisions. Après avoir payé $7 sur cette somme, la maladie pénétra dans la famille. Incapable de payer la balance elle demanda un délai, promettant de payer aussitôt que possible. Ce délai fut refusé et un jugement fut rendu pour ces $4. La dette, avec les frais, monta alors de $4 à $15. On fit saisir le salaire du mari, dans un temps où ce salaire ne suffisait pas pour faire face aux besoins pressants de la maison. Ce malheureux père de famille ne put supporter la vue de sa femme, malade, et de ses petits enfants privés de nourriture; incapable de payer ce jugement et de donner du pain à sa femme et ses enfants, il céda au désespoir et se suicida.*

87 Ibidem, p. 36.
88 CRCTC, *Rapport I*, p. 118.

Jean-Baptiste Gagnepetit commente l'attitude des hommes de loi à l'égard de leurs pauvres victimes:[89]

Ces gens qui, inutiles sur terre, ont cependant besoin de manger comme les autres, n'ont d'autres ressources que celles que leur donnent ces affaires suant la misère. Impitoyables d'abord par nécessité, ils deviennent avec le temps cruels par habitude.

Les besoins financiers des travailleurs favorisent le développement anarchique du prêt sur gage:[90]

Les taux fantastiques d'intérêt, les fraudes sur les paiements exigés pour les reçus, les ventes illégales des objets, rendent trop souvent impossible le dégagement du gage. Je ne saurai trop insister sur ces pratiques déplorables qui ne frappent, il faut le dire, que ceux qui sont trop pauvres, trop faibles ou trop ignorants de nos lois, comme les immigrants, pour se défendre.

Un député, à la Chambre des Communes, observe le même abus:[91]

Il s'est présenté par tout le pays, surtout dans la ville de Montréal, des cas où l'on a perçu des intérêts équivalents presque à 3000% par année. Il y a eu, il n'y a que quelques jours à Montréal, un cas remarquable où un homme qui avait emprunté $150 a été poursuivi et condamné à payer, en intérêts, la somme de $5000 sur le capital de $150.

Aux 10% engloutis dans la pauvreté correspond une frange supérieure de la population ouvrière à laquelle un emploi stable et lucratif, ou le travail de la femme et des enfants, confèrent un statut particulier. En incluant les propriétaires, les gérants, les professionnels, les boutiquiers de la «city below the hill», Ames parvient à regrouper 15.33% de la population de ce quartier. Les seuls ouvriers formeraient difficilement 10%, dans cette catégorie. Il resterait alors un peu plus de 80% de la population ouvrière livrée aux caprices du chômage, de la maladie, de la mortalité, et des naissances, sans grand espoir

89 *La Presse*, 20 octobre 1884.
90 *La Presse*, 10 janvier 1885.
91 Cité par Yves Roy dans *Alphonse Desjardins et les Caisses Populaires*, Montréal, Fides, 1964, p. 33.

d'une amélioration de leur sort: ceux qui, selon Ames, forment une «real industrial class».

Salaire réel, salaire nominal. La distinction entre les deux termes permet de corriger des statistiques indûment optimistes, de mettre une sourdine aux déclarations de bourgeois comblés et de boutiquiers ambitieux. Les salaires se maintiennent, les prix baissent rapidement: vive mon gouvernement, s'exclame le politicien. Jean-Baptiste Gagnepetit proteste contre ces interprétations faciles. Le chômage endémique, les nombreux accidents de travail, le bas niveau des salaires, des budgets lourdement grevés par les dépenses alimentaires et les loyers, les grèves, les faillites, les mises à pied, l'immigration, la malhonnêteté de certains employeurs, et l'avarice des autres, constituent un repoussoir efficace.

Les conditions de vie

Un touriste français de passage à Montréal, en 1885, écrivait:[1]

Si Québec a conservé son aspect calme et reposé de vieille capitale coloniale, Montréal, ville de 200 000 âmes, métropole commerciale de l'Amérique française, avec ses larges rues coupées à angle droit, son agitation, ses réseaux électriques, télégraphiques et téléphoniques, qui l'enveloppent comme une toile d'araignée, ressemble plutôt aux nouvelles cités des États-Unis. Le mouvement des affaires y est si considérable que sa Banque est, par l'importance, la troisième de l'univers, après celles de Paris et d'Amsterdam. On a appelé Montréal «la rivale de New York».

Il nous semble retrouver à Montréal, au milieu de ce joyeux et sympathique tourbillon, l'écho des traditions riantes et hospitalières que la France mondaine avait portées là-bas et dont le grand historien du Canada a mentionné l'insoucieuse persistance jusqu'à la veille même des héroïques combats contre le conquérant.

Pour sa part, Robert Rumilly entonne avec naïveté: «L'optimisme soulève Montréal. Quel journalier, quel tailleur de pierre ou quel cordonnier à $1.25 par jour ne tire orgueil d'habiter cette ville?»[2] Ce Montréal rose, où les ouvriers

---

1 L. de la Brière, *L'autre France*, Paris, 1886, cité dans *Cahiers de l'Académie canadienne-française*, no 10 (1966), p. 149.

2 Robert Rumilly, *Histoire de Montréal*, Montréal, Fides, 1972, tome III, p. 285.

s'enorgueillissent d'habiter, a-t-il existé? N'est-il pas plutôt le fruit artificiel du cerveau de prosateurs superficiels? Répondre à ces questions, c'est décrire les conditions de vie à Montréal, en 1890; c'est apprécier la qualité de l'existence à l'heure d'une révolution industrielle qui transforme Montréal.

Le peuple des travailleurs, occupé dans les usines ou les petites boutiques, heureux ou malheureux, applique inconsciemment les lois économiques qui modèlent ses conditions de vie: il décide de l'emploi de ressources financières limitées en vue de la satisfaction de ses besoins... Le logement, la nourriture, les conditions matérielles de l'existence sont le premier champ d'observation sur la voie de la connaissance des ouvriers montréalais. La description de l'habitat ouvrier, de l'alimentation, du vêtement, de l'ameublement permet de constater ce qui se passe dans le foyer du travailleur. Chez l'un, la misère suinte sur les murs du taudis; ailleurs, on aspire à une modeste aisance, on entrevoit le jour où l'on accèdera à la propriété.

On rêve d'une statistique historique qui permettrait d'établir les différents degrés de revenus et les conditions matérielles afférentes, mais des ressources documentaires limitées tempèrent ces ambitions. Si les chiffres facilitent la connaissance du logement en quartier ouvrier, ils ne permettent pas la même certitude au chapitre du régime alimentaire. Mieux vaut s'en tenir à quelques témoignages parcellaires que de tenter des généralisations abusives à partir d'une documentation insuffisante.[3] Ce serait tenter une opération passoire: la réalité fuit par les trous de la statistique.

La situation matérielle de l'ouvrier dicte les conditions intellectuelles et morales de son existence. De nombreux historiens ont étudié attentivement les liens entre pauvreté et marginalité sociale, voire délinquance et criminalité.[4] La vie familiale, l'activité intellectuelle, la moralité des ouvriers montréalais subissent sans doute l'influence de leur exploitation économique, de leurs conditions de travail souvent dépriman-

---

3 Il y aurait moyen de repérer et d'analyser un stock documentaire suffisant pour décrire les différents aspects de l'existence matérielle des travailleurs. Sur les listes de biens saisis par les huissiers, s'il est possible d'en retrouver, figurerait le mobilier de l'ouvrier pauvre. Si quelque épicier méthodique a légué à sa postérité ses livres de crédit, on y trouvera en détail les aliments qui figurent au menu ouvrier.

4 En particulier Louis Chevalier, *Classes laborieuses, classes dangereuses à Paris dans la première moitié du XIXe siècle*, Paris, Plon, 1958.

tes. L'observation de l'état moral et intellectuel de la population ouvrière dérive normalement de l'attention portée au cadre physique de la vie ouvrière.

I. Les conditions matérielles

A. Le logement

1. Sa localisation

L'univers quotidien des travailleurs montréalais se mesure aux possibilités techniques de l'époque. La ville se divise en quartiers au sein desquels se dessinent les îlots ouvriers. Les quartiers Sainte-Anne et Sainte-Marie regroupent une proportion importante de la population laborieuse. D'autres quartiers abritent la bourgeoisie canadienne-française (Saint-Louis) ou anglo-saxonne (Saint-Antoine). La proximité des manufactures ou d'autres sources d'emploi constitue le facteur déterminant de la localisation de l'habitat ouvrier. On cherche un logement voisin de l'atelier ou de la manufacture. H.B. Ames soutient que 67% des personnes employées dans la «city below the hill» habitent à l'intérieur de la localité.[5] Les autres proviennent de quartiers contigus. La lenteur et l'inefficacité du transport urbain empêchent l'ouvrier de s'éloigner de son travail. Le tramway à traction animale, le char urbain, selon l'appellation de l'époque, ne sera remplacé par le tramway électrique qu'en 1892. En 1894, le réseau est complètement électrifié. En 1889, il se développe sur trente milles.[6] La Montreal Street Railway possède alors 1000 chevaux, 150 wagons, 104 traîneaux et 149 omnibus.[7] En 1885, la compagnie étend ses ramifications sur 75.15 milles de rails étendus sur 39.51 milles de rues.[8] Le prix du billet et la lenteur des chars suffisent à convaincre l'ouvrier de demeurer près de son usine. Il lui faut débourser $0.25 pour six billets et $1 pour vingt-cinq billets: un journalier devrait consacrer une heure de travail à défrayer le coût de son

5 H.B. Ames, *The City...*, p. 14.

6 Jean Hamelin et Yves Roby laissent entendre que Montréal est sillonné par douze milles de rails. Le chiffre manque de précision et ne trouve pas de confirmation dans ma documentation. (*Histoire économique...*, p. 302.)

7 *Le transport urbain à Montréal, 1861-1961*, Montréal, 1961, s.p.

8 *Souvenir Edition. Street Railway Journal*, Montréal, 1895, p. 13.

déplacement.[9] D'autant plus que le privilège de correspondre n'existe pas avant 1892. Même après l'apparition de l'électricité, la vitesse maximale des tramways est fixée à huit milles à l'heure. Compte tenu des nombreux arrêts, de la neige en hiver, des fréquents accidents, le char urbain ne concurrence pas un bon marcheur...

Autour d'un noyau industriel s'opère la cristallisation de l'habitat ouvrier. Lorsque la lenteur des moyens de transport ne suffit pas à rapprocher certains travailleurs de leur emploi, on utilise d'autres méthodes. Ainsi en 1891, un règlement municipal oblige les employés de la cité de demeurer à Montréal même.[10] Locataire, l'ouvrier montréalais n'en aspire pas moins à posséder sa maison. Une frange supérieure de la classe ouvrière a déjà accédé à cet établissement: «Il y a nombre d'ouvriers qui sont propriétaires d'immeubles de $2000.»[11] La publicité tapageuse de *La Presse* invite les travailleurs à acheter des terrains dans l'est de Montréal alors en pleine expansion.[12]

2. La qualité de l'habitat

Tous les lecteurs du journal n'ont pas les moyens de répondre à son invitation. La masse du prolétariat montréalais habite des quartiers plus anciens où la qualité de l'habitat tranche avec celle qui prévaut dans les secteurs périphériques de la ville. Gagnepetit affirme que «la plupart des petites maisons de Montréal sont d'une construction déplorable; cela tient à peine debout, elle (sic) sont entassées les unes sur les autres, mal ventilées, mal égouttées, d'un entretien difficile et d'un chauffage ruineux».[13] Un jugement semblable se lit dans le rapport de

9 Entre six et sept heures et entre dix-sept et dix-neuf heures, les passagers bénéficient de tarifs réduits: huit billets pour $0.25. Helbronner propose de prolonger jusqu'à huit heures du matin les privilèges des tarifs réduits. (*La Presse*, 22 juin 1892.)

10 Jean-Baptiste Gagnepetit proteste contre une mesure qu'il apparente au système du troc (truck system). (*La Presse*, 6 juin 1891.)

11 *La Presse*, 23 juillet 1892.

12 Dans *La Presse* du 21 mars 1890, on lit ce texte publicitaire: «Montréal Sud. La place la plus progressive de la province de Québec. Au-delà de 150 maisons construites et en construction depuis quinze mois. (...) La seule place où l'ouvrier puisse se mettre chez lui dans des conditions aussi faciles. Largeur des rues: 80 x 100 pieds. Les lots sont de 30 à 50 pieds de front et de 125 à 180 pieds de profondeur. Le père de famille qui a à coeur de mettre un toit au-dessus de la tête de ses enfants, trouve ici le moyen de le faire dans des conditions tellement exceptionnelles qu'il est impossible qu'une personne ne puisse faire ses paiements. Terrains 30 x 103, $120. Terrains 30 x 150, $150. $10 comptant et $3 par mois. Lots 50 x 125, $200. Lots 50 x 180, $300. $10 comptant $5 par mois. Tous les trottoirs seront construits au printemps, le bois étant rendu sur les lieux.» Etc.

13 *La Presse*, 27 août 1887.

la CRCTC: «Il est indéniable que les ouvriers sont mal logés, dans des maisons mal bâties, malsaines et louées à des taux exorbitants.»[14] Pour sa part, le rédacteur du *Trait d'Union* écrit:[15]

Nos maisons montréalaises, celles de l'ouvrier tout au moins, ne brillent pas par la perfection de leur construction, on y est plus ou moins mal, et on y est rarement bien. De là un désir de changement, de déménagement basé sur l'espérance qu'un jour on pourra trouver une maison convenable. Pour atteindre cet eldorado, on étudie les maisons habitées par les amis, on les guette, on prévient le propriétaire qu'on les prendra aussitôt qu'elles seront libres, et l'on fait ainsi hausser soi-même le prix de la marchandise que l'on veut acheter. Un peu moins de déménagement d'abord, un peu moins d'empressement ensuite et les loyers resteront stationnaires. Cette habitude d'un déménagement annuel et souvent biannuel, est des plus coûteux et des moins profitables à la famille à tout point de vue.

Dans les nouvelles demeures seulement, on peut trouver un bain. Il faut débourser $12 par mois, en 1889, pour jouir de ce luxe suprême. H.B. Ames décrit la maison idéale de l'ouvrier: chaque famille aura une porte particulière qui donnera sur la rue, bénéficiera de latrines avec chasse d'eau (water-closets) et disposera d'une pièce par personne. Ce portrait servira de point de comparaison avec l'habitat réel des ouvriers montréalais.

Un coup d'oeil sur l'aspect extérieur des maisons. La qualité de la résidence varie sensiblement d'un quartier à l'autre.[16] Dans Sainte-Anne, le recensement de 1891 dénombre 106 maisons en pierre, soit 2% du total des maisons, tandis que le quartier contigu, Saint-Antoine, avec moins du double de population, en compte vingt fois plus, soit 32% des maisons.[17] Par contre, on trouve, en chiffres absolus, moins de maisons en bois dans Saint-Antoine (7.8%) que dans Sainte-Anne (18%), tandis que la marge entre les maisons de brique n'est pas

---

14 CRCTC, *Rapport I*, p. 29.

15 *Le Trait d'Union entre le Capital et le Travail*, Montréal, 17 février 1887.

16 Les chiffres concernant les habitations montréalaises sont tirés du *Recensement du Canada, 1890-1891*, vol. VI.

17 Compte tenu du fait que la section sud de Saint-Antoine présente les mêmes caractéristiques socio-économiques que Sainte-Anne, il s'ensuit que la densité des demeures de pierre s'accroît notablement, dans la partie nord du quartier.

significative (Saint-Antoine: 60%; Sainte-Anne: 79%). En fait, Saint-Antoine, qui regroupe 22% des résidences de Montréal, contient 46% des maisons de pierre et seulement 15% des maisons de bois. Dans Saint-Laurent, Saint-Louis et Saint-Jacques, on trouve une proportion notable de maisons de pierre: respectivement 24%, 14% et 11%. Les nombreux édifices de pierre du quartier Saint-Laurent témoignent de la présence d'un fort noyau bourgeois, tandis que dans Saint-Louis et Saint-Jacques les citoyens à fort revenu, pour être moins nombreux, ne sont pas quantité négligeable. Dans Sainte-Marie, la proportion de maisons de pierre est insignifiante: 1%. Les maisons sont souvent des constructions d'un étage: 33% dans Sainte-Anne, 77% dans Sainte-Marie, 45% dans l'ensemble de Montréal. La forte proportion de petits salariés vivant dans des résidences unifamiliales explique, en partie, le taux élevé des loyers. Le quartier Sainte-Anne compte un nombre plus faible de petites maisons que Sainte-Marie. Dans le vieux quartier de Sainte-Anne, les maisons datent de la première moitié du XIXe siècle. A cette époque, on construisait volontiers des maisons à plusieurs logements. La population y atteint, dès 1871, une forte densité; en 1871, le recensement dénombre 18 600 habitants; en 1911, 21 000. Un habitat ancien, une occupation plus dense des demeures: on conclut aisément à des loyers moins élevés que dans Sainte-Marie, quartier relativement récent. Dans ce quartier, de 1871 à 1911, la population passe de 13 700 à 40 600. Maisons de brique à un étage, de construction récente: le loyer obéit à ces caractéristiques.

Une géographie ouvrière s'esquisse: Sainte-Anne et Sainte-Marie offrent de fortes densités ouvrières. Le premier quartier composé, en grande partie, d'Irlandais, le second, de Canadiens français. Saint-Antoine, dans sa partie nord, est d'une composition homogène: la grande bourgeoisie anglo-saxonne. On y trouve 53% des maisons de plus de onze pièces de Montréal! Les autres quartiers comptent d'importants contingents de travailleurs mais ils présentent, en même temps, des concentrations appréciables de bourgeois ou d'ouvriers privilégiés.

La densité démographique est un paramètre important dans l'étude de la condition ouvrière. Cependant, les chiffres, cités dans l'absolu, risquent de masquer ou, tout au moins, de déformer la réalité. En 1881, Montréal compte 10 558.6

habitants au kilomètre carré contre 3584.1 pour Toronto.[18] La marge, pour significative qu'elle soit, ne permet pas de porter un jugement valable. De même, la densité par quartiers n'offre pas un critère satisfaisant pour évaluer la qualité de l'habitat ouvrier. Les statistiques municipales proposent les chiffres suivants pour 1896:

TABLEAU XI

Nombre d'habitants par acre à Montréal en 1896, par quartiers

quartier	nombre d'habitants par acre
Sainte-Anne	71.7
Saint-Antoine	87.1
Saint-Laurent	72.9
Saint-Louis	177.7
Saint-Jacques	234.9
Sainte-Marie	229.4

Source: *Rapport sur les comptes de la Corporation de la Cité de Montréal et rapports des chefs de départements pour l'année 1896,* cité par Jacques Bernier dans «La condition ouvrière...», p. 42.

La seule lecture de ces statistiques suggère l'image d'un quartier Sainte-Anne favorisé. Or, densité et surpeuplement ne sont pas synonymes. Montréal n'est pas une ville de très forte densité, et cependant, de nombreux quartiers souffrent de surpeuplement. Dans des quartiers rongés par les aménagements portuaires, les installations ferroviaires et les usines, comme Sainte-Anne, la superficie réservée aux résidences est largement entamée. La densité suppose un rapport fixe: habitant/acre. Le surpeuplement est un phénomène relatif, il dépend des installations dont dispose une ville. Un mauvais système d'égout, des maisons unifamiliales exiguës, ou des maisons de rapport

18 *Recensement du Canada, 1900-1901*, vol. I, pp. 84-116, passim.

soudées les unes aux autres risquent d'engendrer le surpeuplement.

H.B. Ames relève les chiffres suivants:[19]

Philadelphie	5.6	personnes par maison;
Baltimore	6.2	personnes par maison;
Chicago	8.6	personnes par maison;
New York	18.52	personnes par maison.

Dans la «city below the hill», on compte 7.86 personnes par maison. Plus important encore, est le nombre de personnes par pièce. D'après le recensement fédéral, le rapport personnes/pièce révèle l'infériorité de l'habitat dans certains quartiers. Dans Sainte-Anne, chaque personne ne dispose que de 0.72 pièce, dans Sainte-Marie, de 0.88 pièce. Dans les autres quartiers, la situation s'améliore: environ une pièce par personne. Ce rapport population/habitat, beaucoup plus que la densité démographique, décrit la condition de vie des Montréalais des différents quartiers. Les données recueillies par Ames permettent une analyse serrée de la situation dans un secteur typiquement ouvrier. Il est permis de penser que les faits observés ne se limitent pas aux frontières de la «city below the hill». La section 9,[20] relativement favorisée, groupe 114 résidences: 178 familles se partagent 207 logements; 828 personnes occupent 1372 pièces, soit 1.6 pièce par personne. Dans la section 26, contiguë au port, on trouve cinquante-six résidences et 101 logements pour quatre-vingt-dix-sept familles: 387 pièces pour 444 personnes, soit 0.8 pièce par personne.[21] Le rapport personnes/pièce varie du simple au double. Pourtant, l'analyse des statistiques de la densité démographique offre un tableau radicalement différent. Dans la section 9, on dénombre soixante-treize personnes par acre, dans la seconde section, quinze personnes par acre. Dans le premier cas, à une plus grande densité correspond un habitat spacieux; dans le second, faible densité, mais surpeuplement certain. De même, le centre de Montréal, où la population est clairsemée, souffre de surpeuplement: 0.77 pièce par personne dans le quartier Centre, 0.81, dans le quartier Est. Une réalité déprimante se dégage de

19 H.B. Ames, *The City...*, p. 28.
20 Ames divise sa «city» en trente sections aux caractéristiques socio-économiques différentes.
21 Ibidem, p. 29-30.

ces statistiques. Ames parle, comme d'un fait courant, de six, sept et même huit personnes entassées dans des réduits de deux pièces. Il a observé jusqu'à onze personnes pour trois pièces.[22] Un médecin affirme avoir vu dix-huit personnes entassées dans une maison de six pièces et, ajoute-t-il, le fait n'est pas exceptionnel. Très souvent, selon lui, deux familles habitent une seule maison. Lorsque plusieurs familles cohabitent — fait plus rare — chacune occupe une chambre; la cuisine sert de salle commune.[23] Un journaliste de *La Presse* renchérit:[24]

Pour se loger d'après ses moyens, le travailleur est obligé d'occuper un logement qui est loin de donner le confort et de répondre aux exigences de l'hygiène, qui est considérablement négligée, pour ne pas dire totalement inconnue. Il n'est pas rare de trouver à Montréal de petites maisons où se logent trois ou quatre familles. Il y a dans le fond des cours des logements privés d'air qui comptent des locataires par vingtaine. Ce sont des nids de contagion.

Petites maisons encombrées, vastes résidences inoccupées; tel est le résultat de loyers trop élevés.[25]

3. Installations hygiéniques

Encore faut-il démontrer, avant de conclure au surpeuplement, que les conditions sanitaires n'autorisent pas la présence de plus d'une personne par pièce. L'étude des installations hygiéniques renforce l'impression d'entassement. Dans cette perspective, une géographie des fosses septiques permet de suivre les ouvriers... à la trace! Les zones à forte densité de w.c. localisent les couches aisées de la population; au contraire, là où augmente le nombre de fosses d'aisance la proportion des gagne-petit s'élève. A la fin du XIXe siècle, malgré l'existence déjà ancienne de cabinets munis de chasse d'eau, le nombre de fosses septiques demeure impressionnant: 10 666 en 1886 et 6795 en 1896. Pour les habitants des quartiers bourgeois, l'existence de ce réseau infect est un fait du passé:[26]

22 Ibidem, p. 46.
23 CRCTC, vol. I, p. 679.
24 *La Presse*, 6 juillet 1889.
25 CRCTC, vol. I, p. 682.
26 H.B. Ames, *The City...*, p. 31. «It will doubtless be unexpectated information to many of the citizens of the upper city -where such a thing is unknown- to learn that that relic of rural conditions, that insanitary abomination, the out-of-door-pit-in-the-ground privy, is still to be found in the densely populated heart of our city.»

Bien des gens des beaux quartiers — où une telle chose est inconnue — seront étonnés d'apprendre que ce reste des conditions de vie en milieu rural, cette insalubre horreur, la fosse septique située à l'extérieur de la maison, existe encore dans les quartiers les plus peuplés de notre ville.

Selon Ames, le fléau affecte surtout les vieux quartiers où les idées des propriétaires de maisons de rapport sur les installations hygiéniques sont aussi vieilles et démodées que leurs maisons en ruines. Au nord de la rue Saint Jacques, les fosses d'aisance sont très rares. A mesure qu'on descend vers le fleuve, leur nombre croît: dans les sections 28 à 30 de la «city below the hill», près des quais, 72% des locataires se contentent de fosses d'aisance. Voici le tableau détaillé des installations sanitaires de la «city» de Ames.

TABLEAU XII

Installations sanitaires dans la «city below the hill», par sections

section	nombre de logements selon le type d'installation sanitaire		nombre de personnes		origine ethnique des familles		
	fosses	w.c.	par fosse	par w.c.	Brit.	Irl.	C.-F.
1	36	145	29	7.2	73	77	19
2	17	87	38	7.4	37	33	29
3	26	108	28	6.6	45	35	47
4	56	101	14.5	8	41	41	61
5	158	186	12	10.2	79	92	143
6	25	237	56	5.9	98	68	83
7	38	221	33.5	5.7	113	87	50
8	76	177	17.6	7.5	93	82	72
9	—	178	0	4.5	105	32	36
10	61	250	26.6	6.4	107	112	88
11	95	114	11.7	9.8	48	45	100
12	176	125	8	11.4	21	21	250
13	336	325	8.6	8.9	68	55	527
14	230	266	10.4	9	77	74	338
15	234	223	8.7	9	74	62	312
16	157	70	7.5	16.9	24	60	111
17	172	95	7.7	13.9	25	87	146
18	118	131	10.1	9.1	16	26	198
19	75	118	12.1	7.7	31	50	109
20	92	65	8.5	12	26	30	99

section	nombre de logements selon le type d'installation sanitaire		nombre de personnes		origine ethnique des familles		
	fosses	w.c.	par fosse	par w.c.	Brit.	Irl.	C.-F.
21	45	38	8.7	10.7	24	27	31
22	285	72	5.5	22.1	86	224	40
23	96	40	6.7	16.1	48	55	29
24	289	105	7.9	18.5	51	284	55
25	360	90	5.8	23.1	26	377	47
26	79	18	5.6	24.6	4	80	13
27	2	1	9	19	—	1	2
28	202	82	6.6	16.4	50	216	15
29	78	53	8.4	12.2	33	65	31
30	261	75	6.1	21.3	73	116	137

Quelles conclusions tirer de ces chiffres? La qualité des installations hygiéniques est en raison du rapport personnes/fosse septique. On remarque, en effet, que le nombre de fosses décroît à la mesure de la diminution du rapport personnes/w.c. Dans certaines sections, la statistique présente des équivoques: des familles aisées peuvent voisiner des prolétaires. Néanmoins, à mesure que l'on s'enfonce vers le sud, que le nombre de Canadiens français et d'Irlandais augmente, les fosses d'aisance se multiplient. Dans la section 9,[27] 113 familles britanniques, quatre-vingt-sept irlandaises et cinquante canadiennes-françaises bénéficient d'un w.c. par 4.5 personnes; aucune fosse septique. Dans la section 22, vivent quatre-vingt-six familles britanniques, 224 irlandaises et quarante canadiennes-françaises: on dénombre une fosse d'aisance par 5.5 personnes et 22.1 personnes par w.c. Dans la section 26,[28] habitent quatre familles britanniques, quatre-vingts irlandaises, treize canadiennes-françaises. Il y a 5.6 personnes par fosse et 24.6 personnes par w.c. Sous le rapport des fosses septiques, le sort des familles irlandaises est certes le plus misérable. Dans les sections où les Canadiens français composent la majorité, les fosses d'aisance demeurent nombreuses,[29] mais les installations

27 C'est dans cette section qu'on trouve un rapport de 1.6 pièce par personne. Voir ci-dessus, p. 120.

28 C'est dans cette section qu'on trouve un rapport de 0.8 pièce par personne. Voir ci-dessus, p. 120.

29 Nombre de personnes par fosses d'aisance: 11.7, 8, 8.6, 10.4, 8.7, 7.5, 7.7, 10.1, 12.9, 8.5.

sanitaires sont meilleures que dans les concentrations irlandaises.[30]

Aucune enquête ne permet d'analyser avec autant de précision la situation dans les autres quartiers. Par analogie, on arrive cependant à apprécier l'état sanitaire des différentes régions de Montréal. Sainte-Anne détient le nauséabond record du plus grand nombre de fosses d'aisance par habitants, en 1891: 15.8 personnes par fosse. Aucun autre quartier n'atteint cet abysse de délabrement sanitaire. Les quartiers Saint-Jacques et Sainte-Marie suivent avec 25.2 et 27.1 personnes par fosse. En l'absence de statistiques détaillées, il est permis d'affirmer, sans grand risque d'erreur, que la moyenne plus élevée affichée par ces quartiers révèle la présence de noyaux bourgeois pourvus de bonnes installations hygiéniques. Les zones ouvrières se comparent sans doute à la moyenne de Sainte-Anne. Un médecin confirme cette hypothèse: le docteur Douglas McGregor Decrow déclare, devant la CRCTC, que les toilettes «se trouvent seulement dans des logements d'une classe supérieure et d'une construction plus récente».[31] Le quartier Sainte-Marie est plus jeune que Sainte-Anne: les nouvelles résidences y respectent sans doute les règles élémentaires de l'hygiène. Dans Sainte-Anne, l'habitat, déjà ancien, ne cesse de se détériorer. Saint-Louis, Saint-Laurent, Saint-Antoine s'éloignent des douteuses performances du quartier Sainte-Anne. On sait, d'après ce que Ames écrit sur le quartier Saint-Antoine, que, dans la partie nord du quartier, les fosses septiques sont une réalité barbare et anachronique. Pourtant, la partie du quartier contiguë à Sainte-Anne est contaminée par la présence de 1383 de ces installations rétrogrades. Il est fort probable que la répartition des fosses d'aisance et des w.c. se fait de la même façon dans Saint-Laurent et dans Saint-Louis.

Montréal, avec un rapport de 26.6 personnes par fosse d'aisance, en 1891, offre une installation sanitaire déficiente. Voilà un témoignage catégorique:[32]

La chaleur et la sécheresse de l'été dernier ont été si intenses et si continues, qu'elles ne pouvaient faire autrement

30 Nombre de personnes par w.c.: 9.8, 11.4, 8.9, 9, 9, 16.9, 13.9, 9.1, 7.7, 12.

31 CRCTC, vol. I, p. 679.

32 *Rapport sur l'état sanitaire de la Cité de Montréal pour l'année 1890*, par le Dr Louis Laberge, médecin de la cité, p. 57.

que de fournir de nombreuses émanations pestilentielles qui sont le cortège habituel des décompositions végétales et animales en pareille circonstance. Aussi a-t-on eu à enregistrer des plaintes de toutes parts sur les matières susceptibles de produire ces odeurs, entre autres sur les tas de fumier, et sur les fosses d'aisance dans les cours ainsi que sur les bouches d'égout dans les rues. (...)

Il serait très intéressant que la population peut (sic) *réaliser à son juste mérite toute l'importance de cette question, car il n'y a pas à douter que les 10 500 privés que Montréal contient, constituent un grand, sinon le plus grand danger contre la salubrité, et il faut avouer que sur ce point notre législation est bien imparfaite. La distance de son emplacement à trois pieds de la ligne de la propriété voisine ou de la rue y est bien prévue, mais on a oublié celui de la distance de l'occupant. C'est ainsi qu'on trouve souvent des fosses d'aisance juxtaposées aux murailles mêmes des domiciles. Quelques-uns même pour ménager les démarches aux locataires des hauts de leurs maisons, en superposent plusieurs étages.*

L'existence est encore plus insupportable dans ces logements d'arrière-cour que Ames décrit:[33] maisons situées sur une ruelle ou qui n'offrent d'accès à la rue que par un étroit passage couvert pratiqué à travers les maisons de façade. Dans ce genre de logements, les rayons de soleil ne parviennent jamais, les odeurs croupissent dans la cour intérieure ou dans l'étroite ruelle sur lesquelles donne la façade. Dans Sainte-Anne, Ames relève 860 de ces logements, soit environ 10% des logements. L'analyse par section modifie la répartition procentuelle. Au nord de la rue Saint-Jacques, on en trouve peu. Au sud de la voie ferrée du GTR, la proportion de ces logements atteint, dans une section, 39%. Ces maisons dégradent la valeur d'un quartier, elles sont rarement bien construites, éloignées de la vue du public et souvent délabrées; c'est dans ces réduits que croupissent crime et ivrognerie, maladie et mort, pauvreté et détresse.[34] Sans doute, Sainte-Anne regroupe-t-il une forte proportion de ces constructions vétustes. Il serait illusoire, cependant, de croire qu'elles ne prolifèrent pas dans d'autres parties de la ville.

33 «Rear tenements» est le terme qu'il emploie: H.B. Ames, *The City...*, p. 30.
34 H.B. Ames, *The City...*, p. 30.

Les propriétaires des logements n'endossent pas seuls la responsabilité du mauvais état hygiénique de l'environnement ouvrier. La municipalité assume sa large part de la détérioration de l'état sanitaire. Le système d'égout montréalais, vétuste et inefficace, contribue à cette dégradation. Selon Isaie C. Radford, inspecteur sanitaire, les vieux égouts de bois de Montréal ne sont pas cimentés: une partie du contenu fuit par les interstices et se répand dans le sol.[35] En fait, le système de drainage s'est réalisé sans plan, au fil des ans, selon l'arbitraire et les tentatives d'économie des entrepreneurs successifs. L'installation ne parvient pas à retenir les matières en transit. Un journaliste cite en exemple la rue Lagauchetière.[36] Les égouts s'y suivent mais ne se ressemblent pas: une partie du circuit de drainage est en brique, une grande partie en bois; ailleurs, de la tuile, à certains endroits, le tuyau est interrompu, puis recommence.[37] Aucune surprise si les égouts sont souvent bouchés par les ordures. Certes, on tente d'améliorer la situation. Dans les nouvelles demeures, on installe des cabinets munis de chasse d'eau, communiquant avec l'égout de la rue, les S des nouveaux éviers empêchent les gaz nauséabonds de se répandre dans les maisons. Dans les nouveaux égouts, on aménage des courants d'air afin d'assurer une ventilation suffisante.[38] Ces améliorations ne modifient pourtant pas l'équipement des vieux quartiers. Au printemps, la fonte de la neige accumulée dans les rues aggrave les problèmes. En 1886, une forte inondation frappe le bas de la ville. L'eau monte jusqu'à la rue Saint-Jacques. A ces heures difficiles, le sort des travailleurs s'assombrit davantage.

Au jour le jour, ils doivent aussi subir le bruit et la pollution qui se dégagent des fabriques près desquelles ils habitent. Un médecin hygiéniste, le docteur Samson, écrit:[39]

Le temps n'est-t-il pas venu de préciser par une loi à quelle distance des agglomérations doivent s'établir les industries classées comme dangereuses ou insalubres? S'il est juste que chacun puisse exploiter librement son industrie, il est également raisonnable que, pour l'avantage d'un individu, tout un

35 CRCTC, vol. I, p. 745.
36 Ibidem, p. 610.
37 Ainsi pourrait-on dire: les égouts se suivent mais ne se ressemblent pas!
38 CRCTC, vol. I, p. 651.
39 *Rapport du Dr C.I. Samson*, DS, doc. no 2, 1893, p. 260.

quartier ne respire pas un air infect ni qu'un particulier n'éprouve des dommages dans sa propriété. Or, pour ne parler que du moindre mal, on ne niera pas que les exhalaisons désagréables ne portent un préjudice réel aux propriétaires des maisons voisines en empêchant qu'ils ne louent ces maisons ou en les forçant, s'ils les louent, à baisser le prix de leurs baux. Ceci admis, que faut-il penser du cas où un industriel vient installer au milieu d'un quartier une usine qu'il ne peut exploiter sans danger d'explosion, d'incendie, d'empoisonnement, faisant hausser les assurances et rendant pratiquement sans valeur les maisons voisines?

Les résidents de l'est montréalais souffrent sans doute plus qu'ailleurs de l'air vicié. On lit dans le rapport du docteur Louis Laberge, pour l'année 1890:[40]

Lorsque le baromètre est haut, la fumée et les émanations nuisibles se dissipent rapidement; dans le contraire, elles séjournent à la surface du sol. Or de tous les vents, celui qui fait le plus monter la colonne barométrique est le vent d'est et celui qui la baisse le plus est le vent d'ouest. Lorsque celui-ci souffle, il a l'inconvénient d'entraîner avec lui, sur les quartiers situés à l'est de la ville tous les gaz délétères qu'il a rencontrés dans son parcours sur les quartiers situés à l'ouest. Il résulte de là que les habitants de la partie orientale d'une ville ont non seulement leur propre fumée et leurs miasmes, mais aussi ceux de la partie occidentale que leur amène les vents d'ouest. Lorsqu'au contraire le vent d'est souffle, il purifie l'air en faisant remonter les émanations nuisibles qu'il ne peut rejeter sur l'ouest de la ville.

La pollution atmosphérique n'est pas une réalité pour les seuls météorologistes. Dans le voisinage des usines, l'air devient parfois irrespirable. Joseph Lessard affirme, en 1896:[41]

Hygiène publique, fumivosité. Voici une question sur laquelle plus d'une fois notre attention a été attirée. Il est regrettable de voir en effet qu'à Montréal, où l'agglomération s'étend de plus en plus, des industriels, peu soucieux de leurs intérêts, et méconnaissant les règlements d'hygiène publique, déversent dans l'atmosphère d'énormes quantités de fumée.

---

40 *Rapport sur l'état sanitaire...*, cité par J. Bernier dans «La condition ouvrière...», p. 47.
41 *Rapport de M. Joseph Lessard*, DS, doc. no 7, 1896, p. 76.

C'est à ce point que durant les jours de chaleur que nous traversons, les bureaux, magasins, habitations particulières, écoles, hôpitaux, sont au voisinage de telles usines obligés de fermer leurs fenêtres pour ne pas voir la fumée faire irruption chez eux.

4. La mortalité

Habitat exigu et dépourvu d'installations sanitaires adéquates, égouts municipaux défectueux, pollution industrielle, intempéries: ces éléments se conjuguent et entraînent la détérioration du cadre de vie des travailleurs. L'influence de ce milieu vicié, on la décèle aisément dans les statistiques de mortalité et de morbidité montréalaises.

Parfois, comme en 1885, un virus déclenche l'hécatombe. L'épidémie de petite vérole de 1885 provoque un clocher très élevé de la mortalité: 54.25 décès pour 1000 personnes. Robert Rumilly décrit les péripéties de l'épidémie. Il remarque la distinction entre les quartiers anglais, peu touchés par l'épidémie, favorables à la vaccination et les quartiers où dominent les francophones qui s'opposent à la «vaccine». Selon le *Montreal Herald*, l'épidémie est attribuable à la malpropreté des Canadiens français. L'article du *Herald* provoque l'ire de ces derniers; des manifestants brisent les vitres du journal anglophone.[42] Le manque d'hygiène populaire a ses censeurs même chez les Canadiens français. Un moraliste écrit:[43]

Si nos mères avaient en science de l'hygiène la centième partie de ce qu'elles ont d'amour et de bons soins, il y a plusieurs de nos frères et de nos soeurs, qui dorment au cimetière, qui seraient aujourd'hui au nombre des vivants et donneraient plus de force à la famille canadienne-française.

Plus loin, le bon abbé dépiste une autre cause de la morbidité des classes populaires:[44]

Nos enfants fument et ils fument avec passion. Que l'on fasse usage du tabac à dix-neuf ou vingt ans, nous y trouvons moins à redire mais qu'un bambin de douze ans puisse en

---

42 R. Rumilly, *Histoire de Montréal*, tome III, p. 174s.

43 F.A. Baillargé, *La nature, la race, la santé dans leurs rapports avec la productivité du travail; application à la province de Québec*, Joliette, 1890, p. 49.

44 Ibidem, p. 52.

liberté fumer ou chiquer c'est une abomination. Les enfants fumeurs, sont généralement des fruits secs, i.e. qu'ils ne donnent pas satisfaction dans la mesure de leurs talents, et que leurs facultés s'affaiblissent de plus en plus, ils tombent dans la médiocrité intellectuelle.

Pour n'être pas déterminantes, ces réflexions n'en contribuent pas moins à expliquer les ravages que provoquent différentes maladies, dans la population ouvrière. L'ignorance et l'obstination provoquent parfois des drames.[45] En 1894, c'est la scarlatine qui fait écrire à Gagnepetit: «La présente épidémie de fièvre scarlatine pose, une fois de plus, la question de l'hygiène des quartiers populeux et du danger que le mauvais état sanitaire de certains quartiers de la ville font (sic) courir à toute la ville.»[46]

De 1885 à 1891, la moyenne de mortalité montréalaise s'établit à 32.98 pour 1000 habitants.[47] Québec et Toronto suivent avec 32.47 et 17.34. En excluant l'année 1885, où la petite vérole fait des ravages à Montréal, la moyenne demeure très élevée: 29.43/1000.[48] En 1893, le taux de mortalité est de 13/1000 au Canada, de 19/1000 au Québec, de 24.91/1000 à Montréal. Ces taux élevés s'expliquent par les coupes sombres opérées dans les classes d'âge de cinq ans et moins par les maladies du tube digestif consécutives à une alimentation déficiente, à l'insalubrité des logements et de l'environnement urbain. La marge importante entre Montréal et Toronto est attribuable, en partie, au taux de natalité proverbial des

---

45 Les journaux de 1885 relatent l'affaire Gagnon, cet ouvrier qui, refusant de livrer son enfant malade, se barricade dans sa maison et reçoit les policiers à coups de fusil. Il faudra l'intervention du maire Beaugrand pour neutraliser l'agressivité de Gagnon. Les mesures prophylactiques (vaccination et isolement) adoptées par les autorités civiles rencontrent l'opposition des couches populaires. Le conflit dégénère même en émeutes. Gagnepetit, tout réticent qu'il soit à l'égard du maire Beaugrand, au risque même de nuire au tirage de *La Presse* qui diffuse largement dans les quartiers ouvriers, incite les travailleurs au calme et leur recommande fermement la vaccination et l'isolement des contaminés. (*La Presse*, 7 novembre 1885 et Robert Rumilly, *Histoire de Montréal*, tome III, p. 178-179.)

46 *La Presse*, 24 février 1894.

47 Selon Jean Hamelin et Yves Roby, la mortalité diminue dans les villes et demeure forte dans les campagnes. Pour la période étudiée ici, il semble au contraire, si l'on se fie à la statistique fédérale, que la mortalité montréalaise demeure très forte, sinon plus forte qu'en province. Le taux brut de mortalité pour Montréal est, selon eux, de 18.9/1000 en 1891. Ce chiffre m'apparaît inexplicable. Il contredit à la fois la statistique fédérale et municipale. (*Histoire économique*..., p. 55 et 59.)

48 Les statistiques de mortalité sont tirés du *Résumé Statistique* annuel, publié par le gouvernement fédéral.

Canadiens français: les nouveau-nés sont des proies nombreuses et faciles. En 1886, les enfants morts en bas âge occupent 55.59% du total de mortalité. Les enfants de moins de six mois: 24.48%. Chez les francophones de Montréal, la proportion des décès d'enfants de moins de six mois est de 32.88%; chez les protestants anglophones, elle est de 19.8%. La mortalité chez les enfants de moins de cinq ans représente 62.52% de la mortalité des francophones catholiques et 42.71% de celle des protestants anglophones.[49] Un coup de sonde dans les chiffres de 1891 permet les mêmes observations.

La vulnérabilité des nouveau-nés s'explique aisément. Les marges observées entre francophones et anglophones correspondent par contre à des situations socio-économiques très différentes. Un inspecteur sanitaire de Montréal affirme que «la liste des décès est faite d'après les quartiers et la condition sociale des gens de différents quartiers peut être facilement établie».[50] Il exprime la loi de l'inégalité devant la mort vérifiée en maints autres endroits.[51] Il faut donc pénétrer dans chaque quartier pour mesurer ces inégalités. Dans les rapports annuels du bureau d'hygiène de la ville de Montréal, on retrace les statistiques de mortalité par quartier. On y décèle des différences énormes entre les quartiers. Ces statistiques sont cependant suspectes. En effet, elles suggèrent pour le quartier Sainte-Anne, dont on connaît l'état de délabrement hygiénique, un taux voisin de celui de Saint-Antoine. H.B. Ames, dans son enquête de 1896, établit un taux de mortalité de 22.47/1000 pour l'ensemble de la «city below the hill». La partie nord, appartenant au quartier Saint-Antoine, jouit de meilleures conditions de logement, d'hygiène, de revenu. Il est vérifiable que cette section présente un taux inférieur à la moyenne et que l'autre partie, désavantagée à tous égards, atteint des taux supérieurs à 30/1000 et même près de 40/1000.[52] Cette seconde partie constitue précisément le quartier Sainte-Anne. Les deux statistiques sont donc incompatibles. En l'occurrence, les chiffres de Ames semblent plus vraisemblables. De tels écarts permettent

49 *Rapport sur l'état sanitaire...*, p. 103.
50 CRCTC, vol I, p. 747.
51 A. Armengaud, J. Dupaquier, M. Reinhard, *Histoire de la population mondiale*, Paris, Ed. Montchrestien, 1968, p. 352.
52 H.B. Ames, *The City...*, p. 63.

de douter de la validité statistique de certains rapports municipaux. Il serait préférable d'en faire un usage prudent. Ames donne pour la partie nord de Saint-Antoine un taux de 13/1000 pour 1895.[53] La même année, le quartier Saint-Gabriel atteint un taux de 35.51/1000, Sainte-Marie, 33.29/1000. Selon le témoignage du docteur Louis Laberge, médecin hygiéniste de la ville de Montréal, le nombre élevé d'enfants morts de diarrhée est attribuable à la proximité de fosses septiques.[54] Or, si l'on considère deux années, 1886 et 1891, les maladies diarrhéiques constituent la principale cause de mortalité. La géographie des fosses d'aisance et des w.c. acquiert dès lors une signification certaine. L'inégalité devant la mort se révèle brutalement à l'analyse des données disponibles. La vulnérabilité de la population ouvrière ne fait pas de doute. Le taux général de mortalité pour la ville de Montréal égale et dépasse même le niveau scandaleux qu'atteignaient les faubourgs lillois de 1860[55] et qui prévaut dans les quartiers pauvres de Paris, à la même époque: 30/1000.[56]

Ainsi, le Montréal de 1890 offre-t-il des conditions sanitaires, une espérance de vie comparables aux pires performances des grandes villes françaises. Sans doute, dans les beaux quartiers, dans les cercles bourgeois, et même dans les secteurs résidentiels où s'installent des travailleurs avantagés, ouvriers spécialisés jouissant d'un emploi stable, la vie ne s'apparente guère aux conditions décrites par H.B. Ames. Cependant, la mortalité et la morbidité atteignent des sommets tels qu'une seule conclusion s'impose: le Montréal des travailleurs de la fin du XIXe siècle ressemble aux faubourgs ouvriers des grandes villes européennes au coeur de la révolution industrielle.[57]

---

53 Ibidem.

54 CRCTC, vol. I, p. 155.

55 Pierre Pierrard, *La vie ouvrière à Lille sous le Second Empire*, Paris, Bloud & Guay, 1965, p. 136. Lille dont les taudis étaient parmi les plus pauvres et les plus mortels de l'époque. Armangaud et Wrigley y font allusion.

56 A. Armangaud, J. Dupaquier, M. Reinhard, *Histoire générale...*, p. 352.

57 L'analyse de P.F.W. Rutherford est concordante: «La santé d'une ville est jugée à partir de son taux de mortalité: non seulement le taux de Montréal était-il plus élevé que ceux de Londres, Rome et Bruxelles, mais il variait selon le caractère socio-économique de chaque district. Dans leurs quartiers, les riches jouissaient de bons logements, de rues larges, de parcs, d'installations hygiéniques modernes. Pas le prolétariat. C'était la preuve la plus éloquente de discrimination à l'égard des défavorisés.» (Introduction à la réimpression de l'ouvrage de H.B. Ames, *The City...*, Toronto, University of Toronto Press, 1972, p. xv.)

B. *Alimentation, vêtement, mobilier*

La qualité du régime alimentaire des ouvriers s'apparente-t-elle à celle de leur habitat? Une mauvaise alimentation contribue-t-elle au même titre que les logements insalubres à la morbidité ouvrière? Pour formuler une réponse satisfaisante à ces questions, il faudrait disposer de données numériques ou d'une série convergente de témoignages. Faute d'une documentation adéquate, on doit limiter les observations à de simples conjectures.

Le libéralisme économique et la faiblesse de la législation québécoise affectent la qualité de l'alimentation. L'absence de règles précises et de contrôles sévères favorisent la prolifération d'aliments malsains ou déficients. Dans sa déposition devant la CRCTC, un chimiste, J.B. Edwards, soutient que l'eau et la bière sont de bonne qualité; cependant, le lait est parfois affaibli, écrémé. Pour sa part, Isaïe C. Radford, inspecteur sanitaire, affirme que plusieurs laiteries sont en mauvais état et que le lait peut être nocif.[58] Le pain, bien qu'il renferme des pommes de terre, demeure de qualité satisfaisante. On connaît par ailleurs l'état hygiénique lamentable de certaines boulangeries.[59] Le beurre, même s'il n'est pas nocif, est falsifié: sa valeur nutritive s'en trouve affectée. Le thé et le café sont affaiblis mais le sucre est pur.[60] Profitant du mutisme des législateurs et des édiles municipaux, des commerçants falsifient la quantité des aliments. Le poids réel du pain est souvent inférieur de 10% au poids payé par le consommateur.[61]

Jean-Baptiste Gagnepetit dresse une liste des achats d'un ouvrier chez son épicier. En juin 1887, ce travailleur de l'est montréalais a dépensé $13.69 chez son épicier pour nourrir sa famille:[62]

36 livres de lard $3.60
5.5 livres de jambon $0.75
20.5 pains de 3.5 livres $2.90
5.5 livres de beurre $1.22

58 CRCTC, vol. I, p. 747.
59 Ibidem, p. 743.
60 Ibidem, p. 745.
61 *La Presse*, 24 septembre 1892 et 25 janvier 1890.
62 *La Presse*, 13 août 1887.

3 livres de graisse	$0.36
11 livres d'orge	$0.44
5 douz. d'oeufs	$0.75
7 livres de farine	$0.25
3 livres de sucre	$0.18
2 minots de pommes de terre	$1.40
4 boîtes de saumon	$0.64
5 pintes de mélasse	$0.95
0.5 livre de thé	$0.25

Il est évident que Gagnepetit ne dresse pas le menu de tous les travailleurs montréalais. Il n'en demeure pas moins qu'il se réfère à un cas courant, à un ouvrier à faible revenu. Quelles impressions se dégagent de cette nomenclature? On n'y trouve ni viande, ni lait, ni poisson frais: notre homme se procure probablement du laitier et du boucher ce que l'épicier ne peut lui vendre. L'enquête fédérale sur le coût de la vie (1915) établit, pour la période de 1900 à 1913, qu'une famille canadienne de cinq personnes consomme en moyenne sept livres de viande fraîche par semaine.[63] Cette moyenne nationale, outre qu'elle s'applique à une période où les conditions matérielles s'améliorent, décrit une réalité statistique. Dans un pays majoritairement rural, la consommation de viande sera relativement forte. Certains secteurs de la population, notamment dans les villes, consomment sûrement beaucoup moins de viande. D'autant plus que les prix alimentaires sont généralement plus élevés à Montréal qu'ailleurs au pays. Les règlements municipaux ne favorisent d'ailleurs pas la consommation de viande fraîche. En effet, les bouchers qui vendent au détail en dehors du marché public doivent payer un permis annuel de $200. Dans la partie nord-ouest de la ville, bastion de la bourgeoisie anglophone, le volume des ventes permet aux détaillants d'absorber cette taxe et de la répartir sur une vaste clientèle. Dans le sud et l'est de la ville, par contre, où les clients sont plus sensibles aux fluctuations des prix, cette mesure entraîne une hausse relativement importante du coût de la viande. La réglementation est d'autant plus discriminatoire que les grossistes sont dispensés de cette taxe. Ils peuvent même vendre leur

---

63 Boeuf: 4 livres; veau: 1 livre; agneau: 1 livre; porc: 1 livre. (*Report of the Board...*, vol. II, table III, p. 75.)

viande à des consommateurs individuels sans permis spécial. Les familles nombreuses, au revenu stable et important, profitent de l'hiver pour acheter de volumineux morceaux de viande et réalisent ainsi d'appréciables économies. Le travailleur à faible revenu ne peut cependant se permettre d'achat massif.[64] Il peut se procurer fruits, légumes, viande et poisson frais au marché; mais l'inélasticité de son budget alimentaire l'oblige souvent à se contenter de viande salée, fumée, ou bien de charcuteries. En 1894, le boudin et la saucisse se vendent de sept à dix cents la livre.[65]

On remarque, sur la liste dressée par Gagnepetit, une quantité imposante de jambon et de lard. Une impression d'abondance s'en dégage. En effet, une famille de sept personnes en tire de copieuses rations. Cependant, l'abondance n'implique pas l'équilibre. Des aliments comme l'orge, le pain, les pommes de terre, le sucre, la mélasse, le lard et le jambon, fournissent une dose copieuse d'hydrates de carbone et de graisses; le

---

64 *La Presse*, 31 octobre 1891.

65 En 1892, un client qui s'aventure dans une épicerie ou au marché devra se résigner à débourser:

beurre marqué	$0.30 / 0.35 livre
miel	$0.30 / 0.35 livre
bon beurre	$0.10/0.12 livre
fromage	$0.12/0.13 livre
oeufs frais	$0.18/0.20 douz.
oeufs frais pondus	$0.25/0.35 douz.
sucre d'érable	$0.08/0.09 livre
citrons	$0.20 douz.
boeuf, première classe	$0.12/0.15 livre
boeuf, commun	$0.05/0.08 livre
agneau	$0.08/0.12 livre
mouton commun	$0.05/0.10 livre
porc frais	$0.10/0.12 livre
jambon	$0.10/0.13 livre
veau	$0.10/0.15 livre
chou	$0.40/0.50 douz.
carottes	$0.20 panier
chou fleur	$0.05/10
poulet	$0.08/0.09 livre
dinde	$0.09/0.10 livre
doré	$0.10/0.12 livre
aiglefin	$0.10 livre
poisson blanc	$0.10 livre
morue	$0.05/0.06 livre
farine	$1.75/2.25 100 livres
farine de sarrazin	$1.00/1.75 100 livres
farine d'avoine	$2.00/2.25 100 livres
farine de maïs	$1.50/1.60 100 livres

régime révèle néanmoins des faiblesses au chapitre des protéines: oeufs, lait, etc. La principale carence réside dans l'insuffisance des vitamines A,C,D,K et aussi des sels minéraux, calcium et iode surtout. Le régime alimentaire de ce foyer ouvrier permet un travail long et ardu; en effet, les matières grasses ralentissent la digestion et prolongent la satisfaction éprouvée après les repas. Une journée de travail de douze heures commande un régime à forte teneur en graisse. Cependant, celui-ci ne convient pas aux enfants qui ont besoin d'une quantité importante de vitamines, de sels minéraux. Le taux de mortalité apocalyptique que l'on a observé à Montréal trouverait ici une explication complémentaire. Tant qu'il travaille, un ouvrier se satisfait de cette diète: des repas abondants et riches en graisses refont ses forces. Interrompt-il ses activités, à cause de la vieillesse, d'une maladie quelconque, il affichera une sérieuse tendance à l'obésité: trop de graisses, trop peu de protéines. D'une façon générale, les carences alimentaires décelées se traduisent, plus ou moins fréquemment, par une mauvaise dentition, un manque de résistance à l'infection,[66] le rachitisme et le goître.[67]

Comment les ouvriers s'habillent-ils? De quoi se compose leur mobilier? A ces questions, il est malaisé de répondre dans l'état actuel de la documentation. Certes, la publicité dans les journaux de l'époque suggère le prix d'objets d'usage courant: pantalons, chemises, robes, souliers, meubles essentiels. Suffit-il, pourtant, que ces articles soient mis en vente pour déduire qu'on les retrouve dans les foyers ouvriers? L'autarcie vestimentaire survit-elle dans certains milieux? La fabrication domestique des vêtements occupe peut-être encore une partie des ménagères en milieu ouvrier. Difficile évaluation. Si l'on retient l'hypothèse raisonnable d'une famille qui consacre environ 10% de son budget à l'achat de vêtements, elle disposera de $30 à $60 par année pour se vêtir. Quelques chiffres permettent de traduire cette somme en objets concrets. En 1891, un travailleur gagnant $2 par jour ($350 par année), s'il profite des soldes, pourra inscrire sur sa liste d'achats les objets suivants:

66 Se rappeler les épidémies de 1885, de 1890 et de 1894!

67 Il serait intéressant, si les dossiers médicaux de l'époque étaient accessibles aux chercheurs, d'analyser les types de morbidité selon les occupations et les métiers des patients. On pourrait élaborer une sociologie des pathologies!

jupon en laine tricotée	$0.50
bas en laine pour dame	$0.10
chaussons pour homme	$0.10
sous-vêtements pour enfant	$0.19
sous-vêtements pour homme	$0.23
habillement pour enfant en tricot	$1.00
pantalon pour enfant	$0.50
pantalon pour homme	$0.85
pardessus pour homme	$3.50
pardessus pour enfant	$2.00
corps et caleçon (ensemble)	$0.95
pantalon tout laine	$0.95
chemise tricotée	$1.00
chemise en flanelle	$0.75/1.50
cravate	$0.10/0.50
foulard	$0.25/1.50
chemise en toile	$0.40/1.00

Cette nomenclature dégage une évidence: l'exiguïté du budget consacré au vêtement. Même en se procurant des produits médiocres,[68] en solde, une famille de travailleurs devra souvent porter des vêtements élimés.

II. Conditions morales et intellectuelles

A. La famille ouvrière

Dans un milieu urbain où sévissent durement la maladie et la mort, une population ouvrière vit et se reproduit. Elle obéit aux lois d'un dynamisme démographique étonnant. Si l'activité industrielle et manufacturière affecte les moeurs et les habitudes, les lignes de force ne s'en trouvent toutefois pas altérées. Les familles conservent des dimensions imposantes: de 4.7 à 6.7 personnes par famille, selon les quartiers. La moyenne montréalaise: 5.1.[69] Contrairement à une croyance largement répandue, les Canadiens français n'établissent pas de record pour la taille des familles, à Montréal. Au contraire, les plus faibles moyennes se retrouvent dans deux quartiers fortement francophones:

68 On vend des pardessus qui coûtent jusqu'à $12 ou $14, au lieu de $3.50.
69 *Recensement du Canada, 1890-1891*, vol. I, p. 96.

Saint-Jacques et Sainte-Marie. Dans Saint-Antoine et Sainte-Anne, où dominent les anglophones, le nombre moyen est de 5.7 et 5.2 personnes respectivement. Paradoxalement, le taux de natalité demeure, et de loin, le plus fort chez les Canadiens français. Il est de 25.33/1000 chez les catholiques francophones, de 9.48/1000 chez les autres catholiques (Irlandais), et de 11.33/1000 chez les protestants (Anglais).[70] Comment concilier un taux de natalité si élevé et la taille relativement faible des familles chez les Canadiens français? Au départ, la mortalité infantile fauche une partie de cette moisson. D'autres hypothèses se présentent. Les Montréalais, francophones, travailleurs manuels pour la plupart, ne jouissent pas de revenus leur permettant de nourrir des familles très nombreuses. Les enfants quitteront donc tôt la famille pour se marier ou pour émigrer.[71] De plus, l'importance de l'immigration anglophone implique l'arrivée de nombreux adultes qui gonflent la taille des familles sans affecter les statistiques de natalité.

Que la taille des familles obéisse aux pressions économiques, Ames le prouve pour les quartiers Sainte-Anne et Saint-Antoine-sud. Là où les salaires sont bas, les familles sont particulièrement petites. A mesure que les revenus s'élèvent, la famille s'accroît. Cependant, dans les sections où les revenus se situent très au-delà de la moyenne, le nombre de personnes par famille décroît. Ames conclut que la famille nombreuse est le fait de la classe laborieuse, des travailleurs assurés d'un revenu minimum:[72]

La loi qui, selon l'auteur, se dégage faiblement est que ni la richesse ni la pauvreté ne s'accompagnent, en général, de familles nombreuses. Celles-ci se retrouvent plutôt parmi la classe ouvrière moyenne, et le nombre de personnes par foyer diminue à mesure que le statut social des résidents s'élève au-dessus ou tombe au-dessous de ce niveau.

---

70 *Rapport sur l'état sanitaire de la cité de Montréal pour l'année 1891*, p. 97. Ces chiffres sont cités sous toutes réserves: ils proviennent de la même source à propos de laquelle j'ai émis des doutes lors de l'étude des statistiques de mortalité. Voir ci-dessus, p. 141.

71 Il faudrait vérifier cette hypothèse en étudiant l'âge au mariage, qui devrait être précoce chez les Canadiens français.

72 Ames, H.B., *The City...*, p. 29. «Hence the law which appears the writer to be dimly apparent is in effect that neither wealth nor poverty is likely on the whole to be accompanied by large average families. There are rather to be expected among the middle industrial class, and the average number of persons per household decreases as the social status of the residents rises above or falls below this level.»

B. L'instruction

Ces statistiques décrivent un visage de la population ouvrière. Elles ne révèlent pas la perception qu'a l'ouvrier du monde où il vit, ses modes d'adaptation intellectuels et moraux, ses habitudes. La situation intellectuelle et morale, plus malaisée à saisir, n'en perd pas pour si peu son importance. Au premier plan: l'instruction. Sur ce sujet encore, une impression décevante se dégage des chiffres disponibles. Le Québec compte de loin, avec les Territoires du Nord-Ouest, le plus grand nombre d'analphabètes. Pour certaines classes d'âge, seule la Colombie-Britannique menace cette douteuse performance. En 1892, on dénombre 194.66/1000 personnes qui ne savent ni lire ni écrire. Chez les garçons de dix à dix-neuf ans, le Québec, bon dernier, compte 26.80% d'analphabètes; l'Ontario, 6.44%. Une consolation: la situation est pire en Colombie-Britannique et dans les Territoires du Nord-Ouest! Dans la population adulte, de vingt ans et plus, la proportion d'illettrés augmente: 36.1%. La Colombie-Britannique affiche un bon 24.8%, le Manitoba, 6.9%, l'Ontario, 9.6%.[73] A Montréal, selon le recensement de 1891,[74] sur 143 058 personnes âgées de plus de dix ans, 20 009 ne savent ni lire ni écrire. A ce 13.9% d'illettrés s'ajoutent 3.1% de Montréalais ne sachant pas écrire mais capables de lire. La moyenne montréalaise se précise si l'on tient compte des classes d'âge.

TABLEAU XIII

Pourcentage d'analphabètes par classes d'âge à Montréal, en 1891

Classe d'âge	%
de 10 à 19 ans	8.4%
de 20 à 29 ans	9.7%
de 30 à 39 ans	14 %
de 40 à 59 ans	18.9%
de 60 ans et plus	34.4%

Source: *Recensement du Canada, 1890-1891,* vol. II, p. 218-219.

73 Ces chiffres sont tirés du *Résumé Statistique*, de 1893, pp. 166-168.

74 *Recensement du Canada, 1890-1891*, vol. II, p. 218-219.

Le taux d'analphabétisme augmente selon les catégories d'âge; il évolue aussi selon les sexes. On compte 12 146 femmes analphabètes, contre seulement (!) 8 863 hommes. L'analphabétisme touche 20.4% des femmes de plus de dix ans et 16% des hommes du même âge. On est justifié de penser, évidemment, que cette carence est presque inexistante dans les classes bourgeoises. Cette probabilité accentue le phénomène dans les autres couches sociales moins favorisées.

Cet état lamentable s'explique de plusieurs façons. Le libéralisme ambiant qui freine l'intervention du législateur constitue un climat peu favorable à la solution du problème. Les observations judicieuses et répétées des inspecteurs des manufactures circonscrivent la question. Louis Guyon écrit, en 1891:[75]

> *En examinant ces liasses de certificats d'âge, la plupart portant une croix pour signature, je me demande si le gouvernement, qui en ce moment montre tant de sollicitude pour l'éducation de l'ouvrier, ne prendra pas de mesures pour rendre obligatoire l'éducation élémentaire des enfants, avant qu'il leur soit permis de travailler à la fabrique. (...) Le jour où le gouvernement frappera le mal dans sa racine en interdissant* (sic) *l'entrée à la fabrique de tout enfant ne sachant pas lire ni écrire, l'Acte des Manufactures aura doublé d'importance.*

L'existence de conditions de travail difficiles, souligne James Mitchell, interdit toute amélioration:[76]

> *J'ai constaté avec regret l'ignorance incroyable des jeunes filles, des enfants et même des parents, qui parfois étaient incapables de signer un certificat, mais y faisaient simplement leur croix. Ce n'est pas à moi à indiquer le remède, et je ne fais que signaler le mal; je puis dire cependant que les écoles du soir, inaugurées l'hiver dernier, ont été très appréciées par les classes ouvrières, mais elles peuvent difficilement être fréquentées par les enfants qui, épuisés pendant la journée par leur travail dans les manufactures de laine, de coton ou de cigares, n'ont pas de loisirs à consacrer à l'exercice mental du soir.*

La mentalité de l'époque, fortement empreinte de conservatisme, résiste à une intervention de l'État dans l'enseignement. En 1881, Mercier, dans l'Opposition, se prononce en faveur de

---

75 *Rapport de M. Louis Guyon*, DS, doc. no 2, 1891, p. 123-124.
76 *Rapport de M. James Michell*, DS, doc. no 2, 1890, p. 267.

l'école obligatoire. Malheureusement pour lui, à la même époque, la Ligue de l'Enseignement, en France, de même que la législation adoptée sous l'impulsion de Gambetta, Bert et Ferry, provoquent l'effroi des cercles conservateurs du Québec. La Ligue de l'Enseignement, patronnée au Québec par le propriétaire de *La Patrie*, Honoré Beaugrand et appuyée par les Chevaliers du Travail, se heurte à une école de pensée aux racines profondes: Tardivel, Trudel, le clergé, les ultramontains, la plupart des conservateurs. La raison invoquée pour écarter l'initiative gouvernementale: le primat de l'autorité paternelle, le spectre du socialisme.[77] Malheureusement, ainsi que le remarquent fréquemment les inspecteurs des manufactures, l'autorité paternelle entrave trop souvent l'instruction des enfants. Pressés par les soucis matériels, ces parents, eux-mêmes illettrés, préfèrent tirer quelques sous du travail de leur garçon plutôt que de le voir gaspiller son temps... à l'école.

Le régime économique et le climat social enrayent en partie les facteurs de progrès mais d'autres causes expliquent aussi le retard du Québec. La comparaison de la situation en province et à Montréal indique une amélioration notable en faveur de la population urbaine. La forte proportion d'ignorants chez les adultes se ressent du poids de l'histoire. L'isolement rural, la guerre des Éteignoirs portent leurs fruits secs en cette génération.

Malgré les obstacles, la vie urbaine suscite le besoin d'une plus grande instruction. Les associations ouvrières inscrivent l'instruction primaire à leur programme. Elles pressent le gouvernement de créer des écoles du soir, des écoles d'apprentissage et d'ouvrir des bibliothèques à l'usage des ouvriers. Jean-Baptiste Gagnepetit, en 1884, propose que les unions mutuelles pallient l'inertie gouvernementale en établissant, à leurs frais, des cours du soir pour les travailleurs.[78] Ces réformes achoppent sur les préjugés conservateurs d'une partie de la population. Montréal ne bénéficiera pas d'une bibliothèque municipale avant le début du XXe siècle. Mgr Bruchési craignait que le contact de mauvais livres ne corrompît la population.

---

77 C.J. Magnan, *Éclairons la route. A la lumière des statistiques, des faits et des principes*, Québec, Garneau, 1922, p. 142s.

78 *La Presse*, 29 novembre 1884.

L'école d'Arts et Manufactures[79] accueille chaque année quelques centaines de personnes: on y enseigne, entre autres matières, le dessin, la sculpture, le modelage, la peinture décorative, la gravure sur bois, la chimie et l'anatomie. En 1886, Henri Julien donne un cours de lithographie. En 1889-1890, le gouvernement Mercier inaugure les cours du soir à l'intention des ouvriers. L'initiative reçoit un accueil enthousiaste de leur part. On affecte à ces cours quatre-vingt-dix professeurs et de nombreux locaux. On enregistre plus de 7000 inscriptions. La ferveur et l'attrait de la nouveauté s'émoussent rapidement. Le poids de longues journées de travail s'ajoute à une organisation défaillante: la première année, 2000 travailleurs parviennent au terme du cours. Malgré un abandon massif et une faible assiduité, l'expérience s'avère prometteuse[80].

Les efforts des sociétés ouvrières et de la Ligue de l'Enseignement s'inscrivent dans les limites tolérées par une société bourgeoise et conservatrice. Non seulement une large fraction de la population rejette-t-elle, au nom du respect de l'autorité paternelle, l'école obligatoire, mais aussi les propagandistes de la démocratisation scolaire, Gagnepetit y compris, conçoivent l'instruction primaire comme un moyen d'intégrer le travailleur dans le système industriel et manufacturier et d'accroître son efficacité. L'instruction primaire, entre autres résultats, favorisera le Capital, soutiennent-ils. Félix Ponteil,

---

79 Nombre d'inscriptions par année, à Montréal:
1883: 271
1884: —
1885: 434
1886: 242
1887: —
1888: 570
1889: 395
1890: 393
1891: 313
1892: 216
1893: 339
1894: 316
(*Rapport du commissaire général de l'Agriculture de la province de Québec*, de 1886 à 1894.)

80 *La Presse*, 19 avril 1890. Les difficultés qu'éprouvent les promoteurs de l'école du soir auprès des ouvriers se doublent de problèmes avec le gouvernement. En effet, l'administration Mercier, après avoir réduit le salaire des instituteurs de $2 à $1.50 par soir, songe à l'abaisser en 1891. Opposition des professeurs. En réponse, Mercier fait valoir l'aspect facultatif de leur engagement et le nombre d'instituteurs disponibles en regard des postes à combler. (*La Presse*, 21 novembre 1891.)

réfléchissant sur la situation du prolétariat européen, affirme:[81]

Pour le bourgeois, l'instruction du peuple permet le développement de l'industrie avec des ouvriers instruits, avec la crainte de voir ainsi attiser le ferment révolutionnaire avec des ouvriers qui ont appris à réfléchir. Aussi bien l'instruction primaire doit-elle être conçue pour maintenir l'enfant du travailleur dans une condition inférieure. Donner un enseignement très élémentaire est un moyen de dresser une barrière entre le bourgeois et le peuple. C'est dire que rien n'est fait pour favoriser la promotion sociale des intéressés.

L'explication européenne d'un phénomène québécois manque peut-être d'autorité. Il ne fait pas de doute, cependant, dans l'opinion publique de l'époque, que l'école est destinée à fournir à l'enfant du travailleur les éléments de son intégration sociale et économique:[82]

Lorsque l'instruction sera plus répandue, lorsque le nombre des illettrés diminuera, les écoles du soir devront, comme dans les autres pays, ajouter à leurs classes primaires, des cours de sciences appliquées à l'industrie, cours absolument indispensables à l'instruction d'un peuple qui veut développer sa puissance de production et qui feront autant de bien que la protection pour l'établissement de nos jeunes industries.[83]

---

81 Félix Ponteil, *Les classes bourgeoises et l'avènement de la démocratie*, Paris, Albin Michel, 1968, p. 71.

82 *La Presse*, 12 novembre 1892.

83 Un jésuite de l'*École Sociale Populaire* écrit, presque un quart de siècle plus tard: «En fait, une loi d'instruction obligatoire n'est pas quelque chose d'intrinsèquement mauvais en soi, «d'antinaturel», pour me servir de l'expression du R.P. Sertillanges — comme le mensonge et le blasphème, par exemple, qui ne sont jamais permis — elle peut devenir légitime et même nécessaire là où il s'agit de remédier à la perversion morale du peuple et à de grands maux temporels qui, à un moment donné, affligent une société. (...) Dans notre province, actuellement, et pour longtemps encore, une grosse partie de la population peut à la rigueur gagner sa vie sans instruction, et donc, plus évidemment encore, avec l'instruction que presque la totalité de nos enfants acquièrent par une fréquentation scolaire d'au moins six ou sept ans.» (Hermas Lalande, s.j., «L'instruction obligatoire», *École Sociale Populaire*, nos. 81-82 (1919) p. 26 et 44.) Dans son rapport annuel de 1897, le surintendant de l'Instruction publique, Boucher de la Bruère, confie, à son insu sans doute, à l'enseignement le rôle de maintenir intactes les distinctions de classes: «En sortant de l'école élémentaire l'enfant que l'on destine aux professions libérales a l'avantage d'entrer dans un collège classique; le futur négociant peut suivre les cours de nos académies ou collèges commerciaux, de même que le fils du cultivateur peut compléter son éducation agricole dans une de nos écoles d'agriculture. Mais le fils de l'ouvrier n'a aucune école spéciale où il puisse apprendre la théorie et la pratique du métier qu'il veut exercer. Il entre en apprentissage sans acquérir les connaissances dont il aurait besoin pour devenir un contremaître habile ou un chef d'usine recherché.» (Cité dans *Rapports des Commissaires. Commission royale sur l'enseignement technique et industriel*, Ottawa, Imprimeur du Roi, 1914, partie iv, p. 1959.)

C. *Les loisirs*

L'apparition du loisir ouvrier est liée à l'évolution de l'instruction, mais surtout aux impératifs du régime économique. Au XIXe siècle, les populations laborieuses mènent la conquête difficile du loisir,[84] et au coeur de la révolution industrielle, les premières revendications concernent la réduction de la journée de travail, le droit à un repos suffisant. Il est plus juste alors d'utiliser l'expression de «non-travail». Après une semaine de labeur de soixante heures et souvent plus, le travailleur excédé ne songe sans doute qu'à se reposer ou à cuver son vin. L'histoire du loisir ouvrier au Québec n'a pas encore suscité l'intérêt des chercheurs. Nonobstant le silence des historiens, quelques indices permettent de formuler des hypothèses. Il semble bien que les promoteurs du loisir des travailleurs, syndicalistes et journalistes, conçoivent l'accroissement du temps libre en termes intellectuels. L'instruction populaire s'identifie à la participation aux débats sociaux. Comme Engels, ils souhaitent la compression des heures de travail «afin qu'il reste à tous suffisamment de temps libre pour participer aux affaires générales de la société».[85] Les nombreux appels de Gagnepetit en faveur de l'instruction populaire et de la participation des travailleurs aux activités de leurs associations et à la discussion des décisions du Conseil municipal s'apparentent à l'opinion de la plupart des doctrinaires sociaux du XIXe siècle.

Certes, l'enseignement primaire facilite l'accès à des formes d'occupation inaccessibles à des analphabètes. *La Presse*, journal populaire, jouissant d'une large diffusion dans les quartiers ouvriers de Montréal, connaît une croissance remarquable. Vers 1890, elle n'atteint pas encore 20 000 exemplaires par jour; en dix ans, de 1890 à 1900, son tirage fait plus que tripler. Le samedi, à la fin du siècle, il atteint 100 000 exemplaires. La réduction du prix du journal explique en partie le phénomène. Les propriétaires de journaux réalisent l'attrait du journal à un sou. Depuis vingt-cinq ans, lit-on dans *La Presse*, «l'innovation la plus productive a été le journal à bon

---

84 René Kaes, «Une conquête ouvrière.» *Esprit*, no 6 (juin 1959), p. 894s.
85 Cité par Joffre Dumazedier dans «Réalités du loisir et idéologies», *Esprit*, no 6 (juin (1959), p. 873.

marché».[86] Instrument d'éducation populaire: c'est ainsi que la réclame présente *La Presse* aux lecteurs:[87]

Afin de suivre le progrès de l'instruction populaire qui s'est propagée jusque dans les campagnes les plus reculées, et pour mieux encourager la bonne lecture chez les populations rurales, l'administration a décidé de mettre l'édition quotidienne à la portée de toutes les bourses.

Le roman feuilleton,[88] présenté par tranches quotidiennes, l'insistance sur les faits divers, les reportages scabreux en même temps que l'attention portée aux questions ouvrières, attirent une clientèle de travailleurs naguère inaccessible.

Malgré les progrès notables de la presse à un sou, il est probable que la lecture ne constitue pas un divertissement généralisé parmi les ouvriers. Par ailleurs, les sports demeurent l'apanage des bourgeois. Chez les gagne-petit, la tradition de la fête maintient ses droits: réjouissances de la Saint-Jean qui durent cinq jours, festival d'hiver, fête du travail, à partir des années 90. Le parc Sohmer constitue sans doute, à partir de 1889, un pôle d'attraction pour les travailleurs: spectacles d'acrobates, de trapézistes, de pantomimes, de jongleurs, de funambules, de contorsionnistes, de travestis, jardin zoologique.[89] Un ouvrier, Édouard Miron, déclare à la CRCTC avoir été emprisonné par son patron. La raison? Il s'est absenté un après-midi pour aller au cirque.[90] Sans doute, les petits salariés de Sainte-Anne ou de Sainte-Marie ne peuvent pas payer un billet pour aller à l'opéra: de $0.25 à $1. Par contre, les cafés chantants, les vaudevilles ne les laissent pas indifférents de même que ces petits théâtres où se livrent des combats de boxe et de lutte. A partir de 1892, se tient à Montréal un bazar des industries domestiques: les artisans y déposent leurs créations et convient la population à les visiter.[91]

Les pique-niques sur les rives du fleuve occupent les dimanches de maintes petites gens. A partir de 1897, *La Presse*

86 *La Presse*, 17 novembre 1884.
87 Ibidem.
88 «Le feuilleton a été créé et s'est répandu parce qu'il correspondait à un marché: le marché des pauvres, à petits sous.» Jean Leclercq, «Roman feuilleton et condition ouvrière au XIXe siècle.» *Europe*, juin 1974, p. 69.
89 E.Z. Massicotte, «Brève histoire du parc Sohmer.» *Cahiers des Dix*, no 11 (1946), p. 97s.
90 CRCTC vol. I, p. 32.
91 *La Presse*, 3 décembre 1892.

organise des pique-niques au bout de l'île de Montréal pour les enfants. Gagnepetit désigne cependant la destination privilégiée de ces randonnées: «L'île Sainte-Hélène est par excellence le parc, le lieu de récréation, la station balnéaire de tout ce que Montréal renferme de petites gens: travailleurs ou bourgeois.»[92] Malheureusement, l'accès à l'île fait problème:[93]

La ville a-t-elle fait ce qu'elle devait faire pour faciliter à la population l'accès à l'île? Je ne le crois pas. (...) Ceux qui prétendent que la traversée de l'île devrait être faite gratuitement par la ville, me semblent être dans le vrai.

L'idée n'est pas neuve, elle a déjà été émise et chaque fois qu'elle a été remise devant le public, on a crié au socialisme. On a dit, et on dit encore: la ville n'a pas à payer pour ceux qui veulent s'amuser ou prendre l'air; en accordant la gratuité de la traversée de l'île, la corporation consacrerait un principe dangereux.

Pourtant, soutient Gagnepetit, le pont que l'on projette de construire à cet endroit ne sera pas plus socialiste que les autres ponts qui enjambent le fleuve. Comparant les dépenses consenties par la municipalité pour l'aménagement du parc de la Montagne et celui de l'île Sainte-Hélène, le journaliste constate un écart marqué.[94] Il conclut:[95]

Plus encore que pour la montagne, la ville a le devoir de faciliter l'accès de l'île, le parc des petites gens, des travailleurs et de faire les frais nécessaires pour leur permettre de s'y rendre, sans bourse délier, en vertu du principe qu'elle a suivi en construisant les routes et les ponts qui permettent aux heureux de la terre d'arriver jusqu'à la montagne et d'atteindre, dans leurs voitures, l'air qu'on respire à son sommet et sous ses allées nombreuses.

En un mot, la traversée de l'île doit être gratuite et faite par la ville. C'est une dépense de quelques milliers de piastres seulement, dépense qui sera autrement utile que celle que l'on fait pour embellir le parc de la montagne qui profite peu à la population.

---

92 *La Presse*, 4 décembre 1893.
93 Ibidem.
94 De 1874 à 1892, on débourse $233 610 pour le parc de la Montagne et $82 829 pour le parc de l'île. (Ibidem.)
95 Ibidem.

D. Ivrognerie et délinquance

Malgré l'attrait qu'exercent ces divertissements sur les familles ouvrières, les auberges et les hôtels qui fleurent l'alcool attirent toujours bon nombre de Montréalais. Divertissement étroitement associé à un phénomène social déplorable: l'ivrognerie. L'étude du problème de l'alcoolisme introduit l'observation de questions connexes: délinquance, criminalité, prostitution. En fait, c'est de la moralité ouvrière qu'il s'agit. Les moralistes de l'époque voient dans l'alcoolisme la cause de tous les maux:[96]

La première et la principale cause de la pauvreté, de la misère et de tous les maux qui leur font cortège, c'est la boisson, c'est le salon, c'est l'auberge, c'est le restaurant. C'est là que l'ouvrier, que l'artisan vont engloutir un salaire péniblement gagné.

Jean-Baptiste Gagnepetit tempère les ardeurs du religieux même s'il ne sous-estime pas l'influence néfaste de l'ivrognerie:[97]

Le plus grand ennemi de l'ouvrier, ce n'est ni le patron, ni le capital, c'est l'alcool. Loin de moi l'idée d'accuser la classe ouvrière d'être plus portée à l'ivrognerie que d'autres classes de la société, et si je déclare que l'alcool est le pire ennemi de l'ouvrier c'est parce que l'argent qu'il dépense en boissons alcooliques est pris sur le nécessaire de la famille et que l'alcool qui lui est débité est frelaté au point de l'empoisonner.

H.B. Ames conclut, à la suite de son enquête auprès des résidents de la «city below the hill», que l'ivrognerie est un facteur marginal dans l'explication de la pauvreté. Si l'alcool n'explique pas la pauvreté des locataires de la «city», il existe une relation entre l'une et l'autre. En effet, là où règnent le travail irrégulier, les revenus occasionnels et la pauvreté, l'ivrognerie frappe plus de victimes. En moyenne, le secteur étudié par Ames contient un débit de boissons par 219 personnes. Dans les zones défavorisées, le long du canal Lachine, la proportion s'élève: un débit pour 160 personnes. Par contre, dans d'autres sections, là où on dénombre 40% moins de pauvres que dans Griffintown, le rapport s'améliore: 240

96 R.P. Charles Larocque, *Guerre à l'intempérance*, Montréal, Chapleau, 1887, p. 44.
97 *La Presse*, 14 mai 1887.

personnes par débit. Contrairement à un préjugé solidement ancré, le Canadien français ne trahit pas un goût particulier pour l'alcool. Dans les sections à majorité canadienne-française, on compte 208 personnes par débit. Dans les sections irlandaises: 179 personnes par débit. Dans les sections où Canadiens français, Britanniques et Irlandais cohabitent, à part égale, le rapport se stabilise à 198 personnes par débit.[98]

Les statistiques pour l'ensemble de la ville confirment-elles la constatation de Ames? Les Canadiens français ne sont-ils pas plus ardents disciples de Bacchus que les autres Montréalais? Les statistiques de débits de boissons ne concordent pas toutes. Devant la CRCTC, l'adjoint du percepteur du Revenu provincial pour le district de Montréal établit le nombre de débits de boissons par quartier,[99] pour l'année 1887. Le chef de police de Montréal fournit pour sa part une liste semblable pour l'année 1890.[100] Or les deux rapports, même si l'on tient compte du fait qu'ils n'utilisent pas les mêmes termes, semblent incompatibles. Par exemple, en 1887, Sainte-Anne compte vingt-sept hôtels et quarante-cinq restaurants licenciés; en 1890, il ne resterait que vingt et une auberges. Les chiffres fournis par Ames se rapprochent visiblement de ceux du percepteur du Revenu provincial. Si l'on se fie au rapport personnes/débit de boissons, Sainte-Anne se détache des autres quartiers.[101] C'est l'endroit où les établissements licenciés sont les plus nombreux. Les ouvriers sont-ils les plus gros buveurs? Pourtant, Sainte-Marie ne compte qu'un débit de boissons par 221 personnes. Les Canadiens français sont-ils les plus sobres? Pourtant, dans Saint-Jacques, l'affluence dans les débits de boissons augmente, et elle diminue dans Saint-Antoine. Sauf les remarques judicieuses de Ames dans *The City Below the Hill*, aucune tendance ethnique et sociale ne se dégage clairement de ces chiffres.

---

98 H.B. Ames, *The City...*, p. 53-54.

99 CRCTC, vol. I, p. 265.

100 *Rapport du chef de police de la ville de Montréal*, 1890, p. 24.

101 Pour dégager le rapport personnes/débit, j'utilise la moyenne de la population établie par les recensements de 1881 et 1891. Cette opération arithmétique n'épouse peut-être pas le mouvement démographique réel. Elle implique donc une marge d'erreur. Néanmoins, les chiffres gardent une valeur d'indication. Le nombre de débits de boissons n'est d'ailleurs pas le critère absolu. Le volume de la consommation de chaque établissement est le facteur primordial, de même que les caractéristiques socio-économiques de sa clientèle. Et ils sont incontrôlables.

Si aucun lien irrécusable n'associe alcool et pauvreté, il semble, par contre, que l'ivrognerie explique une proportion importante des délits aux règlements municipaux. Le recorder de Montigny, dans son rapport de 1898, affirme «que l'abus des liqueurs est la cause directe ou indirecte de presque toute la criminalité. (...) Sur 6000 personnes qui comparaissent par année devant le recorder, les trois quarts y sont entraînés de loin ou de près par cet abus.»[102] Selon Calixte Aimé Dugas, juge des Sessions de la Paix de Montréal, 80% à 90% des crimes s'expliquent par la consommation abusive de liqueurs alcoolisées.[103]

Le vagabondage en état d'ivresse, les rixes et les menus larcins, cette forme de criminalité est le propre d'une classe sociale touchée sévèrement par la pauvreté et le chômage.[104] Montréal n'échappe pas à cette loi. En 1890, on relève 9087 crimes ou délits:

ivresse	2343
flâner	1168
vol	550
assaut et batterie	475
ivresse et conduite désordonnée	406
abandon de service	25

L'occupation des contrevenants? On compte 2756 journaliers, 476 charretiers et 447 conducteurs d'attelage pour excès... de vitesse, 390 cochers de place, 255 cordonniers, 216 commis, 1002 personnes sans occupation.[105]

C'est sans doute au sein des classes laborieuses montréalaises que se recrutent les adeptes des auberges et hôtels et les auteurs de ces délits. L'explication du phénomène tombe sous le sens. Les travailleurs forment près de 70% de la population; de plus c'est chez eux que le chômage frappe le plus cruellement. Désoeuvrement, ignorance, ivrognerie, comportement illégal, le cercle vicieux ne laisse pas facilement échapper ses victimes.

Ces réflexions sur le comportement social des ouvriers appelleraient de nombreux développements. L'étude de la

---

102 *Rapport du Recorder De Montigny sur l'état moral de la cité de Montréal au Comité de police déposé en octobre 1899*, p. 21.
103 CRCTC, vol. I,p. 504.
104 Louis Chevalier, *Classes laborieuses...*, passim.
105 *Rapport du chef de police...*, pp. 21-23.

morale familiale des ouvriers suscite l'intérêt; l'absence de sources facilement accessibles empêchent pour le moment l'observation de phénomènes qui échappent à l'oeil du statisticien. Morale sexuelle, comportement religieux, éducation des enfants, autant de sujets sur lesquels la recherche historique devra faire la lumière.

Le sort des travailleurs montréalais, au terme de ces observations, n'apparaît pas enviable. Sans doute, un certain nombre d'ouvriers privilégiés parviennent-ils à une modeste aisance. Ils habitent un logement convenable, équipé d'un w.c.; ils ignorent les affres du chômage et leur revenu leur permet d'inscrire à leur menu plusieurs rations de viande fraîche par semaine. Ils savent lire, écrire et participent, selon leurs goût, aptitude et motivation, aux affaires publiques. A l'autre extrémité, il y a les pauvres, les déclassés, les malades, handicapés, ivrognes, journaliers malchanceux. Pour eux, c'est la misère à la petite semaine, la charité publique, les taudis, la maladie. Entre ces deux pôles, par strates superposées, des catégories de travailleurs, plus ou moins chanceux, plus ou moins chômeurs. Ils espèrent améliorer leur situation, craignent qu'elle ne se détériore. Leur logement n'offre pas toutes les commodités, les menus ne varient guère. Ils échappent à la misère. Même si, à cause du chômage, des maladies, des naissances rapprochées, l'insécurité pèse lourd sur eux.

Montréal, vue du haut de Notre-Dame, 1850 (*William England*). Source: *Early Photography in Canada*, Ralph Greenhill; Toronto Oxford University Press; Toronto; 1965.

Journée de marché au Marché Jacques-Cartier. Source: *The Book of Montreal, 1903;* Book of Montreal Company, Publishers; Montréal.

Filiale de Montréal de la W. Peck & Co. Limited. Source: *Illustrated Montreal Old & New*; International Press Syndicate Publishers; Montréal; 1915.

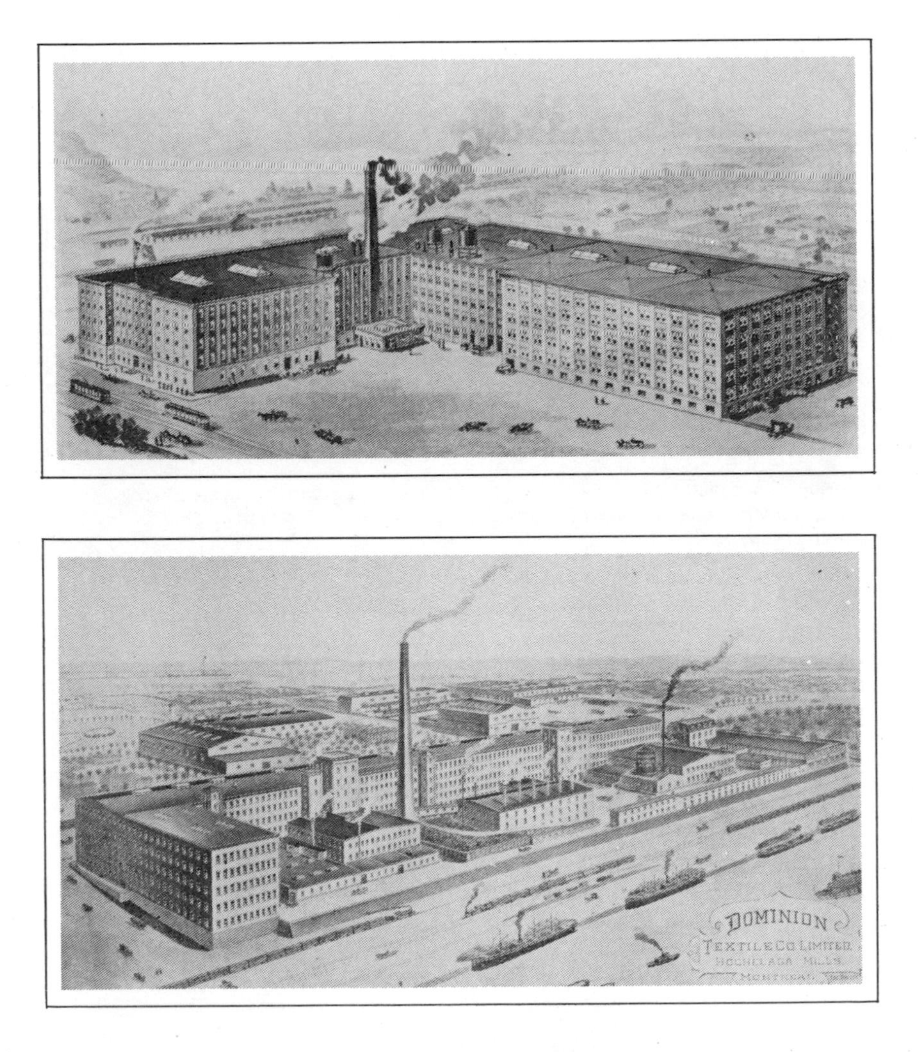

La Dominion Textiles Co. Limited, à Hochelaga. Même source que la précédente.

Le port de Montréal, avant l'érection des nouveaux quais et élévateurs.
Source: *The Book of Montreal.*

Le port de Montréal, vu de la Maison de la Douane, 1885-89 (*Notman*).
Source: *Montreal, Island City of the St. Lawrence*, Kathleen Jenkins; Doubleday & Company, Limited; New York; 1966.

«Le premier mai, Montréal déménage et aménage.» 1876 (*Henri Julien—Canadian Illustrated News*) Source: *Montréal, recueil iconographique, vol II*, Charles P. de Volpi, P.S. Winkworth; DEV-SCO Publications Limited; Montréal; 1963.

Travailleurs au Wm. Clark's, manufacture d'aliments en conserves.
Source: *The Book of Montreal.*

Inondation à Montréal, 22 avril 1869 (*J. Inglis*). Source: *Early Photography in Canada*.

Deux autres industries de Montréal; en haut: Belding, Paul & Company;
en bas: The Standard Shirt Company Limited. Source: *The Book of Montreal.*

L'organisation ouvrière

Heureux ou malheureux, soumis ou révolté, chaque travailleur forge et subit son destin. S'il ne partage avec personne son lot d'expériences familiales, si mille traits physiques et moraux l'identifient et l'isolent, l'ouvrier montréalais n'en demeure pas moins solidaire d'un groupe social. Petit salaire, chômage, endettement: les difficultés économiques et sociales suscitent et cimentent l'unité de la population laborieuse. Le mouvement ouvrier endigue la protestation de milliers de sans-voix et suggère des solutions. Les associations et les unions ouvrières se développent au rythme du progrès technique. Réponse aux abus du capitalisme industriel ou défense de privilèges corporatifs, l'association ouvrière naît et s'affirme à l'époque de bouleversements socio-économiques inhérents à la révolution industrielle. Certes, il ne saurait être ici question de causalité: le pourquoi de la naissance du mouvement ouvrier n'est pas en cause. L'intérêt se porte plutôt sur le comment. Quelle forme le mouvement ouvrier montréalais adopte-t-il? Sur quelles bases s'opèrent les regroupements de travailleurs? Quelles préoccupations les unions ouvrières épousent-elles? Les lois sociologiques dégagées de l'étude des populations ouvrières s'appliquent sans doute au mouvement ouvrier d'ici. Les tendances définies par Halbwachs trouvent une confirmation: maintien d'un salaire et d'un taux de travail constants, progression des salaires et diminution de l'effort au travail.[1]

1 Maurice Halbwachs, *The Psychology of Social Class*, Londres, William Heinemann, 1958, pp. 71-77.

Dans un cadre chronologique restreint, cependant, l'intérêt de ces phénomènes généraux s'émousse. Surtout en période de stagnation ou de crise économique, la conjoncture contredit parfois les tendances profondes. Aussi serait-il aléatoire de dégager les orientations majeures des associations ouvrières. La reconstitution factuelle, pour limitée qu'elle soit, n'en suggère pas moins les lignes de force de ces décennies.

I. Le syndicalisme ouvrier et l'opinion montréalaise

Le recours aux idées et aux idéologies séduit. Cependant, la démarche prête flanc à la critique:[2]

Le point de vue idéologique a été très longtemps surestimé et le reste souvent encore dans les études sur le mouvement ouvrier. (...) Beaucoup plus encore que les comportements individuels, les comportements collectifs peuvent être éloignés des opinions et même des attitudes assez profondes de ceux qui agissent. Dans le cas particulier de mouvements volontaires, comme le mouvement ouvrier, un nouveau facteur de déformation intervient encore. C'est la distance entre les leaders qui ont le monopole de l'expression officielle et la grande masse des membres qui les suit généralement pour des raisons assez étrangères à leur philosophie.

Nonobstant ces réserves pertinentes, la réflexion sur les idées et les justifications éclaire le débat et dégage les perspectives. Il ne faut prendre au pied de la lettre ni la déclaration du dirigeant ouvrier ni celle du pamphlétaire bourgeois; pourtant, la panoplie polémique qu'ils déploient situe les différents pôles d'attraction de l'opinion publique et de la pensée des travailleurs de l'époque. Ainsi circonscrite, l'analyse des conceptions du syndicalisme répandues à Montréal en 1890 constitue une amorce utile à l'étude du mouvement ouvrier.

A. Les bourgeois

Les modifications économiques consécutives au progrès

2 Georges Friedmann, Pierre Naville, *Traité de sociologie du travail*, Paris, Armand Colin, 1962, tome II, p. 187.

technologique, à la division du travail, à l'accumulation capitaliste, n'échappent pas à l'observateur contemporain. Les relations entre le patron et son employé changent de nature lorsque l'atelier artisanal bâti sur des rapports paternalistes cède la place aux manufactures, propriétés de sociétés anonymes:[3]

Le patron s'occupait du bien-être de ses ouvriers, comme s'ils étaient ses enfants, et l'ouvrier prenait les intérêts de son patron comme s'ils étaient les siens propres. Tant que ces rapports directs entre patrons et ouvriers subsistent, il est encore possible d'espérer que cette bonne entente va renaître; il suffit pour cela que chacun se pénètre des devoirs qui lui sont imposés par la religion. Mais la tendance de notre époque va vers l'abolition des patrons et leur remplacement par la compagnie.

La compagnie, être fictif qui n'a ni âme ni coeur, qui ne connaît d'autres lois que les lois humaines, qui n'a d'autres soucis que d'augmenter le dividende de ses actionnaires, ne voit généralement dans l'ouvrier, qu'une machine, qu'un outil, dont le travail doit produire tant, et si par suite des conditions du marché, le travail de l'ouvrier ne rend pas suffisamment pour que l'actionnaire puisse toucher son dividende, la compagnie ferme ses portes, et l'ouvrier qu'elle a engagé mourra de faim.[4]

Ces considérations conduisent le rédacteur du journal ultramontain à reconnaître la légitimité du droit d'association. Cette reconnaissance s'assortit pourtant, dans l'esprit de l'époque, de restrictions sévères. La méfiance à l'égard du syndicalisme ronge les pensées des bonnes gens:[5]

---

3 *L'Étendard*, 8 avril 1886. On se rapportera, pour une analyse plus poussée des réactions au mouvement ouvrier, à l'article de Noël Bélanger et Jean-Guy Lalande: «Les réactions devant la montée ouvrière.» *Les travailleurs québécois, 1851-1896*, Montréal, P.U.Q., 1973, pp. 151-192.

4 Un religieux capucin exprime la même réalité: «C'est en face de ces nouveaux maîtres (compagnies) que sont placés les ouvriers; par centaines il est vrai et par milliers; mais sans cohésion, sans capital; réduits, en un mot, à cet état de poussière humaine qu'on appelle l'individualisme. (...) L'ouvrier est donc un étranger qu'on chasse pour un murmure, pour une absence, pour une maladie. Après vingt ans de travail assidu, il n'est pas plus assuré du lendemain. Si, lorsque les grandes portes de l'usine s'ouvriront, il n'est pas là à son rang, un autre prendra sa place, et tout sera dit. Dans ces conditions l'ouvrier n'est plus l'homme assis et heureux d'autrefois, c'est un prolétaire qui mendie de l'ouvrage pour ne pas mourrir de faim.» (R.P. Alexis, *Cinq conférences sur l'encyclique de Léon XIII*, Mile-End, Imprimerie des Sourds-Muets, 1892, p. 27-28.)

5 *Le Moniteur du Commerce*, 7 août 1885, p. 681.

Il est malheureux que l'influence pernicieuse des agitateurs du travail qui vivent des malheurs qu'ils créent soit grande et que les prétendues injustices économiques sur lesquelles ils étayent leurs doctrines, semblent être confirmées par les apparences en certains moments.

Pour le chroniqueur du *Monde*, l'organisation ouvrière se confond avec le péril démocratique.[6] Mgr Taschereau condamne ainsi les dirigeants des associations ouvrières:[7]

Les chefs et les propagateurs de ces sociétés cherchent à s'élever et à s'enrichir aux dépens de ces mêmes ouvriers souvent trop crédules. Ils font sonner bien haut les beaux noms de protection mutuelle et de charité, pour tenir leurs adeptes dans une agitation continuelle et fomenter des troubles, des désordres et des injustices.

Pour des cercles catholiques, les luttes des gagne-petit pour améliorer leurs conditions de vie trahissent une baisse de la foi. Le père Alexis constate:[8]

La foi donnait à nos ancêtres cette résignation joyeuse qui faisait le fond de notre caractère national et que tous les peuples admiraient. Aujourd'hui que l'on ne croit plus au paradis, comment se résigner aux injustices de la vie et à la misère? C'est impossible.

Le rédacteur de *L'Étendard* enchaîne:[9]

S'il est vrai qu'il n'y a pas de vie future, il n'y a par conséquent ni récompense à attendre de par-delà la mort; si l'homme meurt tout entier, il a le droit de chercher à se procurer la plus grande somme possible de jouissances pendant qu'il vit. S'il n'y a pas de Dieu, si la loi n'a qu'une sanction humaine, et s'il n'y a de loi que celle que les hommes ont faite, il a le droit de réformer cette loi, de la modeler sur ses goûts et d'en imposer l'obéissance. (...) Le mouvement ouvrier est double: il y a le mouvement économique et le mouvement social. Les ouvriers n'y poursuivent pas seulement une amélioration de

---

6 *Le Monde*, 26 mars 1892.

7 Mandement no. 143, 2 février 1886. *Mandements, lettres pastorales des Évêques du Québec*, Québec, A. Côté, 1890, vol. 2, p. 556.

8 R.P. Alexis, *Cinq conférences...*, p. 30.

9 *L'Étendard*, 8 avril 1886.

leur condition matérielle, c'est à une révolution qu'ils travaillent.

Une partie de l'opinion s'alimente des préjugés ainsi cultivés à l'égard du syndicalisme. On considère encore volontiers l'organisation des ouvriers comme une conspiration en vue d'entraver la liberté du commerce et de porter atteinte à la propriété privée. Pour la philosophie libérale du XIXe siècle basée sur l'individualisme, l'association ouvrière fait figure d'hérésie. L'abbé Henri Defoy, dans un sermon devant la Société des Artisans, insiste sur la liberté qui préside à l'entente contractuelle entre l'ouvrier et son patron.[10]

Le contrat n'est-il pas signé de votre main? Vous leur avez volontairement cédé des droits: vous est-il permis de les léser? L'affirmer, c'est enlever à tout contrat son efficacité, par conséquent son utilité. Oh! alors, quels troubles dans la société! Plus de respect pour les droits acquis. Pourquoi existeraient-ils, sinon pour entretenir parmi les hommes une guerre permanente et désastreuse? Craignez qu'on use de représailles, les vôtres pourraient être foulés aux pieds.

L'abbé Defoy abandonne au patron le privilège de juger de l'équité du contrat qui le lie à son employé. Il exprime alors un courant d'opinion répandu et qui s'affirmera au début du XXe siècle.[11] Il poursuit:[12]

Règle générale: ne prêtez pas l'oreille aux discours séditieux, laissez ces vains déclamateurs du droit de l'ouvrier parler dans le vide; et après avoir pesé toutes vos réclamations dans la balance d'une réflexion calme, après vous être assuré de l'appui de Dieu par une prière désintéressée, soumettez au jugement et à la charité de vos patrons un droit que vous regardez comme légitimement possédé. La réponse ne vous sera pas toujours favorable; mais, baisez la main de Dieu qui vous éprouve; jamais, non jamais, ne levez un bras rebelle.

Dans son *Catéchisme populaire de la lettre encyclique de Notre Très Saint-Père Léon XIII,* l'abbé Gosselin[13] met en garde

---

10 Henri Defoy, *Le patron et l'ouvrier*, Québec, Brousseau, 1892, p. 8.
11 Edmour Hébert, «L'organisation ouvrière.» *École Sociale Populaire*, no. 83 (1919).
12 Henri Defoy, *Le patron...*, p. 9.
13 David P.A. Gosselin, *Catéchisme...*, Québec, Côté, 1891.

les ouvriers contre toute atteinte à la propriété; il les incite à se défendre contre les «excitations des meneurs». Il rappelle «les masses» à leur «devoir», c'est-à-dire à la confiance en l'autorité publique, au respect de la propriété privée et du libre commerce.

B. Les travailleurs

Le catholicisme conservateur présente une forte résistance à la pénétration des unions ouvrières. Il modèle la pensée d'une portion importante de la société. L'organisation ouvrière devra s'adapter à ce climat de méfiance. Prudence et conciliation marquent l'activité du mouvement ouvrier en ces décennies. Faut-il croire, pour autant, que les travailleurs courbent l'échine devant les ordres et les menaces des autorités civiles, ecclésiastiques et intellectuelles? Si la conciliation et la modération empreignent les démarches des organisations ouvrières, il n'en reste pas moins que, à la racine même, les réclamations des travailleurs contrarient les idées reçues. Jean-Baptiste Gagnepetit revendique pour les ouvriers des droits élémentaires:[14]

Le droit qu'ont les ouvriers de se réunir, de s'associer, de tenir des assemblées à huis-clos, s'ils le jugent convenable, est indéniable: et c'est en usant de ce droit avec sagesse, c'est en étudiant les questions sociales et leurs solutions, qu'ils sauveront la société, écartelée aujourd'hui entre les capitalistes qui veulent tout prendre et les anarchistes qui veulent tout détruire.

Tout est association aujourd'hui: les assurances sont syndiquées, les chemins de fer, les voituriers de tous genres, les télégraphes, les havres, les exploitations de bois, les raffineries de sucre, etc., tout enfin est combiné, monopolisé, syndiqué. Pourquoi toutes ces combinaisons, toutes ces agglomérations d'intérêts; sinon pour exploiter jusqu'à sa limite extrême la puissance d'achat des consommateurs? C'est contre cette exploitation qui se traduisait par deux fléaux: l'abaissement des salaires et l'élévation du coût de la vie, que les ouvriers se sont ligués. Il y a-t-il (sic) *rien là qui ne soit légitime?*

A l'origine, des sociétés de secours mutuels regroupent les travailleurs. Plus importantes, les unions de métier exercent une

14 *La Presse*, 10 avril 1886.

influence certaine:[15]

Il n'y a rien de plus frappant que le contraste qui existe entre les districts où il y a des associations ouvrières et ceux où les principes de ces associations sont encore ignorés. Le progrès qui a été fait dans les villes où il y a beaucoup d'ouvriers, dans le sens d'établissement d'associations ouvrières démontre quelle est leur utilité.

L'influence syndicale marque si bien les travailleurs qu'en 1891, le 1er mai, fête internationale du travail, 15 000 Montréalais descendent dans la rue pour célébrer l'événement.

II. Essor de l'organisation ouvrière

Au sein du mouvement ouvrier, plusieurs tendances se développent et s'affirment. Vers 1890, deux formes d'organisation dominent, les unions de métier et les Chevaliers du Travail.

A. Les unions de métier

La première législation ouvrière canadienne datait d'une décennie seulement. En effet, en 1872, le Parlement canadien accordait aux ouvriers le privilège de s'associer sans s'exposer à des poursuites criminelles pour conspiration ou restriction au commerce.[16] Le dernier quart du XIXe siècle donnera lieu à une floraison d'unions ouvrières. Les activités manufacturières spécialisées favorisent les regroupements: les typographes, les travailleurs de la chaussure et les cigariers sont parmi les premiers ouvriers à s'associer. Les fraternités ou unions américaines recrutent des membres à Montréal. L'essor des organisations ouvrières est évident. En 1887, Jules Helbronner rencontre les travailleurs montréalais pour des séances d'information sur les activités de la CRCTC. Il note à son agenda: jeudi 22 décembre, association de la fermeture de bonne heure; vendredi 23 décembre, union des cigariers; samedi 24 décembre, union typographique, section française; lundi 26 décembre, association des travailleurs couturiers; mercredi 28 décembre, fraternité des charpentiers menuisiers; vendredi 30 décembre, union

15 CRCTC, *Rapport I*, p. 111.

16 «Acte concernant les associations ouvrières», S.C., 1872, ch. 30.

des mouleurs de fer; lundi 2 janvier, association des carossiers; jeudi 4 janvier, comité de la Dominion Assembly; dimanche 8 janvier, union typographique, section anglaise.[17] De nombreuses associations ne peuvent rencontrer le commissaire: sociétés de briqueteurs, de boulangers, de plâtriers, de souffleurs de verre, etc. Jacques Rouillard et Judith Burt signalent, pour la période 1880-1900, l'existence de 112 syndicats différents.[18]

Charles Lipton affirme, lui aussi, l'importance de Montréal comme centre du mouvement ouvrier.[19] Il signale la création de nouveaux syndicats après 1890: peintres et décorateurs, machinistes, coupeurs de pierre, plombiers, maçons, coupeurs de cuir, couvreurs. La prolifération de sociétés ouvrières, pour marquée qu'elle soit, n'atteint cependant pas la majorité des travailleurs:[20]

> *Nos organisations ouvrières canadiennes, non pas celles qui ont été purement fondées dans un but de secours mutuels mais celles qui ont été établies pour l'avancement moral et matériel de la classe ouvrière, sont d'existence trop récente pour me fournir la base d'une étude sérieuse.*

La pénétration du syndicalisme, même dans des secteurs réputés favorables, comme les cigariers, demeure faible. Le

---

17 *La Presse*, 24 décembre 1887.

18 Voir l'appendice à leur article («Le mouvement ouvrier» dans *Les travailleurs...*, pp. 61-111): «Répertoire des syndicats au Québec (1827-1900)», pp. 203-22, passim. Les indications fournies dans ce répertoire portent sur les années de fondation et de dissolution des syndicats ou, à défaut de ces renseignements, sur les années où ces syndicats se sont manifestés. Ce répertoire est constitué à partir de documents déjà utilisés (journaux, volumes, etc.). Il se peut que des syndicats aient connu plusieurs existences (ils sont alors comptés plusieurs fois), ou bien que leur existence ait été éphémère (c'est le cas de syndicats qui ne survivent pas à leur année de fondation). De plus, les statistiques sur le nombre de syndicats ne renseignent pas sur la proportion de travailleurs d'un même métier qu'ils regroupent. Enfin, la recherche est forcément limitée par les sources utilisées: des regroupements de travailleurs ont pu s'opérer dans certains métiers ou entreprises sans que la presse n'y fasse écho.

19 Charles Lipton, *The Trade Union...*, p. 79-80. Cet emprunt à Lipton impose une remarque: l'étude du mouvement ouvrier québécois me semble trop étroitement tributaire d'études (celles de Lipton, Logan, Kennedy, Martin) dont il faudrait élargir l'assise documentaire, vérifier les assertions. A répéter sans cesse les affirmations des mêmes auteurs, si respectables soient-ils, on arrive à créer des mythes historiographiques. Il faudrait pousser la recherche et découvrir des sources de première main qui jettent une lumière originale sur le sujet. Notons, au passage, que personne ne semble avoir étudié, d'un point de vue québécois, les *Reports of the Proceedings of the Annual Conventions of the American Federation of Labor*, les papiers *Powderly & Hayes, Knights of Labor*, deux séries documentaires disponibles sur microfilm.

20 *La Presse*, 11 avril 1885.

nombre d'adhérents à l'union des cigariers ne permet pas d'action énergique de la part des travailleurs. La CRCTC recueille, pour 1888, les chiffres suivants:[21]

TABLEAU XIV

Nombre de travailleurs syndiqués dans les fabriques de cigares à Montréal en 1888

nom des entreprises	hommes de l'union	hommes n'étant pas de l'union	apprentis	apprentis garçons	apprentis filles	écoteuses	ouvrières mariées	ouvriers célibataires	femmes à la journée	total des cigariers
JM Fortier	14	111	75	50	25	45	30	95	30	275
S Davis & fils	75	67	185	125	60	100	47	67	30	457
Tassé & Wood	15	—	33	33	—	30	—	—	15	96
Rattray	15	19	—	12	—	20	—	—	19	85
H Jacob	50	—	—	—	—	30	20	30	—	80
Smith & Fichel	9	25	40	20	20	20	6	28	20	114
P Pelletier	12	2	2	—	—	3	4	8	—	19
Goulet & frères	—	10	17	17	—	8	—	—	—	35
T Larue	—	1	2	2	—	—	—	1	—	3
P Jones	—	1	5	5	—	—	1	—	—	6
H Swain	5	—	5	4	1	7	3	2	—	27
S Foret	—	1	6	6	—	2	1	1	—	9
V Foret	—	—	4	4	—	—	—	—	—	4
S Clough	—	—	10	6	4	—	—	—	—	10
Z Davis	—	1	5	5	—	2	—	1	4	18
Cardinal	—	7	—	—	—	3	—	—	—	10
Roman	6	17	—	3	—	4	—	—	2	32
	192	262	389	282	110	274	112	233	120	1264

Source: CRCTC, vol. I, p. 35.

21 Ces chiffres sont sujets à caution: ils sont déposés devant la commission par un ouvrier cigarier; les commissaires ne portent pas de jugement sur ces statistiques. On sait, par ailleurs, que Montréal compte vingt-six fabriques de cigares, en 1891 (*Recensement du Canada, 1890-1891*, vol. IV, p. 109) qui emploient 1822 travailleurs (*Recensement du Canada, 1890-1891*, vol. III, p. 105). Pour sa part, un surintendant de la compagnie MacDonald affirme que son entreprise emploie au-delà de 1000 cigariers, en 1888 (CRCTC, vol. I, p. 618). Néanmoins, rien n'indique que la proportion d'employés syndiqués soit différente.

Sur 1264 cigariers, seulement 192 sont membres de l'union soit 15.2%. Dans plusieurs fabriques, il n'y a aucun syndiqué. Une entreprise se détache nettement des autres: H. Jacob, où se regroupent cinquante travailleurs de l'union sur quatre-vingts cigariers. Ces chiffres tempèrent les affirmations globales et rassurantes de plusieurs historiens.[22] Des abus sont relevés même à des endroits où la proportion de membres de l'union est relativement forte. Chez Tassé & Wood, on impose arbitrairement des amendes aux hommes pour des cigares mal faits. De l'aveu même d'un travailleur, l'union, qui regroupe quinze hommes sur quatre-vingt-seize, n'arrive pas à faire corriger ces abus.[23]

Des pressions s'exercent pour accélérer l'adhésion des travailleurs aux associations ouvrières. En 1883, des plâtriers montréalais débrayent quatre jours afin d'obtenir le congédiement de plâtriers non syndiqués; leur protestation demeure vaine.[24] La même année, les typographes du *Montreal Star* imitent leur geste, sans plus de succès. Par ailleurs, les employeurs exercent une influence contraire: on refuse d'embaucher un travailleur syndiqué ou on en congédie un autre parce qu'il appartient à l'union.

B. Les Chevaliers du Travail

L'action locale et sectorielle des unions de métier s'appuie, de 1883 à 1895, sur les Chevaliers du Travail, dont l'activité polymorphe diffuse une influence difficile à évaluer. C'est un fait que l'organisation ouvrière demeure embryonnaire jusqu'à l'arrivée des Chevaliers du Travail, dans les années 1880-1890. En 1882 et 1883,[25] ceux-ci fondent leurs premières loges: «Dominion, no. 2436» et «Assemblée Ville-Marie, no. 3484». Le mouvement amorcé, d'autres assemblées s'ajoutent. Les Cheva-

22 R. Rumilly, *Histoire de la province de Québec*, tome VI, p. 309, et Harold Logan, *Trade Union in Canada*, Toronto, Macmillan, 1948, p. 48-49.

23 CRCTC, vol. I, p. 59.

24 J. Hamelin, P. Laroque, J. Rouillard, *Répertoire...*, p. 77.

25 En 1882-83, selon D.R. Kennedy: *The Knights of Labor in Canada*, London, University of Western Ontario Library, 1956, p. 37. Point de vue partagé par F. Harvey, *Aspects historiques du mouvement ouvrier au Québec*, Montréal, Boréal Express, 1973. Ailleurs, on suggère 1883-1884 comme années de fondation des premières loges. (*La Presse*, 24 juin 1893.)

liers obtiennent un succès rapide: en 1887, ils sont 2550 à Montréal, groupés en trente-huit assemblées.[26] L'originalité de ce mouvement américain suscite l'intérêt des ouvriers.[27] En 1893, à l'occasion de la fête de la Saint-Jean-Baptiste, *La Presse* publie un numéro spécial. Une page entière est consacrée au mouvement ouvrier.[28]

C'est de l'établissement des Chevaliers du Travail que date réellement le mouvement ouvrier à Montréal. En agrandissant le champ d'opération des sociétés ouvrières, en s'occupant des intérêts généraux de la classe des travailleurs, les Chevaliers du Travail ont montré aux associations ouvrières le rôle qu'elles étaient appelées à jouer pour le plus grand bien des ouvriers et la paix sociale depuis 1883. Avant ce temps, il existait bien quelques unions de métier, mais leur influence était nulle. Isolées les unes des autres, ne connaissant aucun des principes, même les plus élémentaires, qui gouvernent les questions sociales, souffrant du despotisme du capital, elles étaient incapables de s'y soustraire, ignorant les remèdes à employer pour améliorer la condition de leurs membres. (...) La fondation des assemblées de Chevaliers avait eu pour résultat indirect de renforcer les unions de métier, d'augmenter le nombre de leurs membres et de les transférer en associations importantes. Grouper tous les ouvriers en un seul faisceau, c'était assurer le succès de la lutte, c'est à ce résultat que tendirent les efforts et les travaux des officiers de la «Ville-Marie».[29]

Le rôle imparti aux Chevaliers du Travail correspond à leurs principes mêmes. A l'heure où des unions favorisaient les intérêts de quelques travailleurs, «l'idée des Chevaliers du Travail n'était pas tant d'organiser des unions de métier que d'édifier une structure organique de toute la classe ouvrière».[30]

---

26 C. Lipton, *The Trade Union...*, p. 69. F. Harvey donne un nombre de 64 assemblées, au Québec, de 1882 à 1902. (*Aspects...*, p. 51.) Pour sa part, Jacques Rouillard dénombre cinq assemblées de district et 61 assemblées locales à Montréal, pour la même période. (*Les travailleurs...*, appendice, pp. 218-220.)

27 Pour un historique des Chevaliers du Travail aux États-Unis et au Canada, voir D.R. Kennedy, *The Knights...*, et F. Harvey, *Aspects...*

28 *La Presse*, 24 juin 1893.

29 Les affirmations du rédacteur de *La Presse* sont sujettes à caution; en effet, *La Presse* a toujours revendiqué un leadership ouvrier. Elle fait volontiers coïncider l'essor de l'organisation ouvrière avec la fondation du journal. Néanmoins, le témoignage conserve sa valeur.

30 J.P. Desprès, *Le mouvement ouvrier canadien*, Montréal, Fides, s.d. p. 40.

Leur objectif n'est pas de défendre un corps de métier ou un groupe de travailleurs en particulier. Ils entendent se vouer à la protection et à l'éducation de tous les travailleurs. Substitution du salariat par le coopératisme et la participation des travailleurs à la gérance et aux bénéfices de l'entreprise, action politique non partisane, les Chevaliers préconisent, en fait, une transformation profonde du régime économique et politique par la participation éclairée des travailleurs, alors que les unions de métier se bornent à lutter pour des augmentations de salaires et la diminution des heures de travail. Transformation ne signifie pas révolution; les Chevaliers repoussent la violence. Ils mettent leur espoir dans la formation des ouvriers, l'agitation et la participation politique. Actions à long terme, les réformes préconisées se réaliseront grâce à la cohésion, à la discipline des masses ouvrières. Refus de la violence, et qui plus est, réticence marquée à l'égard d'armes économiques que manient spontanément les ouvriers. En effet, s'ils acceptent la grève comme dernier recours, ils songent pourtant à l'exclure de l'arsenal des pressions syndicales pour lui substituer l'arbitrage, selon la formule française des conseils de prud'hommes.

Le programme établi par les Chevaliers du Travail, en 1885, illustre leur orientation.[31] Gagnepetit, qui a participé à la rédaction de ce texte, le juge «très modéré dans le fond».[32] Ce programme propose un train de réformes concernant l'instruction, la justice, le travail, la santé publique et les droits politiques. Au chapitre de l'instruction publique, on demande que les patrons qui emploient des enfants ne sachant ni lire ni écrire, soient obligés de leur permettre de se rendre à l'école à des jours et des heures déterminés, et que soient créées des écoles du soir et des bibliothèques populaires. Au chapitre de la justice, on exige la suppression de la saisie mobilière contre les salariés débiteurs; la fixation d'un maximum de la saisie-arrêt, pour l'assemblée des créanciers, à 15% du salaire avec pouvoir accordé aux juges d'abaisser ce maximum selon la nature de la dette et la situation du débiteur; la création d'un tribunal d'arbitres, composé également de patrons et d'ouvriers, ayant juridiction dans toutes les questions et contestations concernant le travail et le salaire; le remplacement de l'Acte des

31 *La Presse*, 5 décembre 1885.
32 *La Presse*, 24 juin 1893.

Maîtres et Apprentis, qui traite les ouvriers et apprentis comme des criminels, par des règlements «plus conformes à la civilisation moderne»,[33] qui seront appliqués par des tribunaux d'arbitres et non par des magistrats de police; le remplacement de la loi Taillon — Acte des Manufactures de 1885 — «par un acte sensé et humain». Au chapitre du travail, on demande la suppression, dans les manufactures, du travail des enfants de moins de quatorze ans; la journée de huit heures pour les femmes et les enfants; l'intervention d'un tribunal d'arbitrage dans tous les contrats d'apprentissage; la suppression, dans les prisons, des travaux faisant concurrence à l'industrie; la suppression de l'immigration assistée, hormis les immigrants de la classe agricole. Au chapitre de la santé publique, on réclame l'application et l'amélioration des lois concernant la salubrité des manufactures, la construction et l'entretien des résidences et des égouts. Au chapitre des droits politiques, les demandes portent sur la suppression du cens d'éligibilité au parlement provincial et aux conseils municipaux, et sur la suppression de la corvée.

En janvier 1886, plusieurs unions de métier acceptent cette charte et proposent la collaboration avec les Chevaliers du Travail. Le regroupement donne naissance au Conseil central des Métiers et du Travail. L'essor et la ramification d'une association ouvrière qui défend des principes aussi radicaux que l'égalité de rémunération selon les sexes pour un même travail, la nationalisation des services publics et l'instauration d'un impôt progressif sur le revenu inquiètent de nombreuses personnes.[34] Le soupçon devient menaçant lorsque l'on considère le caractère secret de l'Ordre des Chevaliers du Travail. Les pressions de Mgr Taschereau incitent le Saint-Office à promulguer un décret défendant aux catholiques d'adhérer aux Chevaliers du Travail. La condamnation de Mgr Taschereau (1885) frappe durement l'organisation. De nombreux membres quittent l'Ordre. La moitié des assemblées locales de Montréal se révèlent incapables de payer leurs obligations financières; les contributions des membres se tarissent.[35] Cependant, un bon

33 Ibidem.

34 Voir la déclaration de principes des Chevaliers du Travail. (A.T. Lépine, *Explications...*, passim.)

35 D.R. Kennedy, *The Knights...*, p. 88. «Prominent business men, continually urged the Church to condemn the Order on the grounds that it was plotting a socialistic revolution.»

nombre de Chevaliers résistent aux menaces de l'épiscopat. Le mouvement de désobéissance atteint des proportions telles que les pasteurs recourent à la privation des sacrements pour ramener leurs ouailles à de meilleurs sentiments.[36]

La méfiance de l'Église catholique à l'égard des Chevaliers du Travail n'est pas limitée au Québec. Aux États-Unis, le secret qui entoure les Chevaliers, certains rites tel le serment imposé aux membres, rendent l'organisation suspecte à plus d'un évêque. L'incident du Haymarket, qui implique des anarchistes parmi lesquels figure un Chevalier du Travail, étoffe les préventions de la hiérarchie cléricale. Les cardinaux Manning et Gibbons s'opposent à un courant nord-américain et non seulement québécois ou canadien. «D'éminents hommes d'affaires, écrit D.R. Kennedy, pressaient continuellement l'Église de condamner l'Ordre en disant qu'il tramait une révolution socialiste.»[37] L'hostilité des autorités ecclésiastiques à l'égard des Chevaliers repose en partie sur des équivoques ou une incompréhension évidente. En 1886, le Grand Maître Ouvrier, Terence V. Powderly, rencontre Mgr Fabre; celui-ci accuse les Chevaliers d'encourager le divorce. Son jugement s'appuie sur un article des règlements de l'Ordre: «Le membre dont l'épouse vend des spiritueux doit divorcer de sa femme ou de l'Ordre; ce dernier divorce peut se faire sous la forme d'une carte de démission.»[38] Selon un travailleur, «les Chevaliers du Travail ont fait plus de bien à la cause de la tempérance qu'aucune société de tempérance. Cette union enseigne aux ouvriers à agir et se conduire en homme.»[39]

Les décisions de Mgr Taschereau rencontrent de la résistance, au Québec même. Mgr Fabre, pourtant critique à l'égard des Chevaliers, ne partage pas entièrement les vues du cardinal Taschereau. Il s'oppose à l'intrusion de l'évêque québécois dans les affaires du diocèse de Montréal. Lutte de pouvoir à l'intérieur de l'institution ecclésiastique ou défense des Chevaliers du Travail, peu importe le motif, il reste que le cardinal Taschereau ne rallie pas l'opinion unanime de

36 Ibidem, p. 89-90.
37 Ibidem, p. 91.
38 Ibidem, p. 89. «The member whose wife sells liquor must obtain a divorce either from his wife or the Order; the latter can be obtain in the form of a withdrawal card.»
39 CRCTC, vol. I, p. 580.

l'épiscopat québécois.[40] Le journal montréalais *True Witness and Catholic Chronicle* réfute les arguments qui sous-tendent la condamnation. Devant les objections d'évêques américains et de cercles catholiques favorables au mouvement ouvrier, le Saint-Siège retire sa condamnation en 1888.

L'interdit jeté sur les Chevaliers, s'il ralentit le développement de l'organisation, n'enraye toutefois pas ses activités. Ils continuent en effet de défendre leurs principes sur plusieurs plans. Les Chevaliers soutiennent un procès contre le conseil municipal pour l'abolition de la corvée. En 1887, une grève dans une fabrique de valises provoque le congédiement des employés. Pour parer ce lock-out, les travailleurs, inspirés par les Chevaliers du Travail, décident de former une coopérative pour la fabrication de valises.[41] Obéissant à la même inspiration, les Chevaliers proposent, en 1891, un autre acte de solidarité ouvrière. La veuve d'un employé du Canadian Pacific Railway, mort d'un accident de travail, désire obtenir des indemnités. Elle engage une poursuite et son avocat défraie le coût des procédures. L'avocat s'avoue incapable d'assumer les frais d'une cause portée en Angleterre. Le Conseil central des Métiers et du Travail invite les sociétés ouvrières à souscrire un montant de $900. On fait appel à la générosité des travailleurs: on lance une loterie.[42]

La presse ouvrière démontre la vitalité des organisations ouvrières. Plusieurs titres apparaissent et s'envolent rapidement. Quelques journaux, *Le Travailleur illustré*, *Le Travailleur de Lévis*, sous des noms apparemment engagés, proposent un contenu anodin ou bien s'acoquinent à des intérêts franchement partisans. Par contre, A.T. Lépine publie un hebdomadaire destiné aux travailleurs: *Le Trait d'Union*. Cette feuille paraîtrait de 1887 à 1898.[43] On y commente les activités des Chevaliers du Travail; on y traite de sujets intéressant les travailleurs, enseignement professionnel, loyers, coopération, etc. Du côté anglais, *The Canadian Workman* joue un rôle semblable.

---

40 F. Harvey, *Aspects...*, p. 60.

41 J. Martin, «Les Chevaliers du Travail et le syndicalisme international à Montréal.» Thèse de M. A. (Relations industrielles), Université de Montréal, 1965, p. 41-42.

42 *La Presse*, 3 décembre 1891.

43 Il est impossible de retrouver la collection du *Trait d'Union*. Tout au plus ai-je pu retracer deux numéros: 17 février 1887 et 15 novembre 1888.

De 1885 à 1900, unions de métier et Chevaliers du Travail s'associent pour défendre les intérêts des travailleurs montréalais. Collaboration souvent fructueuse, mais aussi marquée de nombreux conflits. Le programme des Chevaliers, diffusé à l'automne 1885, reçoit l'approbation de plusieurs unions ouvrières; celles-ci proposent le rassemblement des unions de métier et l'adoption des principes défendus par les Chevaliers du Travail. Dès février 1886, le Conseil central des Métiers et du Travail voit le jour. Louis Guyon en assure la présidence.[44] Les travailleurs montréalais hésitent à participer à l'organisation et aux activités du Congrès des Métiers et du Travail du Canada, fondé en 1886. En 1889, cependant, le Congrès se réunit à Montréal et un Chevalier du Travail canadien-français, Urbain Lafontaine, y est élu président. Chevaliers et syndicats collaborent tant bien que mal au sein de l'organisme national jusqu'à la fin du XIXe siècle. Cette participation à des activités communes n'abolit pas, néanmoins, les différences et les divergences qui persistent entre Chevaliers du Travail et unions de métier, la plupart internationales. Ces luttes sont souvent l'écho de l'épreuve de force que se livrent aux États-Unis l'American Federation of Labor de Samuel Gompers et les Chevaliers du Travail. A mesure que leur influence s'estompera, les Chevaliers seront peu à peu exclus des organisations locales et nationales. En 1896, on lit dans *La Presse*:[45]

On travaille actuellement à organiser à Montréal un nouveau Conseil qui se composerait des sociétés ouvrières affiliées aux unions internationales faisant partie de la Fédération américaine du Travail. Les promoteurs de ce projet croient, par ce moyen, pouvoir détruire les sociétés ouvrières indépendantes et les Chevaliers du Travail à Montréal.

Contestés par les unions internationales, les Chevaliers du Travail sont aussi livrés à des tensions internes. Émanation américaine, les Chevaliers suscitent la suspicion des autorités religieuses mais aussi des travailleurs canadiens-français. En 1886, ceux-ci menacent de se retirer d'une assemblée de district de Montréal. Pour prévenir cette scission, les dirigeants

---

44 Lui succéderont: J. Corbeil, T. Godin, U. Lafontaine, J. Béland, L.Z. Boudreault, U. Dubrueil, (J. Martin, «Les Chevaliers...», p. 70.)

45 *La Presse*, 23 mars 1896, citée par J. Martin, ibidem, p. 79.

s'engagent à traduire en français tous les documents officiels de l'assemblée générale ainsi que la constitution. Les travailleurs francophones n'en fondent pas moins leur propre assemblée.[46] Pour sa part, le Grand Maître Ouvrier, un Américain, redoute les travailleurs québécois. Il écrit à leur sujet:[47]

Il y a tellement d'anarchistes au Canada, ils ont de bonnes raisons d'être méfiants. Les Français sont plus difficiles à diriger que les autres peuples. Nous avons quelques anarchistes aux États-Unis, mais pas de cette dangereuse catégorie. Les Français sont d'un caractère vraiment différent. Nous pouvons prendre nos gens et les rassembler en un groupe solide d'un bout à l'autre de la rue du Marché et il n'y aura pas de grabuge. Mais prenez un nombre égal de Français et le résultat va être grave.

L'Ordre est-il victime de ces réticences réciproques? Son déclin général, aux États-Unis, d'abord, puis au Canada, relève plutôt d'un aspect structural. Les Chevaliers du Travail, recrutant leurs membres dans différentes classes d'ouvriers, répondaient aux menaces d'un capitalisme industriel où s'amorçait à peine la division du travail. Ils proposaient une solution intéressante aux prolétaires dont les revendications salariales ne s'exprimaient qu'au risque de leur emploi. La nature et les objectifs de l'Ordre expliquent à la fois son succès et son échec. L'idéalisme qu'il véhiculait, ses attaques contre la concentration de la richesse, son désir de réforme économique, l'importance accordée à l'éducation et à l'action politique des travailleurs, ses assemblées publiques où tous les ouvriers pouvaient prendre parti, proposer leurs solutions, sa confiance en l'arbitrage, voilà autant de traits qui le distinguent des unions de métier et l'imposent à l'attention des travailleurs à la recherche d'une solution globale. A l'usage, cependant, la théorie des Chevaliers se brise sur l'écueil des relations avec les patrons qu'il faut mener à ras de terre, avec les armes qu'impose la puissance de l'adversaire.

---

46 Ibidem, p. 28-29.

47 T.V. Powderly cité par C. Lipton dans *The Trade Union...*, p. 69. «There are so many anarchists in Canada, they have reason to be suspicious. The French are much harder to manage than other people. We have some anarchists in the United States, but not of the dangerous class. The French are of a very different temperament. We can take our people and pack them in a solid mass from one end of Market street to the other and there will be no horror. But take an equal number of Frenchmen, and the result will be serious.»

III. La grève

L'étude des grèves menées par les travailleurs montréalais illustre justement la difficulté de leur lutte et l'inefficacité des solutions mises de l'avant par les Chevaliers. Le XIXe siècle voit naître et se développer la grève. Perçue, à son origine, comme un fait coupable, la grève ne s'est pas encore imposée à l'opinion publique comme un phénomène économique. Le recours à la grève est contesté par une partie importante de l'opinion. En 1888, lors de la grève des typographes de Québec, Jules-Paul Tardivel, propriétaire de *La Vérité*, et François-Xavier Trudel, de *L'Étendard*, nient aux ouvriers le droit à la grève. Pour un rédacteur du *Monde,* «la grève est l'arme la plus dangereuse et l'instrument le plus mortel que l'on puisse imaginer».[48] Le journaliste exalte le respect de la hiérarchie sociale et, à l'aide d'une fable de LaFontaine, il élabore une théorie organiciste selon laquelle l'ouvrier se châtie en s'attaquant à son patron. J de L brosse le tableau d'une grève: si l'employeur écarte les demandes des ouvriers et ferme son atelier, c'est le chômage; au contraire, s'il cède, ses affaires périclitent, et c'est à nouveau le chômage. Devant cette évidence, déclare le journaliste, il convient d'attendre que le salaire augmente par la force même des lois de l'offre et de la demande, à la faveur de profits croissants. Il conclut:[49]

Eh bien, que les ouvriers me comprennent bien, qu'ils n'écoutent pas les meneurs insensés qui, pour satisfaire leur passion haineuse, fille de la paresse, les entraînent dans de pareils pièges.

Les employeurs nourrissent ce préjugé hostile à la grève en utilisant des tactiques qui sapent l'efficacité de l'action ouvrière. Le recours aux briseurs de grèves constitue une arme courante. Le président du Grand Trunk Railway déclare aux actionnaires londoniens qu'il a suffi de quelques mouleurs britanniques pour désamorcer la menace de grève des employés canadiens-français de Montréal.[50] En 1883, une compagnie de verre fait venir cinquante ouvriers français; en 1885, le

48 *Le Monde*, 26 mars 1892.
49 Ibidem.
50 A.W. Currie, *The Grand Trunk...*, p. 345.

fabricant de cigares Sam Davis invite 240 cigariers allemands. Le problème atteint des proportions telles qu'un comité d'enquête est formé à la Chambre des Communes en 1890 pour vider la question.

Pour leur part, les travailleurs ne réalisent pas l'unanimité autour de la légitimité et de l'efficacité des arrêts de travail. Certes, les unions de métier en usent à l'occasion. Cependant, les Chevaliers du Travail redoutent l'utilisation de la grève, ils lui préfèrent l'arbitrage. Ils proposent à tous les ouvriers, fussent-ils ou non membres de l'Ordre, leur arbitrage en cas de négociations salariales ou de conflits. La formule des Chevaliers veut répondre à un problème difficile des relations de travail. Les porte-parole ouvriers qui tentent de prévenir une diminution de salaire ou d'obtenir des gages supérieurs risquent un congédiement. Les Chevaliers s'offrent à jouer un rôle d'intermédiaire entre les deux parties afin de favoriser une entente entre patron et employés. L'harmonie des intérêts du Capital et du Travail sous-tend la proposition des Chevaliers. Or, l'arbitrage des Chevaliers se heurte à la méfiance des patrons. A l'époque où sévissent les lois de la jungle économique, les Chevaliers du Travail utilisent un outil inefficace. Le chef de l'Ordre, T.V. Powderly, écrit à propos des grèves:[51]

Il n'a jamais été dans l'intention de ceux qui ont fondé et édifié les Chevaliers du Travail de recourir à la grève comme premier moyen dans le règlement de conflits entre employeur et employé. Avant ma première élection comme Grand Maître Ouvrier, j'ai fait connaître ma position sur la question de la grève et j'ai affirmé que je ne serais jamais favorable à une grève jusqu'à ce que je fusse convaincu: premièrement, que la cause était juste; deuxièmement, que tous les moyens raisonnables avaient été utilisés pour éviter la grève; troisièmement que les

---

51 T.V. Powderly cité par D.R. Kennedy, *The Knights...*, p. 65. «It never was the intention of those who founded and built up the Knights of Labor to resort to the strike as first aid in the settlement of differences between employer and employed.
Prior to my first election as Grand Master Workman I declared my position on the strike question and stated that I would never favor a strike until I became convinced:
First: that the cause was just,
Second: that every reasonable means had been resorted to avert the strike,
Third: that the chances of winning were at least as good as the prospect of losing,
Fourth: that the means of defraying the expenses of the strike and assisting those in need were in the treasury or in sight of it.»

chances de succès étaient au moins aussi bonnes que les perspectives d'échec; quatrièmement, que les moyens de rembourser les dépenses de la grève et d'assister ceux qui étaient dans le besoin étaient dans la trésorerie ou près de l'être.

Gagnepetit exprime aussi sa réticence à l'égard de ce moyen de pression:[52]

Les grèves ont presque toujours été ruineuses pour les salariés qui les ont faites; même pour ceux qui sont bien organisés. (...) De plus le salarié qui a réussi à améliorer sa position par la grève, en dehors presque toujours de toute raison sérieuse, perdra par la force des choses dans un temps très rapproché le bénéfice moral et matériel qu'il n'aura obtenu que par de grands sacrifices.

Les grèves seront bientôt complètement abandonnées et les intéressés auront recours à des moyens plus éclairés pour résoudre leurs différends. (...) Les rapports entre salariés et patrons tendent grâce à la force que présentent les associations ouvrières à s'harmoniser. Le patron n'est plus l'homme omnipotent du temps passé, et le salarié n'est plus l'impuissant qui avait recours à la force brutale de la grève parce qu'il se sentait, par son isolement, incapable de lutter moralement contre le capital et les capitalistes.

Aussi, dans cette perspective, ne faut-il pas s'étonner de lire dans *La Presse*, le 2 novembre 1887:[53]

Une autre mesure également salutaire et d'un grand sens pratique a été adoptée par les Chevaliers à cette convention,

52 *La Presse*, 12 septembre 1885. Les préventions à l'égard des grèves se renforcent d'une critique sur les moeurs syndicales: «Au lieu de ces assemblées tumultueuses et dans lesquelles quelques-uns souvent dominent la masse, je voudrais que la grève soit décidée par l'ensemble des ouvriers, *au scrutin secret* (souligné de Gagnepetit). C'est le seul moyen pour les ouvriers d'affirmer leur volonté en toute liberté et pour ceux qui dirigent le mouvement actuel de dégager leur responsabilité.» (*La Presse*, 2 mai 1885.) Voir aussi A.T. Lépine, *Explication...*, p. 23. Malgré les fortes réticences de Powderly et d'Helbronner, il ne semble pas que les grèves, de 1880 à 1900, aient été à ce point néfastes. John I. Griffin, après une analyse des grèves américaines de 1880 à 1937, établit que, pour la période de 1881 à 1904, au-delà de 50% des grèves sont fructueuses (John I. Griffin, *Strikes. A Study in Quantitative Economics*, New York, Columbia University Press, 1939, p. 92). Pour sa part, Michelle Perrot dresse un bilan des grèves en France de 1870 à 1891: 56% des grèves emportent un succès complet ou mitigé. (Michelle Perrot, *Les ouvriers en grève. France 1870-1891*, Paris, Mouton, 1974, p. 65.)

53 Cité par J. Martin dans «Les Chevaliers...», p. 45.

c'est l'abolition du fond d'assistance qui constituait en quelque sorte une prime aux grèves. (...) Cette clause est donc un préventif aux grèves.

La CRCTC confère un cachet officiel à ce courant d'opinion:[54]

Dans les pays étrangers l'existence des associations ouvrières a donc eu pour résultat de faire naître entre le travail et le capital des relations grâce auxquelles les grèves seront avant peu chose du passé et seront remplacées par les conseils d'arbitrage. Tel est le but des ouvriers canadiens; cela est démontré par leurs témoignages devant la commission.

Ce point de vue officiel contredit un autre courant, secondaire mais non négligeable, de l'opinion ouvrière. Le mouvement des grèves se maintient, souvent spontané, fluctuant au gré des saisons et des années. Des statistiques font malheureusement défaut, qui permettraient de mesurer l'ampleur du phénomène, d'établir des relations avec d'autres paramètres de la conjoncture (prix, salaires). L'absence totale de statistiques ouvrières avant le début du XXe siècle impose des recours hasardeux. Ainsi, une compilation sommaire des grèves au XIXe siècle permet quelques conjectures.[55] De 1875 à 1883, on dénombre quarante-huit grèves à Montréal, avec un sommet en 1880-1881 où se déroulent dix arrêts de travail par année:

---

54 CRCTC, *Rapport I*, p. 111.

55 Les chiffres concernant le mouvement de grèves sont tirés de J. Hamelin, P. Larocque, J. Rouillard, *Répertoire*.... Leurs renseignements, bien que lacunaires, sont la seule documentation facilement accessible. Il faut bien mesurer la précarité de cette documentation. Celle-ci est tirée d'un nombre relativement limité de journaux de l'époque. Or, rien n'est moins sûr que le journal, surtout à cette époque où les concepts d'information, d'exactitude, n'avaient pas la même signification ni les mêmes applications que de nos jours. Michelle Perrot marque sa réticence à l'égard de cette source documentaire: «L'apport de la presse à l'étude des grèves est à la fois occasionnel et qualitatif. On ne saurait s'y fier pour reconstituer la série des conflits: les journaux n'ont ni les moyens ni l'envie de les connaître tous; pas plus que pour mesurer leurs dimensions: durée, effectifs, résultats des grèves sont des données qui font généralement défaut. C'est que d'évidence, la presse n'est pas destinée à l'historien, ni au statisticien.» (Michelle Perrot, *Les ouvriers*..., p. 35.) A partir d'une documentation lacunaire, il devient malaisé de chercher des corrélations entre différents indices de la conjoncture. La difficulté éprouvée par Paul Larocque («Les grèves» dans *Les travailleurs*..., pp.113-149) à discerner une rationalité économique dans le mouvement des grèves au Québec provient sans doute de la minceur du matériel statistique qu'il utilise. Les études de John I. Griffin et de Michelle Perrot semblent prouver qu'il y a lieu de chercher, dans les fluctuations du nombre des grèves, une réponse, pas toujours univoque et simple, à différentes pressions économiques. En l'absence d'une documentation extensive, force est de limiter l'observation à quelques généralités.

1875	3 grèves
1877	7 grèves
1878	2 grèves
1879	2 grèves
1880	10 grèves
1881	11 grèves
1882	8 grèves
1883	6 grèves

De ce nombre, cinq seulement sont des protestations contre des diminutions de salaire. Par contre, trente et une exigent des augmentations salariales. Les dix arrêts de travail de 1880 ont pour objectif un réajustement du salaire. En 1881, six des dix grèves visent le même but. Ce fort courant de revendications répond probablement aux effets de la dépression de 1873-1879. Les ouvriers ont lutté contre la chute de leurs salaires; de 1875 à 1877, on retrouve quatre des cinq grèves pour protester contre des diminutions de salaires. Les travailleurs ont dû se contenter de salaires de famine. En 1880, la situation s'améliore légèrement: ils se lancent spontanément dans un mouvement pour la restauration des anciens taux de salaire. Cette tendance fait long feu. Aussi, le nombre de grèves diminue de 1884 à 1894:

1884	3 grèves
1885	4 grèves
1886	6 grèves
1887	5 grèves
1888	1 grève
1889	2 grèves
1890	6 grèves
1891	2 grèves
1892	2 grèves
1893	4 grèves
1894	4 grèves

Ces quarante grèves touchent 6175 travailleurs montréalais. La moyenne annuelle: quatre grèves et 617 ouvriers. Certes, le nombre de grévistes varie: la grève des charpentiers, en 1894, entraîne 1900 hommes; celle des tonneliers de Campbell & Sons, dix-neuf hommes seulement. Les unions de métier américaines affirment leur leadership dans ces grèves.

Pour quels motifs ces arrêts de travail surviennent-ils? Une première constatation: les demandes d'augmentation de salaires ne constituent pas la seule raison des débrayages: elles expliquent dix-sept grèves sur quarante. Dans huit cas, il s'agit d'une protestation contre des baisses de salaire. Dans trois cas, on s'insurge contre des exactions ou des amendes sur le salaire. Deux grèves ont lieu par solidarité pour des ouvriers congédiés, deux autres pour appuyer un contremaître congédié à cause de sa sympathie pour ses subordonnés. Ailleurs, le débrayage exprime une protestation contre le contremaître, contre le travail dans les prisons, contre l'immigration des travailleurs spécialisés. L'explication proposée par Gagnepetit éclaire ces chiffres:[56]

Les règlements injustes font naître un plus grand nombre de grèves que les questions de salaires. Il est injuste d'obliger des ouvriers à travailler des jours de fêtes religieuses, de leur imposer des amendes, de les forcer à donner leur temps sans rémunération, comme doivent le faire les ouvriers travaillant aux pièces, et certains bateliers de Québec par exemple.

Il est injuste de refuser du travail aux ouvriers parce qu'ils appartiennent à une société ouvrière; de les payer irrégulièrement, de leur faire des retenues de salaire, de les laisser à la merci de la fantaisie plus ou moins tyrannique d'un contremaître, etc.

Les grèves surgissent plus de tous ces abus que de la question des salaires.

Les résultats, heureux ou malheureux, des grèves justifient-ils la prévention de Gagnepetit et des Chevaliers du Travail? L'absence de renseignements précis oblige à écarter onze cas sur quarante. Pour sept grèves, le statu quo persiste; il s'agit, dans quatre cas, de congédiements de travailleurs: aucun n'est rembauché et les ouvriers retournent au travail sans condition, ou bien, il s'agit de demandes de hausses de salaire rejetées par l'employeur. Dans dix cas, la grève connaît une issue heureuse: les salaires augmentent (cinq grèves); le renvoi d'un contremaître est obtenu (une grève); la diminution de salaire prévue n'a pas lieu (une grève), etc. Cependant, dans douze autres cas, les exigences des travailleurs demeurent insatisfaites. Parmi ces débrayages infructueux, six ont pour objet des augmentations

56 *La Presse*, 23 avril 1892.

de salaire; elles entraînent le congédiement des grévistes. Ailleurs, les ouvriers s'objectent à des baisses de leurs gages, ceux-ci sont diminués (quatre grèves). De plus, lors d'une de ces grèves, les contestataires sont congédiés. Les autres débrayages constituent des ripostes à des congédiements. Au total, sur douze grèves malchanceuses, neuf entraînent le congédiement d'une partie ou de tous les grévistes. C'est près du tiers des débrayages qui coûtent leur emploi aux grévistes, soit environ 30% des grèves analysées.

Les arrêts de travail bénéfiques aux travailleurs se soldent, pour la plupart, par des succès faciles: sept grèves sur dix se règlent en trois jours ou moins. Dans les trois autres cas, la victoire récompense une lutte plus longue: dix-huit jours, trente-cinq jours... Dans le cas de Davis & Sons, il faut trois mois et cinq jours aux cigariers pour conjurer une baisse de leur salaire. Coûteuse victoire. Les grèves malchanceuses se soldent à moins de frais. On compte un arrêt de dix jours et, dans le cas des typographes du *Montreal Daily Herald*, de près de deux mois.

Ces débrayages donnent l'occasion à de nombreux briseurs de grèves d'accomplir leur besogne; ils illustrent néanmoins la solidarité syndicale qui anime certaines unions de métier. Lors du conflit entre le Grand Trunk Railway et ses employés, en 1893, des unions votent des fonds de secours aux grévistes: les charretiers, $500; les cigariers, $50. Des charretiers refusent, par solidarité, de charger des marchandises qu'ils ne font que transporter habituellement.[57] Durant leur grève de 1894, les charpentiers montréalais reçoivent $6 par semaine, grâce à l'appui de la centrale de Philadelphie, laquelle débourse un total de $5000. Vers la fin de la grève, qui dure plus d'un mois, des associations ouvrières de Montréal, cigariers, tailleurs de pierre, peintres, versent des allocations de secours aux charpentiers dans la misère. Aide substantielle: $5000.[58] Les cigariers de S. Davis & Sons, en 1894, reçoivent l'appui de l'Union internationale des Cigariers d'Amérique, soit $200 dès le début de la grève. Les dons, qui atteignent $2135 après un mois et demi de grève, affluent de partout: Montréal, Cincinnati, Brooklyn, London. Les Chevaliers du Travail organisent le

57 J. Hamelin, P. Larocque, J. Rouillard, *Répertoire...*, p. 116.
58 Ibidem, p. 119.

boycottage des cigares qui ne portent pas l'étiquette bleue de l'Union des cigariers.[59]

IV. Réformisme du syndicalisme montréalais

Le bilan des pressions syndicales sur le capital, de toute évidence, défavorise les travailleurs. Cependant, plusieurs conflits vigoureusement menés dénotent une organisation et une solidarité, présages d'une consolidation prochaine du syndicalisme montréalais. Par ailleurs, les activités multiples des unions de métier et des Chevaliers du Travail confirment la tendance profonde du mouvement ouvrier montréalais. Nettement réformiste, celui-ci n'aspire qu'à l'amélioration matérielle et morale de la condition ouvrière. Le programme des Chevaliers du Travail envisage plusieurs réformes importantes: nationalisation des services publics, impôt progressif sur le revenu. Néanmoins, ces articles de leur credo conservent un caractère nettement utopique. Ces traits n'altèrent pas la physionomie réformiste de l'ensemble du mouvement.[60] La lutte pour les salaires et pour l'amélioration des conditions de travail n'est somme toute qu'une incitation à l'expansion capitaliste et à la modernisation de l'entreprise. Si les articles de Jean-Baptiste Gagnepetit reflètent l'opinion des travailleurs montréalais, ceux-ci n'aspirent qu'à une amélioration de leur condition de vie. Ils rejettent tout bouleversement de l'ordre social. Les plus grandes réformes exigent, selon eux, une évolution graduelle. On rejette le principe de la lutte des classes. L'Association Ville-Marie des Chevaliers du Travail, après avoir proposé le programme ouvrier de 1885, conclut:[61]

Les réformes qu'elle propose seront non seulement approuvées et appuyées par les travailleurs, mais encore par les patrons. La réalisation de ces réformes aura pour résultat d'enrayer l'émigration des ouvriers américains, d'améliorer leur sort, et d'empêcher le retour de ces épidémies si fatales aux intérêts des patrons et des ouvriers et de perfectionner la main-

59 Ibidem, p. 121.
60 C'est la thèse d'Arenka E. Kovacs, «A Tentative Framework for the Philosophy of the Canadian Labour Movement.» *R.I.*, vol. XX, no 1 (janvier 1965), pp. 25-51.
61 *La Presse*, 5 décembre 1885.

d'oeuvre, ce qui ne peut qu'être favorable aux industriels et aux commerçants.

L'aspiration à la propriété constitue un motif de l'activité ouvrière; d'ailleurs l'accession de l'ouvrier à la propriété foncière apparaît à des esprits comme Gagnepetit comme un frein efficace à l'agitation anarchique ou socialiste qui menace toujours le mouvement ouvrier. Les travailleurs aspirent à la respectabilité; la reconnaissance de leurs associations par les autorités civiles les remplit d'aise. Dans *La Presse*, le 29 mars 1890, un journaliste insiste sur la participation importante des organisations ouvrières aux processions de la Fête-Dieu et de la Saint-Jean-Baptiste. En 1893, le maire de Montréal accepte de présider à l'ouverture du Congrès ouvrier; de plus, une invitation est faite aux membres des associations ouvrières par le comité du Monument Maisonneuve d'assister aux cérémonies de la pose de la première pierre du monument. Gagnepetit commente:[62]

Ces deux invitations démontrent que les ouvriers de Montréal ont, enfin, comme ouvriers, conquis leur place au soleil et que leur importance et leur existence sont reconnues et appréciées. (...) Connaissant quelque peu notre premier magistrat, je crois pouvoir affirmer que si les ouvriers de Montréal n'étaient pas les hommes paisibles, calmes et respectueux de la loi qu'ils sont, le maire se serait certainement refusé à ouvrir le congrès. Telle est du moins mon opinion.

La classe ouvrière de Montréal offre en effet ce spectacle unique au monde d'une population ouvrière qui s'est tracé un programme et qui, tranquillement, sans bruit, sans éclat poursuit la réalisation de ce programme en usant quelquefois de son influence électorale et d'autres fois des tribunaux.

Mais cette lutte continue pour l'amélioration de leurs conditions morales et matérielles est exempte, et c'est en cela qu'elle diffère de celle menée dans les autres pays, de dénonciations d'autant plus virulentes qu'elles sont inutiles contre le capital et les capitalistes.

Au début du réveil des ouvriers à Montréal leurs mouvements furent suivis avec quelque peu d'anxiété et beaucoup

---

62 *La Presse*, 12 août 1893.

d'ironie. «Nos gens aiment à être menés» entendis-je dire «et toutes ces associations tomberont avec leurs plates-formes avant six mois.»

Nos gens *(souligné par Gagnepetit) aimaient en effet être menés, mais ils avaient changé d'amour et voulaient être menés par des gens comme eux, par des leurs, par des chefs qui, pour rééditer un vieux mot, devaient les suivre puisqu'ils les commandaient.*

C'est dans le choix des chefs, que les politiciens combattus par ces hommes appelaient des meneurs avec une insolence dédaigneuse, que la population ouvrière de Montréal a été particulièrement heureuse. J'ai connu beaucoup de ces chefs ouvriers, j'ai eu avec un grand nombre d'entre eux des rapports très suivis et j'ai remarqué que presque tous les violents ou ceux qui ont voulu exploiter la classe ouvrière à leur profit ou qui n'étaient pas d'une honnêteté parfaite, disparaissaient tranquillement de la circulation, sans laisser de trace, succombant sous le vote adverse de leurs propres sociétés.

C'est à cette sagesse de la classe ouvrière qu'il faut rapporter les égards que lui ont témoignés, petit à petit, les autres classes de la société y compris celles que l'on désigne sous le nom de classes dirigeantes. Le rapprochement est des plus heureux et ne peut qu'aider à préserver Montréal de la présence de ce fléau social qu'on appelle «difficultés ouvrières».

Appelé enfin à participer à la vie sociale et aux cérémonies officielles, l'ouvrier se doit à lui-même de veiller avec un soin jaloux à ce que sa situation dans l'État ne soit pas amoindrie et surtout à ce que ses droits de citoyens ne soient pas mis en danger et même supprimés par sa propre faute.

Les relations des représentants ouvriers avec le gouvernement sont marquées au coin du même respect et du souci de gagner aux travailleurs la considération de leurs concitoyens. Dans *La Presse*, le 2 septembre 1893, Jean-Baptiste Gagnepetit fait paraître une lettre ouverte au Procureur général de la province, Thomas-Chase Casgrain. Il y presse le ministre de modifier la loi sur la saisie des salaires et de supprimer l'Acte des Maîtres et Serviteurs de la cité de Montréal. Le politicien fait parvenir au journaliste une réponse d'une insipidité traditionnelle: «Je me ferai un devoir d'étudier vos remarques avec beaucoup de soin et d'en venir à une décision qui sera utile à la classe ouvrière et à la société en général.»[63] Moment historique! proclame Gagnepetit:[64]

C'est la première fois qu'un ministre répond officiellement à un simple journaliste et c'est surtout la première fois qu'un ministre promet de prendre en considération et d'étudier des remarques faites sur cette question importante de la saisie des salaires et sur celle de «l'Acte des Maîtres et Serviteurs». L'honorable Procureur général a la réputation d'un travailleur et d'un homme aux idées larges et progressives, et on peut être assuré qu'il sortira des réformes équitables de l'étude qu'il promet de faire des questions sur lesquelles La Presse *a attiré son attention.*

Friedrich Engels notait le même travers chez les travailleurs britanniques:[65]

Ce qu'il y a ici (en Angleterre) *de plus révoltant, c'est que* la respectability (souligné dans le texte) *a pénétré dans le sang des ouvriers eux-mêmes. La division de la société en plusieurs couches hiérarchiques, ayant chacune son propre orgueil et un respect inné pour les* betters ou superiors (souligné dans le texte), *a des racines tellement anciennes et profondes que les bourgeois réussissent encore de nos jours à séduire, par leurs flatteries et leurs louanges, ceux qui sont au-dessous d'eux. Je ne suis pas du tout sûr, par exemple, que John Burns ne soit pas plus flatté d'être dans les bonnes grâces du cardinal Manning, du lord maire et de la bourgeoisie en général que de jouir de la popularité auprès de sa propre classe. Tom Mann lui-même, que je considère comme le meilleur de tous ces chefs d'origine ouvrière, se plaît à raconter qu'il a été invité à une collation chez le lord maire.*

La comparaison entre le syndicalisme québécois et le trade-unionisme britannique n'apparaît pas uniquement a posteriori. Le modèle anglais inspire les syndicalistes de l'époque. Gagnepetit écrit:[66]

---

63 *La Presse*, 9 septembre 1893.

64 Ibidem.

65 Lettre de F. Engels à Sorge, citée par R. Michels, *Les partis politiques*, Paris, Flammarion, 1971, p. 219-220.

66 *La Presse*, 22 octobre 1887.

Les unions de métier et les sociétés ouvrières du Canada feront bien de suivre les moyens employés par les Trade's Unions pour réaliser leur programme. Ces unions qui sont aujourd'hui aussi fortes que respectées ont eu à soutenir des luttes gigantesques contre les préjugés et les lois anglaises, et elles ont plus fait et feront plus par la sagesse et la modération que tous les socialistes qui vont parader à Trafalgar Square.

La prudence et, parfois, l'obséquiosité des responsables ouvriers trahit la faiblesse de leur mouvement. Jean-Baptiste Gagnepetit le reconnaît:[67]

La moindre erreur, le plus petit abus de la force qu'ils (les ouvriers) *possèdent leur serait* (sic) *fatal, les ruineraient dans l'opinion publique, et ligueraient contre eux tous les électeurs du pays. Avec la modération, les ouvriers obtiendront toutes les demandes justes qu'ils feront, avec l'intimidation, ils n'obtiendront rien.*

Si le syndicalisme conçu à la façon de Gagnepetit s'apparente à un certain courant européen,[68] il s'écarte par contre de la social-démocratie et repousse vigoureusement l'anarchisme d'un Proudhon, le syndicalisme révolutionnaire d'un Georges Sorel. Gagnepetit prône la réconciliation des antagonismes, l'arbitrage des conflits selon le modèle prud'homal, le coopératisme et la mutualité. Sorel proscrit ces objectifs parce qu'ils sapent la lutte des classes. Les coopératives sécrètent une bureaucratie petite-bourgeoise.[69] L'incompatibilité des deux courants crève les yeux. Le réformisme du mouvement ouvrier montréalais s'affirme et s'oppose au socialisme et à l'anarchisme répandus en Europe.

Le syndicalisme montréalais des années 1880-1890 trahit des faiblesses évidentes. Jeune encore, et contesté par la bourgeoisie locale comme moyen d'expression légitime des travailleurs, condamné même par les autorités ecclésiastiques, il

---

67 *La Presse*, 16 octobre 1886.

68 «En 1876, un journaliste, Barberet, soutenu par des radicaux groupés à la *Tribune* de Trébois, poursuit un but réaliste. Aux utopies bourgeoises, il oppose tout un programme: limitation du travail féminin à huit heures, organisation des retraites ouvrières par les chambres syndicales, enseignement professionnel gratuit, liberté et personnalité civile des syndicats, conseils des prud'hommes. Pas de grève. C'est se dresser contre les collectivistes qui politisent le mouvement.» (F. Ponteil, *Les classes bourgeoises...*, p. 391.)

69 Ibidem, p. 392.

ne dispose pas d'une organisation solide ni d'effectifs suffisants. Miné en son sein même par des tiraillements entre Chevaliers du Travail et unions de métier, entre partisans et non-partisans de la grève, entre travailleurs francophones et anglophones, le mouvement ouvrier élabore tant bien que mal des revendications communes au trade-unionisme international. Par crainte d'alarmer l'opinion publique contre leurs justes réclamations, les chefs ouvriers optent pour une méthode prudente et graduelle. Le recours aux tribunaux, les pressions sur le pouvoir législatif, en même temps que l'organisation et l'éducation des travailleurs constituent les points cardinaux de l'activité ouvrière. Réformiste, le syndicalisme montréalais l'est par choix et peut-être aussi par la force des choses: il subit sans doute l'inertie d'une société conservatrice. Réformisme n'implique pas immobilité, et les ouvriers sont sans doute un ferment et un facteur de changement dans la société montréalaise de l'époque. Ils endossent les propositions les plus radicales débattues dans l'opinion publique.

Les travailleurs et la société montréalaise

L'organisation ouvrière canalise la protestation et les réclamations des travailleurs. Agent de ses revendications, le syndicalisme n'absorbe cependant pas toutes les énergies de la classe laborieuse. Celle-ci se manifeste sur un front plus large: les ouvriers tentent de se tailler dans la société la place qui leur revient. Par l'action politique, les représentants des travailleurs espèrent modifier le rapport de force qui les dessert. L'expression de leur influence politique suffira, croient-ils, à imposer aux partis politiques les réformes économiques et sociales favorables aux plus démunis. L'action politique corrigera-t-elle un appareil juridique profondément injuste? L'évolution de la législation ouvrière trahit la prépondérance de la bourgeoisie capitaliste et commerciale. Les chefs ouvriers appuient leurs projets de réforme sur la critique sévère des initiatives législatives des parlements du Canada et du Québec.

Les exigences ouvrières heurtent de plein front les intérêts des bourgeois. Ceux-ci, contrôlant tous les leviers de commande, se défendent vivement. Ainsi se développe une lutte de classes larvée au cours de laquelle les travailleurs ne parviennent pas à identifier clairement leur adversaire. Par l'action politique les ouvriers visent la modification d'un appareil législatif opprimant au service de la bourgeoisie, consciente de la menace populaire. Cette proposition dégage trois centres d'intérêt. Action politique, législation ouvrière, classe sociale. Ce sont ces thèmes qui permettent de situer les gagne-petit montréalais dans la société. Ils permettent de connaître leur poids social.

I. L'action politique

A. La politique municipale

A la fin du XIXe siècle, la politique municipale revêt une importance particulière pour les travailleurs. A cette époque où les gouvernements fédéral et provincial interviennent rarement dans la vie des citoyens, les municipalités se chargent de nombreuses responsabilités. Assurance sociale, logement, qualité de l'environnement, relations de travail dépendent en grande partie des édiles montréalais. Les administrations municipales remplissent des fonctions qu'un anti-étatisme ambiant refuse au gouvernement provincial. A Québec même, on se plie volontiers à cette règle tacite. En 1892, par exemple, le Conseil législatif rejette un projet de loi sur l'heure de fermeture des établissements commerciaux que les associations ouvrières de Montréal exigent depuis plus de dix ans. L'Assemblée législative confie plutôt aux autorités municipales la réglementation en cette matière.[1]

Cependant, si Béland et Lépine défendent les intérêts des travailleurs à Québec et Ottawa, aucun représentant ouvrier n'accomplit le même travail au conseil municipal. La scène municipale serait-elle déconsidérée? Il ne semble pas. Les maires de Montréal sont des hommes publics de premier plan: conseillers législatifs, députés provinciaux ou fédéraux. Manque d'organisation, inertie de la part des ouvriers? Pourtant les chefs ouvriers mesurent l'importance de l'administration municipale. Gagnepetit écrit:[2]

La ville a fait d'immenses progrès; son budget a une importance plus considérable qu'une province et la classe ouvrière profitera d'autant moins de ce budget qu'elle aura montré plus d'indifférence au jour des élections.

La santé publique, les travaux de la ville, l'instruction des masses relèvent surtout des gouvernements municipaux. Veut-on faire disparaître les fosses d'aisance, améliorer la condition sanitaire des logements, faire faire les travaux à la journée, protéger les petits contracteurs qui tiennent si près de la classe

---

1 Edmond Orban, *Le Conseil législatif de Québec, 1867-1967*, Montréal, Desclée de Brouwer et Bellarmin, 1967, p. 247. S.Q., 1894, chap. 50.

2 *La Presse*, 25 novembre 1893.

ouvrière, ouvrir des carrés dans les centres populeux, désencombrer les quartiers trop peuplés, créer des bibliothèques publiques, des musées du travail, des cours techniques pour les adultes, etc., etc.? C'est à la boîte à scrutin qu'il faut le demander.

Probablement faut-il chercher dans la situation économique et sociale des travailleurs montréalais l'explication de leur absence d'influence sur les centres de décision municipaux. L'Hôtel de ville est investi par la bourgeoisie locale. Les règlements municipaux restreignent singulièrement le pays légal. Les conditions d'éligibilité à l'administration municipale, la corvée, la taxe d'eau, limitent l'accès des ouvriers au conseil de ville. En fait, celui-ci est fermé aux travailleurs montréalais. Des propriétés immobilières d'une valeur de $4000 sont une condition d'éligibilité à la mairie. Un travailleur très bien payé devrait consacrer le salaire intégral de dix années de travail pour parvenir à briguer les suffrages. L'échevinage est accessible moyennant $2000 de biens immobiliers. Contre les partisans de la démocratisation des fonctions au sein de l'administration municipale se dressent les tenants d'un renforcissement des barrières qui empêchent les travailleurs de participer aux décisions de la cité. Le *Star* et l'échevin Stephens proposent de créer deux classes d'échevins, élues, l'une par les propriétaires, l'autre par les locataires, et de porter la qualification foncière de $2000 à $10 000.[3]

Proscrits de l'administration municipale, les gagne-petit sont écartés en nombre de la liste électorale. En effet, l'acquittement de la corvée et de la taxe d'eau est la condition du droit de vote. La corvée, vestige médiéval, oblige tout citoyen montréalais, exempt de taxes autres que la taxe d'eau, à verser une cotisation annuelle de $1. La taxe d'eau s'ajoute à la corvée pour limiter le nombre des électeurs. Le paiement de la taxe d'eau, pour insignifiant qu'il semble, constitue une pierre d'achoppement pour plusieurs sur le chemin vers l'expression démocratique. En 1890, selon le rapport du chef de police, 16 000 brefs de saisie sont délivrés pour le recouvrement de la cotisation, de la taxe d'eau ou de la taxe personnelle.[4] En 1886,

3 *La Presse*, 6 février 1893.
4 *Rapport du chef de police pour 1890*, p. 21.

4000 familles sur 26 000 étaient privées d'eau, faute de s'être acquittées de leur taxe d'eau.[5]

Ces mesures restrictives ne suffisent pas, semble-t-il, à assurer la prépondérance de la bourgeoisie montréalaise. Celle-ci tente de contrevenir à ses responsabilités fiscales. Le conseil municipal sanctionne cette pratique. La CRCTC observe: «Les municipalités au lieu de protéger les travailleurs semblent avoir établi leurs taxes de façon à frapper de préférence les contribuables les moins fortunés.»[6] Les commissaires fournissent les chiffres suivants:[7]

	1876	1886	Diminution	Augmentation
évaluation foncière	$81 208 215	$74 309 637	$6 898 578	. . . . .
évaluation locative	$4 451 927	$4 929 600	. . . .	$477 773
taxe foncière	$974 498	$891 715	$82 783	. . . .
taxe d'affaires	$209 304	$198 631	$10 673	. . . .
taxe d'eau	$355 139	$404 146	. . . .	$49 009

Leur commentaire:[8]

Ainsi en 1886, les propriétaires payaient $82 783 moins de taxe foncière qu'en 1876. Les marchands payaient $10 673 moins de taxe d'affaires et de taxes personnelles qu'en 1876. Seuls les locataires payaient en 1886 $49 009 de plus pour la taxe d'eau qu'en 1876. Et pour arriver à ces résultats étranges, il a fallu que les évaluations de la ville de Montréal soient faites de façon à établir que pendant que la valeur de la propriété avait baissé en dix ans de $6 898 578 — en dépit des 3 600 bâtiments construits pendant cette époque — la valeur locative avait haussé de $477 733.

Les auteurs signalent un cas troublant:[9]

En six ans, l'évaluation foncière d'une maison n'a pas varié, alors que l'évaluation de son rapport, de son loyer, a augmenté de trente-deux pour cent, et qu'alors que le propriétaire payait toujours la même taxe foncière de $108 pour son

5 *La Presse*, 27 décembre 1890.
6 CRCTC, *Rapport I*, p. 28.
7 Ibidem, p. 33.
8 Ibidem.
9 Ibidem. p. 33.

immeuble, ses locataires avaient vu leur taxe d'eau s'élever de $91 à $109.50.

La cotisation exigée des propriétaires et, via ces derniers, des locataires, est proportionnelle à l'évaluation foncière de la propriété. Or, celle-ci connaît des variations surprenantes. Andrew W. Short, éditeur du *Canadian Workman*, donne l'exemple suivant. George W. Stephens, longtemps conseiller municipal et député libéral de Montréal-Centre, possède une maison évaluée à $75 000, mais sa cotisation correspond à un revenu de $1 000 seulement. Une série de maisons, sur l'allée Mathieu, sont évaluées à $500 chacune et leur cotisation répond à un revenu de $160 chacune. Le journaliste commente le fait:[10]

D'après cette cotisation, la taxe d'eau de la maison de M. G.W. Stephens n'est que de $85.75, tandis que celle des maisons de l'allée Mathieu est de $23. Le pourcentage de la taxe d'eau payée sur le revenu de la maison de G.W. Stephens de la rue Dorchester est donc de un et demi, celui des logements de l'allée Mathieu est de 32. (...) Si au contraire, M. G.W. Stephens était cotisé d'après l'évaluation de la propriété occupée par le prolétaire de l'allée Mathieu, il aurait à payer $3600 au lieu de $85.75 pour son eau; et ce dernier n'aurait que cinquante-huit centins à payer au lieu de $23.

De l'aveu même d'un assesseur de la ville de Montréal, la taxe d'eau est fixée arbitrairement et parfois d'une façon irrationnelle. Ainsi, d'une année à l'autre, le montant variera de 10% pour la même personne et le même logement.[11]

Ces pratiques discriminatoires ne laissent pas les travailleurs impassibles. Jean-Baptiste Gagnepetit, pour sa part, dénonce violemment la corvée. Exigée depuis un demi-siècle, l'abolition de la corvée constitue une des premières revendications du journaliste à son entrée à *La Presse*:[12]

Je prétends que la corporation n'a pas le droit d'imposer un droit de corvée, parce que sa charte n'indique pas d'une manière positive qui paiera la corvée. (...) Son non-paiement ne peut empêcher de voter un citoyen remplissant les conditions

10 CRCTC, vol. I, p. 610-611.
11 Ibidem, p. 289.
12 *La Presse*, 31 janvier 1885.

exigées par le paragraphe intitulé: qualification des votants, locataires ou occupants (23 Vic., chap. 72) de l'Acte pour amender les dispositions des différents actes pour l'incorporation de la cité de Montréal.

Selon le journaliste, le maintien de la corvée répond aux desseins antidémocratiques du conseil de ville:[13]

La corvée n'a été mise dans les règlements que pour priver les salariés de leur vote, pas pour autre chose: c'est reconnu, avoué et pratiqué. (...) On prétend que seuls les propriétaires et les commerçants ont le droit de s'occuper des intérêts de Montréal; que nous, salariés, nous n'avons que notre travail pour fortune, nous n'avons rien à voir avec l'administration civique.

A la suite des élections municipales de 1885, Gagnepetit écrit: «Il y a à Montréal 30 000 électeurs, et sur ce nombre, nos dictateurs civiques avec ces deux illégalités, la corvée et la taxe d'eau, en ont retranché 18 000.»[14] L'année suivante, le journaliste reprend: «Jamais l'irrégularité de la naissance de nos gouvernements civiques n'a été aussi bien démontré que par votre dernière élection.»[15]

Sous l'impulsion des Chevaliers du Travail, plusieurs organisations ouvrières rassemblent les fonds nécessaires à un procès pour l'abolition de la corvée. Gagnepetit consacre une chronique à cette initiative:[16]

Je dirai, tout d'abord, que le procès fait par les Chevaliers du Travail et les sociétés ouvrières de Montréal contre la corvée, est devenu le procès fait contre une poignée de fonctionnaires civiques, échevins ou employés qui, voyant leur erreur démasquée se sont mis en travers de la loi pour empêcher qu'elle fût corrigée. (...) Il fut facile de voir dès le 5 février que la lutte était faite non pas contre la corvée mais contre les électeurs dans le but unique de les empêcher de voter. (...) Ce procès de la corvée montre dans toute sa nudité les intrigues qui se trament et qui se sont toujours tramées à l'Hôtel de ville, contre les droits des citoyens.

---

13 *La Presse*, 31 octobre 1885.
14 *La Presse*, 26 décembre 1885.
15 *La Presse*, 6 mars 1886.
16 *La Presse*, 20 février 1886.

Malgré plusieurs délais, les associations ouvrières ont gain de cause: la corvée est abolie.

La taxe d'eau et la corvée ne sont pas les seules armes dont disposent les maîtres de l'Hôtel de ville pour limiter l'influence des gagne-petit. La confection des listes électorales, selon Gagnepetit, «est un scandale et une honte pour Montréal».[17] Le nombre d'électeurs écartés des listes est si important que *La Presse*, le 28 janvier 1886, publie une formule en blanc à l'intention de ces derniers. Les électeurs évincés font parvenir la formule dûment remplie à *La Presse* ou à un bureau d'avocats. L'insistance de *La Presse* à dénoncer ces pratiques est l'indice d'abus fréquents et d'une profonde insatisfaction chez les citoyens ostracisés.[18] Les heures de votation,[19] très courtes si l'on songe que les ouvriers sont au travail de sept heures à dix-huit heures, facilitent des manoeuvres frauduleuses.

En fait, les irrégularités ne se limitent pas aux campagnes électorales. Toute la vie municipale est minée par la corruption. Helbronner ne cesse de dénoncer les cas de mésusage de fonds publics. Devant la commission Cannon, en 1909, il déclare, sous la foi du serment, que la corruption sévit à l'état endémique dans l'administration municipale depuis qu'il est chroniqueur municipal (1884).[20] Pour la qualité et l'intégrité des administrateurs municipaux, il n'a pas grande estime:[21]

Peut-être pourrais-je résumer mon sentiment en disant que n'importe quoi serait meilleur que ce qui existe maintenant.
Q- Et, ceci, depuis combien d'années, monsieur Helbronner?
R- Bien, 1887; j'ai été témoin devant une commission des boodlers, comme on l'appelait, commission présidée par M. le

---

17 *La Presse*, 26 décembre 1885.

18 P.F.W. Rutherford écrit, dans son introduction à l'ouvrage de Ames (*The City Below the Hill*, 1972): «Sous sa direction, la Ligue électorale bénévole, appelée «La Maternelle» par ses critiques, a fait du porte à porte, dans cinq districts pour compiler une liste électorale exacte. Les jeunes hommes découvrirent quelques surprenantes irrégularités: sur 15 000 électeurs, 600 étaient incorrectement inscrits, 400 étaient de non-résidents, 300 étaient morts (certains depuis des décennies), et quarante-sept étaient des mineurs. La plupart de ces irrégularités furent éliminées — excepté les cas où il était impossible d'obtenir un certificat de décès. En février 1894, à l'élection municipale suivante, la Ligue donna son appui à divers candidats, organisa un groupe de volontaires et fit la ronde des bureaux de scrutin — le tout avec un succès considérable.»

19 De neuf heures à dix-sept heures.

20 Commission royale sur l'administration de Montréal, 1909; voir au volume IX des procès verbaux, le témoignage d'Helbronner.

21 Ibidem.

maire Abbott et composée d'échevins; et déjà, en 1887, ce qui se passe aujourd'hui se passait devant la commission.

L'obstination des autorités municipales, leur résistance à la volonté des gagne-petit de participer au débat public, ont un effet dissolvant sur la société, selon Gagnepetit. La tyrannie bourgeoise devient un catalyseur qui risque d'accélérer la corrosion sociale:[22]

Il semble que nous sommes au commencement d'un mouvement d'évolution appelé à changer complètement la situation de l'ouvrier, vis-à-vis du capital. (...)

Il n'y a rien d'effrayant dans le fait d'un ouvrier demandant légalement, calmement, une juste part des bénéfices qu'il procure au capital, ou tout au moins, une part qui lui permette de vivre en homme et non en bête de somme.

Ce qui est effrayant, au contraire, pour la tranquillité publique, pour la sécurité du capital, c'est l'aveuglement de certains parvenus qui, montés sur leurs sacs d'argent plus ou moins purs, nient à tous ceux qui ne font pas partie de l'aristocratie d'argent, tout droit civique ou politique.

Ce sont des esprits étroits qui, de tout temps, ont amené et précipité les cataclysmes politiques qui ont ensanglanté le monde, et ce sont eux qui aujourd'hui favorisent le développement des socialistes et des anarchistes au détriment du travail honnête, honnêtement organisé, honnêtement conduit et poursuivant un but honnête.

Notre conseil de ville est l'exemple le plus frappant que l'on puisse donner de cette tyrannie de l'argent; il a créé un nouveau motif de division parmi nous; nous avions déjà nos questions de race et de religion, aujourd'hui nous avons en plus la question des propriétaires et des locataires.

B. L'orientation politique des travailleurs

Pratiquement exclus du conseil municipal, les travailleurs connaissent un sort meilleur auprès des parlements québécois et canadien. Tiraillés entre les appels partisans, dépourvus d'une organisation électorale adéquate, les ouvriers hésitent à confier aux politiciens la solution de leurs problèmes. Les chroniques de Jean-Baptiste Gagnepetit font écho à leurs divergences.

22 *La Presse*, 13 mars 1886.

Former un parti ouvrier? Exiger des candidats libéraux ou conservateurs des engagements en faveur de législations sociales progressistes? S'en remettre au parti le plus généreux envers les travailleurs? Présenter des candidats ouvriers? En 1885, Gagnepetit écrit:[23]

L'ouvrier est un citoyen comme un autre; il peut et il doit avoir en politique ses opinions personnelles, opinions qui n'ont rien à faire avec les conditions économiques de sa position. Vouloir créer un parti ouvrier politique c'est déplacer la question la plus importante du moment qui, pour nous, n'est qu'une question économique. (...)

L'ouvrier, en tant qu'ouvrier, n'a pas de politique à faire; ce qu'il doit poursuivre c'est l'amélioration morale et matérielle de son existence. Voilà son devoir comme ouvrier; comme homme, comme électeur, il est libre d'agir selon ses convictions personnelles.

Sur ce sujet, Gagnepetit s'écarte des associations ouvrières. En 1883, le Congrès des Métiers et du Travail du Canada s'était prononcé en faveur des candidatures ouvrières. Les Chevaliers du Travail, rompant avec la neutralité de l'aile américaine, favorisent l'action politique. Ainsi, en 1885, dans le texte de présentation du programme ouvrier, les dirigeants de l'Association Ville-Marie déclarent:[24]

Depuis un demi-siècle que le Canada a conquis ses libertés politiques, les hommes portés au pouvoir par le suffrage populaire pour guider et diriger notre pays, n'ont rien fait pour améliorer les conditions morales et matérielles de la classe des travailleurs.

Les lois qui nous régissent aujourd'hui, nous les travailleurs, la force même de la nation, sont à peu près les mêmes qui existaient sous le régime du bon plaisir. Elles nous tiennent vis-à-vis des autres provinces du Canada, dans un état d'infériorité qui fait plus pour ruiner notre race que tous les crimes que l'on peut commettre contre elle.[25]

Ces lois nous devons les respecter, et cela d'autant plus que nous les avons adoptées et ratifiées par nos votes. Mais tout en

---

23 *La Presse*, 24 janvier 1885.
24 *La Presse*, 5 décembre 1885.
25 Ce texte coïncide avec l'affaire Riel.

les respectant, nous avons le droit d'en demander la modification si nous voulons que nos enfants soient plus heureux, plus libres, plus instruits et plus prospères que nous le sommes. (...)

Les lois que ces gouvernements nous ont données nous livrent à la merci du premier venu, nous traitent en criminels pour de simples erreurs de jugement, nous ruinent, nous tiennent à l'écart de tout progrès et nous retirent la part de contrôle que nous avons le droit d'avoir dans le gouvernement.

Le texte est limpide. Si les ouvriers ne choisissent pas de fonder leur parti politique, ce n'est pas faute d'une conscience claire de leur situation et de l'exploitation à laquelle ils sont livrés par l'absence de législation sociale. Il faut sans doute chercher dans la faiblesse du mouvement ouvrier, dans son manque d'organisation, l'explication de son inaction. L'éparpillement des forces, l'absence d'orientations claires du mouvement ouvrier, sont à la fois cause et conséquence de cette apathie que plusieurs chefs ouvriers déplorent chez les travailleurs. Réduire des milliers d'opinions individuelles à une seule option politique, le défi est difficile à relever. Sur des sujets aussi importants que la politique tarifaire, l'unanimité est impossible. En 1885, par exemple, Gagnepetit déplore que, lors d'une réunion à Sainte-Cunégonde, des travailleurs se soient prononcés contre la politique protectionniste de John A. Macdonald défendue par plusieurs chefs ouvriers. A partir de 1893, il s'engage fréquemment dans des débats sur les mérites respectifs du protectionnisme et du libre-échange. Les travailleurs s'opposent souvent à l'opinion du journaliste. Cette question, et plusieurs autres, divisent la classe ouvrière.

Malgré ces divergences, les chefs ouvriers, de plus en plus nombreux, favorisent l'action politique. L'évolution se retrace dans la chronique ouvrière de *La Presse*:[26]

Se mettre en grève, s'organiser pour obtenir une augmentation de salaire, lutter en un mot contre les effets d'une situation économique défectueuse, ne peut amener aucun résultat pratique si on ne prend pas les mesures nécessaires pour améliorer ou modifier la politique économique qui a créé cette situation.

Dans une autre chronique, Gagnepetit précise:[27]

26 *La Presse*, 13 mars 1886.
27 *La Presse*, 24 avril 1886.

C'est avec le vote et par le vote seul que les ouvriers arrivent à leur but.

Ce n'est pas en un jour qu'on détruit des abus établis depuis des années et légalisés par les parlements; il faut pour les faire disparaître modifier la composition morale des parlements, il faut commencer par faire des lois justes et équitables reconnaissant et protégeant les droits du travail et respectant ceux du capital.

L'analyse de Gagnepetit se développe avec clarté. C'est à cause de l'abus de pouvoir des patrons que naissent et se développent les organisations ouvrières. A s'opposer sans cesse, ces deux forces antagonistes risquent de s'exaspérer et de déclencher des conflits sans commune mesure avec leurs causes. C'est ailleurs que dans la lutte de ces intérêts opposés que se trouve la solution du conflit. Les exemples se multiplient, en Europe et aux États-Unis, de grèves catastrophiques pour les ouvriers plus encore que pour les patrons. Selon Gagnepetit, une conclusion s'impose:[28]

Il résulte de là, suivant nous, que l'organisation de ces forces respectives et le fait de les opposer les unes aux autres ne sont pas un moyen efficace d'arriver à la solution de la question ouvrière: loin de là.

Encore une fois, il faut chercher ailleurs un remède qui soit véritablement efficace. La tâche de le trouver ou même de savoir le discerner lorsqu'on l'indique, sera dévolue aux députés ouvriers, si les candidatures ouvrières sont couronnées de succès ce dont nous n'avons guère de raison de douter.

Malgré leurs engagements répétés à ne défendre que les intérêts de leurs commettants, les chefs et les candidats ouvriers ne peuvent se soustraire aux influences de courants d'opinion dominants. Leur prétention à se dégager de toute partisanerie est battue en brèche par des impératifs électoraux et par la puissance des partis politiques. L'histoire des relations ouvrières imprime au syndicalisme canadien une ligne politique déterminée. L'Acte concernant les associations ouvrières de 1872 constituait la réponse du chef tory Macdonald au vieux

28 *La Presse*, 9 octobre 1886.

George Brown, libéral et antisyndical.[29] Une conjoncture économique défavorable s'ajoute au parti-pris et à la maladresse de George Brown pour discréditer le Parti libéral auprès des travailleurs. Les libéraux gouvernent le Canada précisément durant la crise de 1873-1879. L'amélioration de la situation économique coïncide avec le retour de Macdonald au pouvoir et l'application de la National Policy. La propagande conservatrice aidant, on impute à Macdonald le bénéfice de ces fluctuations conjoncturelles. Les unions ouvrières se rangent majoritairement en faveur du protectionnisme conservateur. Cette tendance n'est pas irréversible: la mort de Macdonald, l'usure des conservateurs, le magnétisme de Laurier minent l'emprise tory.

Au Québec, la politique baigne dans un conservatisme épais. Les querelles entre les rouges et les évêques québécois trouvent encore des échos dans maintes églises. Il est malaisé aux travailleurs, comme aux autres Québécois, d'oublier plusieurs dizaines d'années d'anathèmes et de renier le Parti conservateur. Sur cette toile de fond, les candidats ouvriers jouissent d'une certaine autonomie. Insuffisante, cependant, pour éviter un vif débat sur leurs parti-pris et leur partisanerie. Il semble, en effet, que la ligne de parti transcende l'appartenance à la classe ouvrière. Ainsi, le député Joseph Béland, représentant des travailleurs à l'Assemblée législative, refuse son appui à A.T. Lépine qui brigue les suffrages des travailleurs dans sa circonscription lors des élections fédérales de 1891. Gagnepetit ne tarde pas à stigmatiser le traître![30]

De tous les membres du Conseil central, M. Béland était le seul qui avait le devoir de soutenir M. Lépine, et de l'aider de toute son influence et de son travail.

Tout partisan que je suis de la discipline, j'admets qu'un délégué ne se croit pas obligé de travailler pour un candidat qui lui déplaît — c'est ce que j'ai fait en 1887 — mais je n'admettrai jamais qu'un délégué travaille contre le Conseil central sans tout au moins s'en retirer au préalable.

---

29 Pour une relation du conflit qui a donné lieu à cette loi, voir D.G. Creighton, «George Brown, Sir John Macdonald and the «working-man». An Episode in the History of the Canadian Labour Movement.» *Canadian Historical Review*, vol. XXIV, no 4 (déc. 1943), pp. 362-376.

30 *La Presse*, 7 mars 1891.

Mais M. Béland n'est pas un délégué ordinaire, c'est le représentant du Conseil central, c'est l'homme chargé de défendre les demandes des ouvriers et lorsqu'il se sépare du Conseil central, lorsqu'il vient supporter l'adversaire du Conseil, uniquement parce que cet adversaire est un politicien de sa couleur, il est temps de lui dire: vous n'avez pas le droit de siéger parmi les délégués, allez-vous-en! Allez-vous-en de bonne volonté si vous ne voulez pas que votre trahison ne vous soit rendue encore plus désagréable...

Deux candidats savent aujourd'hui ce que valent les promesses de ces soi-disant chefs ouvriers qui font des ouvriers ce qu'ils veulent, qui ont comme ils le disent le vote ouvrier dans leur poche, vote qu'ils vendent très cher quand ils trouvent des hommes politiques assez naïfs pour le leur acheter.

Jean-Baptiste Gagnepetit, qui vilipende Béland pour son appui au Parti libéral, déclare candidement:[31]

Que fait le parti conservateur? Il a le premier aidé un ouvrier à entrer au parlement sans rien lui demander en échange de son appui.

Ce qui démontre cette vérité d'une manière frappante, c'est l'action de M. Lépine allant soutenir et faisant élire M. Béland contre M. Jeannotte; de même que l'appui donné par M. Béland à M. David prouve les engagements que les libéraux ont imposés au député du quartier Sainte-Marie.

Les dissensions qui déchirent les ouvriers entre eux accréditent le jugement, par ailleurs partial, d'Alfred Charpentier. Selon lui, à partir de 1889, «les délégués des unions de métiers ne s'accordent plus avec ceux des «assemblées» de Chevaliers. Ceux-ci, politiciens professionnels, pour la plupart, ne cherchent que leur avancement politique.»[32] Certes, pour infirmer la critique de Charpentier, il est loisible de recourir à

31 *La Presse*, 14 mars 1891.

32 Alfred Charpentier, «Le mouvement politique ouvrier de Montréal, 1883-1929» *R.I.*, vol. X, no 2 (mars 1955), p. 75. Cet article de Charpentier introduit une réflexion à propos de l'utilisation par les historiens de documents de seconde main (voir aussi à ce sujet la note 19, p. 158). Charpentier écrit, dans cet article (p. 74) que c'est en 1883 qu'Adélard Gravel est «terriblement écrasé» par L.O. David, lors des élections fédérales. Il faut rétablir les faits: il n'y a pas d'élections fédérales en 1883, mais en 1882. L.O. David n'était pas candidat, non plus que Gravel. C'est lors des élections provinciales de 1886 que L.O. David affronte Gravel. Il est inutile de s'étendre sur les inexactitudes de ce texte, qu'il faut lire avec grande circonspection.

d'autres textes, telle cette circulaire du Maître Travailleur Adélard Gravel, dans laquelle celui-ci met en garde les membres de l'Ordre contre «les politiciens qui usaient et abusaient du nom des Chevaliers du Travail dans la lutte actuelle».[33] Ancien candidat ouvrier aux élections provinciales de 1886, Gravel a mauvaise grâce à convier les travailleurs à la neutralité politique. Les chroniques de Gagnepetit fourmillent de renseignements qui jettent une lumière crue sur l'activité partisane des candidats ouvriers.[34]

J'ai quelque expérience de ce qui se passe dans les sociétés ouvrières, et lorsque je vois un membre de ces sociétés traiter un de ses camarades de politicien et déclarer qu'il ne faut pas s'occuper de politique mais endosser M. Z ou M. X, je suis fixé; ce sociétaire a des accointances plus ou moins officielles et plus ou moins payantes avec tous les libéraux.

Ainsi, en 1887, un nommé O'Bourke, trouva moyen de faire endosser frauduleusement par le Conseil central des Métiers et du Travail la candidature de MM. J.K. Ward, Lanctôt et Cloran, c'était un émissaire libéral, il toucha $300.

Le coup de Jarnac de 1886 commença la débandade du CCMT, et les tripotages honteux de 1887 l'achevèrent. Il en résulta ceci, c'est que le Conseil central, déserté par la plupart des délégués sérieux, a abandonné les procès intentés pour faire punir toutes les personnalités municipales ayant trempé dans les honteux procès de la corvée et que la victoire obtenue dans cette lutte fut coûteuse et presque stérile.

En 1891, le Conseil central étant de nouveau devenu une puissance, l'appui donné par un certain nombre de ses délégués à M. David, et la trahison de M. Béland peuvent considérablement diminuer son prestige...

Dans cet article, Gagnepetit soutient que les libéraux ont offert $10 000 au Conseil central pour obtenir son appui en faveur des candidats libéraux dans les divisions Ouest et Centre.

C. Les élections provinciales

Les querelles intestines trahissent l'emprise partisane sur le mouvement ouvrier. Cependant, seule l'analyse des résultats

33 *Le Trait d'Union*, 17 février 1887.

34 *La Presse*, 14 mars 1891.

électoraux renseigne sur la tendance politique de l'ensemble des travailleurs et sur leur réceptivité aux appels à la solidarité ouvrière à l'égard de la politique provinciale et fédérale. Un bref aperçu du comportement électoral des circonscriptions montréalaises permettra de mesurer grossièrement l'influence politique des organisations ouvrières sur les travailleurs.

Le Québec est le théâtre d'élections provinciales en 1886, 1890 et 1892. Malgré le statut de grande municipalité que l'AANB conférait aux provinces, leur importance croît avec l'apparition de deux premiers ministres autonomistes, Mowatt et Mercier. Pour les chefs ouvriers, l'accroissement des pouvoirs provinciaux est particulièrement important. En effet, un projet de loi sur les établissements industriels présenté devant le parlement fédéral en 1880, 1881 et 1882, est finalement considéré de compétence provinciale par le sénat. Il donnera lieu, à Québec, à l'Acte des Manufactures de 1885. L'intervention législative provinciale oblige les organisations ouvrières à exercer des pressions sur l'Assemblée législative.[35]

En 1886, les candidats ouvriers briguent les suffrages dans trois circonscriptions. Dans Montréal-Centre, comté composé des quartiers Est, Centre, Ouest et Sainte-Anne, Doherty représente le Parti conservateur, McShane, le Parti libéral et Keys est le candidat ouvrier. Dans le quartier à majorité irlandaise de Sainte-Anne, ce dernier obtient une majorité de 463 voix. McShane l'emporte, cependant, grâce à de solides avances dans les quartiers Est, Centre et Ouest. Dans Montréal-Est, qui réunit les quartiers Sainte-Marie, Saint-Jacques, Saint-Louis, L.O. David défend le Parti libéral, L.O. Taillon, les conservateurs. Adélard Gravel sollicite le vote des travailleurs. Dans Sainte-Marie, quartier ouvrier, Gravel devance Taillon. Dans Saint-Jacques, où la proportion d'ouvriers est plus faible, Gravel, distancé par ses adversaires, demeure dans la course. Saint-Louis, cependant, quartier en grande partie bourgeois, l'écarte littéralement au profit de L.O. David. La circonscription de Montréal-Ouest, formée des quartiers Saint-Antoine et Saint-Laurent, est convoitée par le conservateur Hall, le libéral Stephens et le candidat ouvrier Robertson. Châteaux forts de la bourgeoisie anglo-saxonne, ces deux quartiers ignorent presque

35 Bernard Ostry, «Conservative, Liberals, and Labour in the 1880's» CJEPS, vol. XXVII, no 2 (mai 1961), p. 142-143.

la candidature ouvrière. Hall est élu; Stephens devance Robertson par plus de 1000 voix.

Au plus fort de la tempête rielliste, à la faveur de laquelle le Parti national de Mercier accède au pouvoir, les travailleurs de Montréal préfèrent des candidats ouvriers aux tirades larmoyantes des politiciens traditionnels. Au total, les candidats des travailleurs recueillent plus de 16% du vote. Dans les deux quartiers majoritairement ouvriers, les candidatures ouvrières sont couronnées de succès. Dans Sainte-Anne et Sainte-Marie, Keys et Gravel accumulent 2582 voix; suivent les conservateurs avec moins de 2300 et les libéraux avec près de 2000. La campagne rielliste ne provoque pas dans les quartiers ouvriers l'émoi qu'elle cause ailleurs. Les libéraux proposent le libre-échange, et les ouvriers ont appris que la National Policy est garante du développement manufacturier, donc de leurs emplois. Les travailleurs préfèrent donc les conservateurs aux libéraux-nationaux, même si les conservateurs sont ces «pendards» tant décriés. Le vote ouvrier n'atteint pas à l'homogénéité; il témoigne néanmoins d'un fort mouvement politique chez les prolétaires montréalais.[36]

La presse montréalaise souligne l'entrée en force des ouvriers sur la scène politique.[37] Ces résultats prennent un relief particulier si l'on considère les débats qui ont accompagné le choix du candidat ouvrier dans Montréal-Est. Gagnepetit en relate les péripéties.[38] Le nouveau Parti national et des représentants ouvriers s'entendent, à l'été 1886, pour présenter un candidat commun aux prochaines élections. Les chefs ouvriers tentent de convaincre L.O. David de se porter candidat. Vainement. Ils se tournent alors vers le propriétaire de *La Presse*, E.W. Blumhart; celui-ci décline l'invitation, prétextant sa mauvaise santé.[39] On entreprend des démarches auprès

36 Le taux de participation aux élections fédérales et provinciales est relativement faible: il oscille entre 57% et 63%. On enregistre une chute marquée lors de l'élection partielle de 1888, où Lépine est élu, dans Montréal-Est: 46%. Si l'on considère, par ailleurs, que le pays légal est singulièrement restreint, on obtient une image d'un électorat fort limité. Retenons l'exemple de Montréal-Est en 1888. La population du comté est de 67 506 personnes. Seulement 22%, soit 15 352, ont droit de vote. La faible participation à cette élection fait que, dans un comté de plus de 67 000 personnes, il suffit à Lépine de 3818 votes pour battre confortablement son adversaire libéral.

37 *La Presse*, 16 octobre 1886.

38 *La Presse*, 20 octobre 1886.

39 Explication plausible puisqu'il se départira de son journal pour cette raison.

d'Helbronner lui-même. Nouveau refus; d'origine française et de religion juive, ce dernier craint à juste titre l'antisémitisme de Trudel et de *L'Étendard*. Le choix se porte enfin sur Gravel. Le Parti national se dit prêt à entériner le choix des travailleurs, à condition que les responsables ouvriers écartent leur candidat, Keys, dans Montréal-Centre. Refus catégorique; dans chaque comté, les travailleurs sont libres de choisir leur candidat. Les organisateurs du Parti national n'acceptent pas moins d'appuyer la candidature de Gravel, qu'ils enrôlent sous la bannière nationale.[40]

Ils n'eurent aucune peine à arriver à leur but, car nulle division n'est aussi nationale que celle de Montréal-Est, M. Gravel a été et est toujours national, et nous l'avons choisi pour battre M. Taillon, tout autant que pour représenter les ouvriers à Québec.

Cependant, la candidature de Gravel ne fait pas l'unanimité au sein du comité national. Celui-ci se ravise et, à la dernière heure, choisit L.O. David. Comment expliquer ce revirement?[41] Le Parti national, né du traumatisme causé par la mort de Riel, réalise un compromis difficile entre deux tendances apparemment irréconciliables, les conservateurs ultra-montains, les «castors», et le Parti libéral. Union contre nature qui durera le temps de la colère nationale. Pour maintenir une relative cohésion, il faut aux libéraux consentir à certaines exigences des ultramontains. Or, la candidature de Gravel introduit dans les rangs du Parti national un Chevalier du Travail, un membre de cet Ordre même que Mgr Taschereau vient de condamner. Aux yeux des ultramontains, les Chevaliers du Travail sont une infiltration maçonnique. Leurs réunions à huis-clos les rendent suspects; la présence parmi eux d'un juif achève de compromettre leur cause. La faction ultramontaine du comité national exige donc de Gravel qu'il renonce à son appartenance aux Chevaliers du Travail. Une rencontre avec l'évêque de Montréal, Mgr Fabre, sera l'occasion, pour le candidat ouvrier, de renier les principes dangereux des Cheva-

40 *La Presse*, 20 octobre 1886.

41 La suite de cette relation constitue l'hypothèse la plus plausible permettant d'expliquer la volte-face du Parti national. Elle s'appuie sur une série d'articles parus dans *La Presse*, *La Patrie* et *L'Étendard*, en octobre 1886.

liers du Travail et de se mériter l'investiture nationale. Peine perdue. Les travailleurs ne l'entendent pas de cette oreille et ne céderont pas au chantage.[42] Devant cette obstination, le comité national persuade L.O. David que sa candidature permettra d'écarter du Parti national un Chevalier du Travail, créature perverse aux yeux des ultramontains. Dès lors, le vote se séparera entre trois candidats.

En 1890, l'aspect émotionnel de la campagne de 1886, troublée par la mort de Riel, est disparu. Mercier est bien en selle. Il a nommé les inspecteurs des manufactures, créé les écoles du soir pour les travailleurs. Avant les élections, il procède à un remaniement de la carte électorale grâce auquel Montréal comprendra six comtés: Sainte-Marie, Saint-Jacques, Saint-Louis, Saint-Laurent, Saint-Antoine, Montréal-Centre. Dans la plupart des comtés, la lutte se fait entre conservateurs et libéraux. Ces derniers l'emportent dans Saint-Louis et Saint-Jacques. Le vote anglophone conserve Saint-Laurent et Saint-Antoine aux conservateurs. Dans Sainte-Marie, les libéraux appuient le candidat ouvrier Joseph Béland. Le calcul est bon, le conservateur mord la poussière. La marge est faible, cependant: 1958 contre 1878. Dans Montréal-Centre, qui comprend le quartier Sainte-Anne de même que les quartiers Centre et Ouest, le libéral McShane l'emporte.

Des élections anticipées ont lieu en 1892, à la suite du scandale du chemin de fer de la Baie des Chaleurs. Toutes les circonscriptions montréalaises passent aux conservateurs. Les candidats ouvriers sont défaits. Dans Sainte-Marie, Béland suit le vainqueur avec 2025 voix contre 2481. Par contre, dans Montréal-Centre, qu'englobe le quartier Sainte-Anne, le candidat ouvrier est littéralement écrasé. Était-ce une erreur tactique de présenter un francophone dans un quartier à majorité irlandaise? Les conservateurs semblent le penser: ils lui opposent un ouvrier anglophone. Après ces élections décevantes, Gagnepetit écrit:[43]

---

42 C'est Blumhart, propriétaire de *La Presse*, qui s'était engagé auprès du Parti national à obtenir du candidat ouvrier qu'il se conforme aux exigences de l'évêque de Montréal. Devant l'échec des tractations avec les autorités religieuses, les organisateurs du Parti national rappellent à Helbronner l'engagement contracté par Blumhart. Helbronner affirme que son employeur a le droit d'accorder l'accès des colonnes de son journal à un candidat ouvrier; il n'a pas, pour autant, des droits sur la candidature ouvrière: celle-ci relève des travailleurs. (*La Presse*, 8 octobre 1886.)

43 *La Presse*, 12 mars 1892.

C'est plus qu'une défaite, c'est un désastre pour le Conseil central. (...) Le Conseil central est le seul responsable de cette défaite qui met fin, quant à présent à son utilité. Ce Conseil tombe victime de sa constitution défectueuse et des procédés autoritaires qu'il avait adoptés ces dernières années. (Des cabales ont en effet été organisées lors du choix du candidat ouvrier...)

Ces cabales étaient guidées par la politique et les orateurs qui criaient le plus haut qu'on ne devait pas mêler la politique à la question ouvrière étaient souvent ceux qui en faisaient le plus. (Le Conseil a choisi lui-même et imposé les candidats aux travailleurs.) *Les ouvriers ne veulent plus qu'on dispose d'eux comme des machines à voter et ils ne se sont pas cru liés envers M. Boudreau n'ayant pas ratifié sa nomination. (...)*

Quelles que soient les causes de la défaite du 8 mars, cette défaite met fin, quant à présent, comme je l'ai dit, à l'autorité du Conseil central des Métiers et du Travail. Quand on ne représente que 329 partisans dans une division comptant des milliers d'ouvriers et où les ouvriers sont en majorité on n'a plus le droit de parler au nom des ouvriers.

Il a fallu cette démonstration de sa faiblesse pour faire voir au Conseil central qu'il avait eu tort de s'assimiler les défauts qu'il reprochait aux associations politiques. (...) Il était dangereux, dans ces derniers mois, pour un homme différant d'opinion avec le Conseil d'exprimer sa pensée. Quels que fussent les services qu'il eût rendus à la cause ouvrière, on lui mettait le mot de traître sur la figure et on le dénonçait simplement parce qu'on le craignait. C'est en agissant ainsi que le Conseil central a vu, petit à petit, s'éloigner de lui et de ses délibérations, bon nombre des hommes qui l'avaient créé et l'avaient fait ce qu'il était. (...)

Avant que le Conseil central des Métiers et du Travail reprenne la place qu'il occupait il lui faudra se réorganiser; et donner des preuves de sa force ou plutôt des forces réelles qu'il commandera. Aujourd'hui, on n'aperçoit plus que sa faiblesse et elle est telle que pas un journal ne s'est donné la peine de lui dire un mot désagréable au sujet de sa défaite: il ne compte plus.

D. Les élections fédérales

Sur la scène fédérale, les attentes sont moins grandes, les déboires, moins cuisants. Aux élections de 1887, la lutte se fait entre libéraux et conservateurs. Dans Montréal-Est, Joseph Coursol, conservateur national, qui votera d'abord avec l'opposition libérale, est élu par acclamation. Dans Montréal-Centre, le conservateur Curran défait le libéral Cloran grâce à l'appui des quartiers anglophones du comté. Dans Montréal-Ouest, Donald Smith, magnat du Canadian Pacific Railway, écarte le libéral Ward. Montréal est solidement aux mains des conservateurs.

En 1888, à la suite du décès de Joseph Coursol, une élection fédérale a lieu dans Montréal-Est. Le Conseil central des Métiers et du Travail présente un candidat: A.T. Lépine. Les conservateurs, conscients de la popularité des candidats ouvriers dans Sainte-Marie, encore hantés, chez les Canadiens français, par le spectre de Riel, appuient Lépine. Celui-ci défait le libéral A.E. Poirier par 663 voix. Premier candidat ouvrier du Dominion, Lépine symbolise pour certains les périls de la démocratie. Jules-Paul Tardivel écrit dans *La Vérité*:[44]

Quel va être le résultat de toute cette agitation démagogique? C'est que Montréal-Est sera représenté par un ouvrier. Ce n'est pas nous assurément qui dirons qu'un ouvrier ne peut parvenir par son travail et son intelligence à ce degré d'honneur. Mais il y a ouvrier et ouvrier. Dans le cas actuel, nous croyons que ce mot ne veuille dire autre chose que Chevalier du Travail. (...) N'est-ce pas aussi dans l'infâme Proudhon que M.

---

44 *La Vérité*, 6 octobre 1888, citée par D. Héroux et R. Desrosiers, *Le travailleur québécois et le syndicalisme*, Montréal Éd. de Sainte-Marie, s.d., p. 62. Ces deux auteurs accordent une importance exagérée, me semble-t-il, à l'élection et au rôle politique de Lépine. Celui-ci n'est d'ailleurs pas un prolétaire: journaliste au *Quotidien de Lévis* durant sept ans, maître-imprimeur, puis propriétaire d'une imprimerie à Montréal (A.T. Lépine & Co.), c'est l'homme indiqué pour réaliser le trait d'union entre le capital et le travail, selon le titre même du journal qu'il dirige. Quant à son affiliation politique, est-ce par erreur que J.K. Johnson lui accole l'étiquette conservateur indépendant; pourtant, il identifie Alphonse Verville, député à partir de 1906, aux travaillistes. (*The Canadian Directory of Parliament 1867-1967*, Ottawa, Public Archives of Canada, 1968, p. 335 et p. 585.) Rumilly, aussi, range Lépine parmi les conservateurs. (*Histoire de la province de Québec*, tome VI, p. 209.) Faut-il citer, au surplus, la formule lapidaire de Georges Sorel? «Tous les députés disent que rien ne ressemble tant à un représentant de la bourgeoisie qu'un représentant du prolétariat.» (Georges Sorel, *Réflexions sur la violence*, Paris, Marcel Rivière et Cie, 1972, p. 46.)

Lépine a puisé cette science des questions ouvrières que les feuilles bleues lui attribuaient dans une si large mesure durant la lutte. (...) Voilà le candidat ouvrier que nos ministres fédéraux sont venus défendre au nom des bons principes. Eh bien! nous le rappelons, nous souhaitons que notre pays n'ait pas à se repentir trop tôt de la présence de cet homme au parlement; car son triomphe est celui du véritable communisme qu'il professe.

Les appréhensions de Tardivel sont évidemment exagérées. Le député Lépine ne songe aucunement à renverser le régime économique et la politique du Dominion. Lors de sa première intervention, à la Chambre des Communes, il dresse son programme:[45]

C'est pour mettre fin aux abus monstrueux, aux règlements iniques dont ils se plaignent depuis longtemps, que la Commission du Travail a été instituée et que les électeurs de Montréal-Est m'ont élu leur député à la Chambre des Communes. C'est pour expliquer publiquement, à la face du pays tout entier, la dureté des lois qui les frappent en matière des dettes ou de contrats; c'est pour exposer aux représentants du pays les souffrances ignorées, les injustices subies, les mille et une difficultés que les ouvriers ont à surmonter, et contre lesquelles ils ne peuvent même s'élever. C'est pour dévoiler toutes ces choses à la Chambre que les électeurs de Montréal-Est m'ont choisi pour leur député. Je sais que la tâche qui m'est imposée, à moi ouvrier inexpérimenté, est difficile; aussi, pour arriver à bonne fin je compte plus que jamais sur le concours puissant, sur l'aide généreuse d'un grand nombre de membres de cette Chambre qui m'ont déjà accordé leur confiance et déjà donné leur appui. Mais je compte surtout sur l'aide et le concours des honorables ministres qui composent le gouvernement. Je compte enfin sur toutes les bonnes volontés; car, M. l'Orateur, je

---

45 *Compte rendu officiel des Débats de la Chambre des Communes du Canada, 1889*, Ottawa, Imprimeur de la Reine, 1889, vo. XXVII, p. 7. Les mêmes remarques pourraient s'appliquer à Joseph Béland qui, dans ses interventions à l'Assemblée législative, ne tarit pas d'éloge à l'endroit du gouvernement Mercier. (N. Malenfant, *Débats de la Législature de la province de Québec, 1890*, p. 115-116.) Béland que le *Canadian Parliamentary Companion* de 1891 (p. 261) assimile au Parti libéral, maçon de son métier et petit entrepreneur comme son collègue Lépine.

représente ici non seulement les ouvriers, mais encore tous les électeurs qui, pendant la dernière campagne, ont fait noblement abandon de leurs opinions politiques en faveur de la question ouvrière. Je représente tous les hommes de coeur qui ont pensé que les travailleurs devaient être représentés dans ce parlement.

Les ouvriers, je puis le dire hautement, M. l'Orateur, ne demandent aucune loi d'exception; ils ne demandent aucune loi spéciale qui soit contraire au capital. Les ouvriers ne demandent qu'une chose: la justice, et de cette justice ils n'attendent qu'une chose: une protection suffisante qui les mette sur un pied d'égalité avec le capital qui achète leur travail.

Une analyse sommaire du travail parlementaire de Lépine confirme la timidité et la rareté de ses interventions. La plupart du temps, il appuie le gouvernement et s'attaque aux libéraux. Aussi, ceux-ci ne se gênent-ils pas pour remarquer l'absence de Lépine lors de débats sur des sujets ouvriers.[46] L'influence de l'unique député ouvrier, redevable de son siège aux conservateurs, ne peut qu'être marginale. Le sort de Lépine sera d'ailleurs lié à celui du Parti tory. En 1891, il triomphe de L.O. David. Devançant celui-ci dans Saint-Jacques et Saint-Louis, Lépine atteint sa plus forte majorité dans Sainte-Marie: 2286 voix contre 1643. Les conservateurs remportent tous les sièges montréalais. En 1896, Lépine sera emporté, avec les conservateurs, par le magnétisme de Laurier. Gagnepetit lui-même, ardent défenseur du protectionnisme, passe, à l'occasion de cette élection, au journal *Le Soir*, feuille libérale publiée durant la période électorale.

E. Bilan des candidatures ouvrières

En 1896, après dix ans de lutte et d'organisation, Montréal ne compte plus aucun député ouvrier. Bénéficiant d'un succès rapide, les candidatures ouvrières connaissent par la suite des moments difficiles. Il ne reste à Lépine et Béland qu'à conjuguer leurs souvenirs au passé. Quelles sont les raisons de cet échec? Par-delà les explications purement électorales, on peut discerner quelques causes de la défaillance des candidats ouvriers. Il est certain que les affinités des candidats ouvriers

46 *Compte rendu officiel...*, 1896, vol. XLII, pp. 4287-89.

avec les partis grit et tory ont les défauts de leurs qualités. Lépine se maintient grâce à la stabilité conservatrice; le déclin de ce parti l'emporte. Béland profite de l'appui des libéraux en 1890, mais il est desservi par le scandale de la Baie des Chaleurs, en 1892. L'organisation ouvrière ne jouit pas d'une autonomie politique réelle. L'appui des partis politiques aux candidats ouvriers limite leur indépendance. De plus, le principe des candidatures ouvrières repose sur la compréhension des gouvernements. Il s'agit pour les travailleurs de constituer un groupe de pression parlementaire qui imposerait au gouvernement des réformes favorables aux petits salariés. Cependant, la présence d'un ou deux représentants syndicaux dans les assemblées parlementaires ne modifie pas la nature foncièrement bourgeoise de celles-ci. Le parti au pouvoir ne retient des suggestions de Lépine et Béland que les éléments compatibles avec ses intérêts. Après l'échec de cette tactique, les travailleurs songeront à former leur propre parti. En 1899, un groupe de syndicalistes montréalais, dont J.A. Rodier, chroniqueur à *La Presse*, tenteront de jeter les bases de ce parti. Renforçant ces facteurs d'ordre conjoncturel, le système bipartiste britannique ne favorise guère l'éclosion et le développement d'opinions politiques nouvelles, indépendantes des deux grands partis traditionnels.[47]

Le manque de solidarité des prolétaires montréalais mine les fondements de leur organisation politique. Aucun candidat ouvrier ne réussit, sans l'aide d'un parti politique, à se mériter une solide majorité des votes dans les quartiers ouvriers. Les travailleurs demeurent divisés par des préoccupations partisanes. Ces prolétaires, souvent illettrés, manquent de l'information nécessaire à un choix judicieux. Peu préparés à critiquer les manchettes des nombreuses feuilles partisanes, ils tombent facilement dans les pièges de la propagande. Des conditions de travail difficiles, l'absence de loisirs, l'instabilité matérielle écartent, pour l'instant, les améliorations.

---

47 Maurice Duverger cite l'exemple de l'Angleterre: «L'exemple de l'Angleterre est ici frappant, où les Trades-Unions avaient acquis une puissance considérable dès la fin du XIXe siècle: en 1895, ils réunissaient 1 500 000 syndiqués, groupant le cinquième du nombre total des ouvriers adultes. A la même époque, le Parti indépendant du travail, fondé par Keir Hardie, ne recueillait que 45 000 voix et pas un seul siège de député, à cause du système des deux partis.» (Maurice Duverger, *Les partis politiques*, Paris, Armand Colin, 1967, p. 33.)

Les candidatures ouvrières sont aussi victimes d'une conjoncture économique et politique difficile. Les ouvriers sont des pions sur un vaste échiquier politique, les premiers qu'on sacrifie lorsque l'économie chancelle. La création de la Commission royale sur les relations entre le capital et le travail (CRCTC) précède de quelques mois les élections fédérales de 1887. Macdonald veut s'assurer le vote ouvrier. Par contre, en 1889, les secousses économiques se répercutent sur les travailleurs. Le cabinet conservateur présente une loi sur la prévention des conspirations contre la liberté du commerce dont l'article 6 supprime l'article 22 de l'Acte de 1872 qui accordait une protection légale aux organisations ouvrières.[48] A partir de 1890, les leaders ouvriers prendront leurs distances avec le Parti conservateur.

Enfin, si les ouvriers se réunissent pour défendre leurs intérêts, il arrive cependant que ces intérêts mêmes les divisent. Les vieilles unions de métier, solidement établies, axées sur la revendication de meilleures conditions de travail, placent le respect des privilèges acquis avant la solidarité entre travailleurs. En périodes de crise, elles abandonneront les travailleurs non spécialisés à leur sort pour se concentrer sur la défense de leurs membres. Les Chevaliers du Travail, qui rassemblent surtout la main-d'oeuvre non spécialisée du Québec, échoueront alors dans leurs tentatives d'intéresser ces unions de métier à des objectifs généraux.

II. La justice et la loi

A. La justice municipale

En tête des objectifs proposés par les Chevaliers du Travail figure la modification de la législation ouvrière. La critique des représentants des travailleurs souligne maintes fois le caractère oppressif des lois et règlements qui régissent les rapports entre patrons et employés. A Montréal, les ouvriers subissent le joug d'une justice particulièrement rigoureuse à leur égard. Un exemple suffit: le règlement concernant les maîtres et apprentis. Ce texte, d'inspiration médiévale, qui suscitait à l'époque la

48 «Loi à l'effet de prévenir et supprimer les coalitions pour gêner le commerce», S.C., 1889, ch. 41. Cette modification sera retirée en 1890 («Acte modifiant de nouveau la loi criminelle», S.C., 1890, ch. 37); le texte de 1872 sera à nouveau appliqué.

réprobation générale des chefs ouvriers, asservit le travailleur à son employeur. Le texte stipule que tout apprenti, serviteur ou compagnon «qui sera coupable (...) d'abandonner son service ou ses devoirs, ou de s'absenter (...), ou de la maison ou de la résidence de son bourgeois, ou qui refusera ou négligera de remplir ses justes devoirs ou d'obéir aux ordres légitimes qui lui seront donnés par son maître ou maîtresse» sera passible de $20 d'amende ou d'un emprisonnement n'excédant pas trente jours.[49] Selon la section 2 du règlement, maître et apprenti doivent se donner un avis de départ ou de licenciement de quinze jours. Cependant, le texte ne prévoit de sanction que pour l'apprenti. Aucune pour le maître coupable. La section 4 inflige une peine à ceux qui incitent l'apprenti ou le serviteur à déserter. Ce paragraphe sera utilisé contre les meneurs de grèves. La sanction est de $20 d'amende ou trente jours de prison. Une seule clause prévoit une pénalité contre le maître, si celui-ci maltraite ses domestiques ou ses employés, il est passible d'une amende de $20 ou d'un emprisonnement n'excédant pas trente jours. L'interprétation du terme maltraiter ouvre cependant la porte aux abus. Le recorder de Montigny lui-même reconnaît en cour et devant la CRCTC qu'un patron a le droit de corriger son employé, «pourvu, bien entendu, que ce soit une correction raisonnable». Il ajoute spontanément, à l'intention de l'employeur:[50]

Vous avez le droit de secouer un apprenti, vous avez le droit de lui tirer légèrement l'oreille, vous avez le droit de lui frapper dans les mains ou sur les fesses ou à quelque endroit où vous êtes sûr que cela n'endommagera ni ne préjudiciera à la santé de l'enfant.

Jules Helbronner décèle dans ce règlement une menace permanente:[51]

Cet acte fait de l'ouvrier la chose du maître. Il permettrait à ce dernier de retenir son employé chez lui le jour et la nuit, de l'empêcher de voter, de l'empêcher de veiller sur les siens malades, et de le forcer à travailler sans le payer. La loi est

49 *Règlements de la cité de Montréal compilés à date, 1893*, Montréal, Eusèbe Sénécal, 1893, règlement XX, p. 7.
50 CRCTC, vol. I, p. 435.
51 CRCTC, *Rapport I*, p. 55.

formelle, elle n'admet aucune excuse, quelque légitime qu'elle puisse être.

Rien n'indique que ce règlement reçoive une application quotidienne et généralisée. Dans le rapport du chef de police de Montréal, en 1890, on peut lire qu'en 1884 le nombre de serviteurs, d'apprentis ou de compagnons coupables de désertion, d'insubordination, de paresse, de dommage malicieux à la propriété de leurs maîtres ou patrons, est de cinquante-quatre; en 1885, de trente-quatre; en 1886, de quatre-vingt-quatre; en 1887, de cent trente-quatre; en 1888, de quatre-vingt-trois; en 1889, de soixante; en 1890, de quatre-vingt-six.[52] Même s'il n'est appliqué qu'occasionnellement, le règlement n'en régit pas moins les relations de travail et sanctionne souvent des abus flagrants. En 1890, treize typographes du *Montreal Daily Herald* déclenchent une grève. Ils sont aussitôt congédiés. Le 12 juillet, ils sont arrêtés en vertu du règlement XX.[53] Gagnepetit relate une autre application du règlement:[54]

Turgeon est engagé à l'année en vertu d'un contrat signé entre lui et MM. Pinkerton, à tant par semaine. Une paire de bottes est abîmée dans l'atelier, par on ne sait qui, et la maison veut faire payer à Turgeon le prix de ces bottes. Il s'y refuse, déclare qu'il préfère s'en aller, lorsqu'on lui annonce qu'on lui retiendra une somme de... sur son salaire à la fin de la semaine. (L'ouvrier quitte son patron, qui le fait arrêter.) *Vous êtes condamné, a dit la cour, à huit jours de prison et à $10 d'amende ou quinze jours. Maintenant, je consens à suspendre la sentence si vous voulez retourner à votre ouvrage et si vos maîtres consentent à vous reprendre; s'ils ne veulent pas vous reprendre, vous irez en prison. (...)*

On ne traitait pas autrement les nègres avant la guerre de sécession. Un maître n'avait pas le droit de battre son esclave, mais il pouvait le faire battre par la police; il pouvait également lui faire grâce si bon lui semblait, et si l'esclave s'humiliait, promettait de bien se conduire et de bien faire son ouvrage à l'avenir.

---

52 *Rapport du chef de police...*, p. 21.

53 J. Hamelin, P. Larocque, J. Rouillard, *Répertoire...*, p. 105.

54 *La Presse*, 11 septembre 1886. Ce fait est corroboré par une déposition de l'avocat Charles Doherty, devant la CRCTC. (CRCTC, vol. I, p. 237-238.)

Ici, à Montréal, le patron n'a pas non plus le droit de punir son ouvrier mais il l'envoie à la police qui le condamne et suspend la sentence, à condition que le maître pardonnera (sic), *sinon la sentence est exécutée. Où est la différence entre le blanc vivant à Montréal en 1880, et le nègre vivant dans le sud, en 1860?*[55]

Selon le juge, Turgeon n'a pas le droit de quitter son travail sous prétexte que son patron retient son salaire. Ce serait se faire justice soi-même! Gagnepetit soutient que de nombreux apprentis sont liés de cette façon à leur patron: malgré des retenues salariales, le règlement XX les attache à leur employeur. Jean-Baptiste Gagnepetit confesse:[56]

Prétendre qu'un patron a le droit de retenir le salaire de son ouvrier et que celui-ci est quand même forcé de travailler pour ce patron, est une prétention dont la sagesse et la profondeur échappent à ma faible intelligence.[57]

B. La législation du travail

La charte de la ville de Montréal contient des prescriptions d'un profond anachronisme. Les législations provinciales et fédérales tempèrent cette sévérité. En effet, l'absence de lois ouvrières permet aux travailleurs le recours au sens commun! Les premières lois concernant le travail manufacturier sont votées, au Québec, à partir de 1885. Un aperçu de ces législations permet de mesurer l'ampleur de l'exploitation capitaliste et la timidité des législateurs. Les syndicats n'ont droit de cité, au Canada, qu'à partir de 1872. L'Acte concernant les associations ouvrières stipule que les syndicats ouvriers ne peuvent être reconnus illégaux pour la seule raison qu'ils

55 «Ils ne sont pas seulement esclaves de la classe bourgeoise, de l'État bourgeois, mais encore, chaque jour, à chaque heure, les esclaves de la machine, du contremaître et surtout du bourgeois fabricant, lui-même. Plus ce despotisme proclame ouvertement le profit comme son but unique, plus il devient mesquin, odieux, exaspérant.» (K. Marx, F. Engels, *Manifeste du Parti communiste*, Paris, Ed. Sociales, 1966, p. 42.)

56 *La Presse*, 11 septembre 1886.

57 «Le capital n'est donc pas seulement, comme dit Adam Smith, le pouvoir de disposer du travail d'autrui; mais il est essentiellement le pouvoir de disposer d'un travail non payé. Toute plus-value, qu'elle qu'en soit la forme particulière, — profit, intérêt, rente, etc. — est en substance, la matérialisation d'un travail non payé. Tout le secret de la faculté prolifique du capital, est dans ce simple fait qu'il dispose d'une certaine somme de travail d'autrui qu'il ne paye pas.» (K. Marx, *Le Capital*, livre I, p. 383.)

restreignent le commerce. Seuls les syndicats qui se soumettent à l'enregistrement tombent sous la protection de cette loi. En 1876, le législateur fédéral légalise explicitement le piquetage pacifique. Cette disposition sera cependant retirée en 1892.[58] A la faveur des décisions du Conseil privé, les relations de travail tomberont progressivement sous juridiction provinciale, en vertu de l'article 92 paragraphe 13 de l'AANB.[59] Or, au Québec, le législateur manifeste une réticence poussée à inscrire dans les lois les progrès du syndicalisme et les revendications ouvrières. Le Conseil législatif s'élève, tel un solide bastion, contre les progrès des associations de travailleurs. En 1887, il s'oppose au projet de loi de l'Association Union de Saint-Pierre, organisation ouvrière autorisée à prêter sur gage, sous le contrôle du gouvernement québécois. Ce projet sera notablement modifié. En 1889, le Conseil rejette le projet de loi incorporant «les associations de bienfaisance».[60] En 1894 et 1895, ce projet, présenté sous le titre de bill «relatif à l'incorporation des associations de bienfaisance, de sociétés nationales, des unions de métier et de sociétés de travail» sera rejeté à deux reprises. Le conseiller Garneau commente: «On accorde trop de pouvoirs à ces associations; je refuse, malgré l'intérêt que je porte aux travailleurs.»[61] Son collègue Sharples ajoute: «A Québec, on a déjà une société de travail qui nous a déjà fait beaucoup de mal, et qui a nui considérablement à nos intérêts.»[62] De nombreuses mesures modérées, votées par l'Assemblée législative échouent devant la résistance du Conseil législatif. Le projet de loi sur «la fermeture des magasins de bonne heure» subira le même sort. Considérant la mesure comme l'expression d'un interventionnisme excessif de l'État, le libéral Garneau soutient: «Les patrons ne sont pas libres de faire ce qu'ils désirent, tandis que les commis sont libres de quitter un établissement quand ils le

---

58 Robert Gagnon, Louis Le Bel, Pierre Verge, *Droit du Travail en vigueur au Québec*, Québec, Presses de l'Université Laval, 1971, pp. 76-78.

59 Le gouvernement canadien conserve juridiction sur les travailleurs dans les domaines de sa compétence: employés du Dominion, transport interprovincial, marine, travaux publics fédéraux.

60 E. Orban, *Le Conseil...*, p. 228-229.

61 Pourtant, la mesure ne comporte rien de radical: elle accorde une reconnaissance légale à des associations libres qui ont le droit de se réunir dans un local déterminé et de posséder des biens.

62 E. Orban, *Le Conseil...*, p. 252-253.

veulent.»[63] Le projet connaît un double échec en 1892.[64]

Les lois sur la saisie des salaires offrent un autre exemple de l'inconsistance des interventions de l'Assemblée législative. La protection des gages des ouvriers s'impose sérieusement. Gagnepetit soutient que Montréal est le paradis des huissiers:[65]

La preuve la plus palpable de la cruauté et de l'inefficacité de notre système judiciaire, dans le cas présent, c'est qu'il y a moins d'ouvriers saisis à Londres, ville de 4 500 000 habitants et à Paris, ville de 2 000 000 habitants que dans notre bonne ville de Montréal qui en compte 150 000; et que par contre les pertes supportées par nos marchands sont, proportionnellement, plus grandes que celles éprouvées par les détaillants des deux grandes villes européennes.

En 1880, l'Assemblée législative prévoit une loi exemptant de la saisie la moitié des gages des ouvriers. Le Conseil législatif oppose son veto: le projet est considéré comme révolutionnaire et dangereux. Nouvel échec en 1882. En 1886, le gouvernement rend inviolable 50% des gages des ouvriers. En 1888, l'Assemblée législative songe à garantir cette protection à 75% du revenu ouvrier. Sous prétexte qu'une telle mesure minerait le crédit ouvrier, le Conseil législatif repousse le projet de loi. En 1900, un amendement proposé au code de procédure civile rendrait insaisissable le salaire du travailleur gagnant moins de $1.50 par jour. Cédant à des pressions de la Chambre de commerce de Montréal, le Conseil écarte le projet.[66]

Si la loi de 1886 protège dans une certaine mesure le salaire, les procédures judiciaires grugent en partie les sommes ainsi économisées. L'avocat Charles Doherty propose l'exemple d'un ouvrier dont la dette et le salaire hebdomadaire sont de $7: si 50% de son salaire est saisi, il versera $3.50 par semaine. Cependant, l'addition des frais de cour porteront le montant de la saisie hebdomadaire à $4.55. La dette de ce travailleur s'accroît donc de 30% par semaine.[67] Qui plus est, la formulation de la loi porte à confusion, si bien qu'en 1892, la Cour

63 Ibidem, p. 247.
64 Il faudra attendre jusqu'en 1924 pour voir une loi de cette nature!
65 *La Presse*, 31 octobre 1884.
66 E. Orban, *Le Conseil...*, p. 273.
67 CRCTC, vol. I, p. 235.

d'appel décidera que seul le salaire des manoeuvres est protégé. Le salaire des autres travailleurs, commis, employés de toutes sortes, est saisissable en entier.[68]

L'Acte des Manufactures de 1885 apparaît comme la principale intervention législative du gouvernement provincial au XIXe siècle dans le domaine des relations ouvrières.[69] Aux termes de cette loi, aucun enfant ni jeune fille ou femme ne peut travailler plus de dix heures par jour. Afin d'écourter la journée du samedi, il est par ailleurs permis d'allonger les autres journées. Des restrictions limitent cependant la portée de la loi:[70]

Le lieutenant-gouverneur en conseil peut établir des règlements en vertu desquels l'inspecteur a la faculté:
1. s'il arrive au moteur ou aux machines d'une manufacture un accident qui arrête le travail; ou
2. si par quelque cause indépendante de la volonté du patron, on ne peut faire marcher régulièrement les machines ou une partie des machines d'une manufacture; ou
3. si les usages ou les besoins des exploitations exigent que les enfants, les jeunes filles ou les femmes employés dans l'enceinte ou à certaines opérations de la manufacture, y travaillent plus longtemps que durant les heures ci-dessus prescrites: sur preuve par lui jugée satisfaisante de l'accident, de la cause de chômage, des usages ou des besoins de l'exploitation, d'accorder telle exemption des règles imposées par le présent acte, qu'il estime convenable et juste pour les propriétaires et pour les enfants, les jeunes filles et les femmes dans la manufacture, afin qu'ils puissent regagner le temps perdu par suite de l'accident ou autre cause de chômage, ou pour satisfaire aux besoins et aux exigences de l'exploitation industrielle; pourvu, toutefois, que dans le cas où l'inspecteur accorderait cette exemption, aucun enfant, aucune jeune fille ou femme, ne soit employé avant six heures du matin ni après neuf heures du soir, et que la durée du travail d'un enfant, d'une jeune fille ou d'une femme, ne dépasse pas douze heures et demie de travail par jour, ni soixante-douze heures et demie par semaine, et que l'exemption ne s'étende pas

68 *La Presse*, 10 octobre 1892.
69 «Acte des Manufactures de Québec, 1885», S.Q. 1885, ch. 32.
70 «Acte des Manufactures...», art. 13, cité par Jean-Baptiste Gagnepetit dans *La Presse*, 30 mai 1885.

à plus de six semaines en aucune année, et que le temps réservé par le présent acte pour les repas soit réduit.

Interprété par les uns comme une réforme importante en faveur des ouvriers, l'Acte de 1885, à cause même de sa formulation très large, reçoit un accueil glacial de la part de Gagnepetit. Partisanerie politique? Peut-être: les ultramontains viennent de s'imposer au sein du Parti conservateur aux dépens de l'aile modérée, favorable à Chapleau, dans l'orbite de laquelle *La Presse* gravite. Ce ne sont là cependant que des querelles de famille qui ne semblent pas avoir une influence suffisante pour modifier le jugement de Gagnepetit. Considérant le fait que les femmes et les enfants, sous le régime de cette loi, peuvent être retenus quatorze heures et demie par jour à l'atelier,[71] durant six semaines, et onze heures le reste de l'année,[72] le chroniqueur de *La Presse* juge la mesure rétrograde:[73]

En lisant ces règlements, on se demande pourquoi le gouvernement sous le drapeau duquel nous vivons prétend abolir la traite des noirs chez les autres, quand son représentant au Canada sanctionne de pareilles lois chez nous.

A l'heure où les sociétés ouvrières réclament la suppression du travail des enfants, hormis l'apprentissage, la loi rend légitime son exploitation. De même, au chapitre de la sécurité industrielle, cette législation comporte de nombreux trous. Elle stipule, par exemple, qu'il «n'est pas permis de tenir une manufacture de la manière que la vie de qui que ce soit qui y est employé (...) soit *probablement*[74] en danger d'être *permanemment* compromise».[75] Dans le cas d'un employeur contrevenant à cet article, «un délai raisonnable» est accordé au patron pour modifier les conditions de travail dangereuses. Gagnepetit riposte:[76]

Pourquoi pas tout de suite? Et si durant le délai accordé par l'inspecteur, la santé des ouvriers est probablement en *danger*

71 Douze heures et demie de travail, deux heures pour le dîner et le souper.
72 Dix heures de travail, une heure pour le souper.
73 *La Presse*, 30 mai 1885.
74 Les soulignés sont de Gagnepetit.
75 «Acte des Manufactures», art. 3, cité par Gagnepetit dans *La Presse*, 6 juin 1885.
76 Ibidem.

d'être permanemment *compromise, que fera l'ouvrier? Refusera-t-il de travailler? Impossible, le délai est légal; il a été accordé par l'inspecteur, et si l'ouvrier refuse de travailler, le recorder est là avec l'Acte des Maîtres et Apprentis: $20 ou trente jours.*

Le législateur continue:[77]

Dans les manufactures où se pratiquent des opérations donnant lieu au dégagement et à l'exhalation de poussières assez abondantes pour nuire à la santé des employés, si ceux-ci peuvent être garantis, dans une certaine mesure ou tout à fait, de ces poussières dangereuses, par un moyen mécanique autorisé par les règlements établis à cet égard, l'inspecteur peut ordonner l'emploi de ce moyen dans un délai raisonnable. (...) Les courroies, arbres de couches, engrenages, roues d'air, tambours, (...), et toutes autres constructions ou places dangereuses, doivent être, autant que possible, entourés d'appareils protecteurs.

Gagnepetit reprend:[78]

Et si un enfant se refuse à nourrir une de ces machines meurtrières, le recorder lui dira: mon enfant, je le regrette, mais l'inspecteur a jugé que la machine était protégée autant que possible: $20 et trente jours.

Il conclut:[79]

C'est long, embrouillé et peu compréhensible. J'ai cherché vainement si le bill indiquait d'une manière positive, qui devait poursuivre: je n'ai rien trouvé. J'ai conclu que l'inspecteur n'a ni le droit, ni le devoir de poursuivre, et que l'ouvrier lésé, menacé dans sa vie et sa santé, devra, pour être protégé par ce bill phénoménal, intenter une poursuite à ses frais.

---

77 Ibidem.

78 *La Presse*, 6 juin 1885. Par dérision, le journaliste intitule son article: «Acte pour protéger les industriels qui compromettent la vie et la santé des personnes employées dans les manufactures.» Le Dr Samson porte le même jugement qu'Helbronner sur cette loi: «Il saute aux yeux qu'une législation aussi succincte n'a été, dans l'idée même de ses auteurs, adoptée que comme pis-aller, en attendant que l'expérience pût admettre d'aller plus loin. Elle ne donne pas au médecin hygiéniste d'instructions assez détaillées. Sa réglementation vague, arbitraire, incomplète, laisse la porte ouverte à des expertises, à des chicanes chaque fois que le médecin voudra faire redresser un abus.» (*Rapport du Dr C.I. Samson*, DS, doc. no 7, 1893, p. 125.)

79 *La Presse*, 6 juin 1885.

Certes, l'Acte des Manufactures prête à la critique. La formulation vague de la loi et, surtout, le caractère facultatif du rôle des inspecteurs des établissements industriels lient l'efficacité de l'acte au zèle et à l'intégrité des inspecteurs.[80] L'absence de jurisprudence relative à cette loi trahit sans doute cette faiblesse. Les inspecteurs sont peut-être portés à donner une interprétation laxiste de leur rôle et des obligations des manufacturiers. Par ailleurs, la prétention de Gagnepetit, selon laquelle aucune procédure n'est prévue contre les patrons qui contreviennent à la loi semble fausse. En effet, on lit à l'article 33:[81]

Toutes les poursuites en vertu du présent acte sont intentées par l'inspecteur, et peuvent l'être devant le juge des sessions ou le magistrat de police dans les cités de Montréal et Québec, et devant le magistrat de district ou devant tout juge de paix de l'endroit où l'offense a été commise ou le tort causé, dans toute autre partie de la province.

La loi demeure lettre morte jusqu'en 1888, année où sont nommés les premiers inspecteurs. En 1890, des amendements précisent la portée du texte. En 1894, «l'Acte des Manufactures de Québec, 1885» est remplacé par la «loi des établissements industriels de Québec».[82] La journée de travail passe de douze heures et demie à douze heures. La loi s'applique à tous les établissements industriels, sauf les mines et les ateliers de famille, contrairement à l'Acte des Manufactures qui ne touchait que les entreprises de vingt employés et plus, abandonnant à leur sort les travailleurs les plus sévèrement exploités.

D'autres lois, au contraire, visent à réprimer le mouvement ouvrier. En 1887, à l'occasion de conflits dans le port de Québec, la Chambre des Communes adopte une loi qui rend passible de trois mois de travaux forcés, toute personne qui use de violence ou de menaces pour empêcher le travail libre à bord d'un navire. Chez les travailleurs, on assiste à une levée de boucliers. Jean-Baptiste Gagnepetit participe au débat:[83]

---

80 «L'inspecteur a la faculté de faire toutes et aucune des choses suivantes...» (S.Q., 1885, chap. 32, art. 15.)
81 Ibidem, art. 33.
82 «Loi des établissements industriels de Québec», S.Q., 1894, chap. 30.
83 *La Presse*, 18 juin 1887.

Nous en avons assez de loi d'exception et celle-là ne doit pas passer. Les lois actuelles sont suffisantes pour protéger les ouvriers qui veulent remplacer les grévistes; elles le sont tout au moins à Montréal, et si les autorités de Québec sont impuissantes à maintenir l'ordre dans leur ville, ce n'est pas une raison pour menacer du bagne tous les ouvriers de bord de la Puissance.

Gagnepetit met le doigt sur le lien qui unit le gouvernement et les commerçants:[84]

Ils (les ouvriers canadiens) *savent maintenant avec quelle facilité le gouvernement a modifié la loi en vue d'en rendre l'application plus prompte et plus dure vis-à-vis des ouvriers; et la rapidité avec laquelle ce changement a été exécuté exclut toute idée d'étude de la part des autorités. La loi a été changée parce que les commerçants de Québec l'ont demandé, pas pour autre chose; on est moins prompt à agir lorsque ce sont les ouvriers qui demandent une modification légale. Le mouvement toujours décroissant du port de Québec, habilement exploité près des députés et du gouvernement a servi de preuve à l'appui contre les ouvriers de bord, et ce sont ces derniers qu'on a rendu responsables de cette décroissance d'activité, sans étudier si les capitalistes n'étaient pas quelque peu coupables.*[85]

L'inégalité des travailleurs et des patrons devant la loi est un fait d'observation courante en cette fin du XIXe siècle. Jean-Baptiste Gagnepetit met en relief ces injustices à plusieurs reprises.[86]

Il faut détruire toute législation traitant différemment le patron et l'employé: il faut imposer les mêmes obligations et les mêmes exceptions aux débiteurs qu'ils soient patrons ou employés, et faire disparaître cette coutume contraire à tous les principes d'honnêteté qui veut qu'un homme qui doit des milliers de piastres puisse vivre heureux et tranquille parce qu'il est patron, alors qu'un autre sera traqué comme un animal malfaisant, et réduit à la misère, parce qu'il doit quelques

84 *La Presse*, 25 juin 1887.
85 «Le gouvernement moderne n'est qu'un comité qui gère les affaires communes de la classe bourgeoise tout entière.» (K. Marx, F. Engels, *Manifeste...*, p. 33.)
86 *La Presse*, 24 avril 1886.

piastres et qu'il est ouvrier.[87]

L'ascendant des capitalistes, des commerçants et industriels sur les parlements ne fait pas de doute:[88]

Sous une constitution politique comme les nôtres, toutes facilités ont été données aux capitalistes et aux patrons des grandes industries, de diriger, de contrôler même, dans une grande mesure, notre législation et l'administration des affaires publiques, de façon à mettre tous les avantages du côté des plus forts.

III. Les classes sociales

A posteriori, une explication se présente spontanément, qui permet de comprendre cette situation explosive. La révolution industrielle montréalaise est relativement récente. Elle n'atteint pas une ampleur et un rythme importants avant la fin du XIXe siècle. La classe ouvrière sort des langes; peu organisée, son influence se brise sur le vieux libéralisme commercial. Les assemblées législatives du Québec et du Canada se composent des anciennes élites: avocats, médecins, représentants des intérêts commerciaux, financiers et industriels. Les travailleurs n'y trouvent aucun écho à leurs demandes.

Dans cette perspective, il est malaisé d'éluder la question de classe. Même s'ils tentent de l'écarter, les chefs ouvriers, à l'instar de Gagnepetit, ne peuvent passer sous silence le profond antagonisme qui soulève les uns contre les autres patrons et travailleurs. En quels termes le phénomène des classes sociales est-il perçu par les Montréalais de 1890? Le territoire municipal se répartit entre une population que divisent l'origine ethnique, la situation économique et sociale. Entre les quartiers les plus différents n'existe presque aucune relation. H.B. Ames, parlant des bourgeois du quartier Saint-Antoine, affirme que les conditions de vie déplorables des prolétaires du quartier voisin leur sont aussi inconnues que celles des indigènes d'Afrique

87 Dans sa chronique du 10 septembre 1887, Gagnepetit donne une illustration frappante de la vulnérabilité des travailleurs devant la loi: un gréviste qui sollicite discrètement un travailleur à lui accorder son appui est jugé plus sévèrement qu'un maître chanteur qualifié et qu'un patron qui menace, l'arme au poing, son employé en grève.

88 *La Presse*, 9 octobre 1886.

centrale.[89] Chaque quartier présente un tissu démographique particulier. Les ouvriers habitent surtout le sud de la ville, le long du fleuve. Les quartiers bourgeois se développent surtout vers le nord. Une démarcation linguistique partage la ville en deux parties. A l'ouest de la rue Saint-Laurent, domine l'élément anglophone. La haute bourgeoisie d'affaires surplombe la ville, dans le quartier Saint-Antoine. Les 11 000 francophones qu'on y trouve se rattachent mieux, du point de vue socio-économique aux Irlandais du quartier Sainte-Anne. Ce quartier, majoritairement anglophone, regroupe, près d'une population francophone, un fort noyau irlandais, issu des grandes vagues d'immigration de la première moitié du siècle. Le centre de la ville se partage selon le même axe linguistique: à l'ouest, l'élément anglo-saxon domine; au centre il fait progressivement place au groupe francophone; à l'est, celui-ci s'impose largement. Saint-Laurent, quartier contigu à Saint-Antoine, est à 75% anglo-saxon. Il emprunte plusieurs caractéristiques au quartier voisin. Il rassemble la bourgeoisie commerciale.[90] Le quartier Saint-Louis, bien qu'il comprenne une forte proportion d'anglophones, est majoritairement francophone. Avec le quartier Saint-Jacques, dominé par l'élément francophone, il accueille la bourgeoisie professionnelle. Sainte-Marie regroupe les prolétaires canadiens-français. Les francophones forment 63% de la population montréalaise, les Canadiens anglais, 35%.[91]

Une autre stratification partage les Montréalais entre propriétaires et locataires. L'accès au pays légal est soumis, dans le cas de ces derniers, à des conditions qui, souvent, les excluent du débat public: la corvée, la taxe d'eau, le cens d'éligibilité. Gagnepetit décrit cette situation:[92]

Il est absolument nécessaire, pour que les hommes de l'avenir comprennent ce qui s'est passé, de dire qu'on a un profond mépris à l'Hôtel de ville pour tout ce qui n'est pas propriétaire.

---

89 H.B. Ames, *The City...*, p. 4.

90 J. Hamelin et Y. Roby, *Histoire économique...*, p. 347-348.

91 Norbert Lacoste, *Les caractéristiques sociales de la population du grand Montréal*, Montréal, Université de Montréal, 1958, p. 77.

92 *La Presse*, 20 février 1886.

A. Les bourgeois

L'existence de particularités sociales fortement marquées ne fait aucun doute. La perception des antagonismes qui naissent de ces rapports de classes n'échappent pas aux bourgeois de l'époque. La crainte du peuple, la peur du péril démocratique hante une portion non négligeable de cette bourgeoisie. Gagnepetit fournit un exemple des mesures par lesquelles les bourgeois montréalais entendent protéger leurs privilèges:[93]

Les échevins amis de la corvée disent: si la corvée est abolie, si les locataires, tous les locataires votent, c'en est fait de la municipalité, de ses fonds, de ses institutions, elle sera gouvernée par des gens sans aveu, des ivrognes, des lutteurs, etc., etc. Et sur ces accusations, les propriétaires prennent peur, sans songer que ces électeurs que l'on traite ainsi sont les mêmes que ceux qui nomment les membres du parlement.

Un journaliste du *Monde* confirme le jugement du chroniqueur de *La Presse*:[94]

Pour rétablir l'empire des idées justes, ce n'est pas sur le peuple qu'il faut compter. On le flatte cependant, au lieu de l'éclairer. Mais, on trahit la civilisation, on trahit la raison, on manque à tous les intérêts et à tous les devoirs du bon citoyen, de l'homme éclairé, de l'honnête homme, lorsqu'on livre le gouvernement de l'État à la naïve témérité du peuple, à sa hardiesse aveugle, à sa présomptueuse ignorance. Dans la situation singulière où nous sommes, il faut le dire, l'ordre naturel des choses est totalement renversé.

Cette réaction craintive se manifeste probablement chez la portion la plus vulnérable de la bourgeoisie. Moyenne et petite bourgeoisie professionnelle, majoritairement canadienne-française, menacée dans son prestige, par la montée de ses congénères des bas-fonds. La grande bourgeoisie d'affaires, consciente de sa puissance, influente auprès des gouvernements quand elle ne les contrôle pas totalement, entend exercer une influence efficace sur ces masses ouvrières, indispensables à son

---

93 *La Presse*, 15 mai 1886.
94 *Le Monde*, 26 mars 1892.

propre essor. Les péripéties de l'action politique des travailleurs révèlent la force de la bourgeoisie industrielle et commerciale capable de drainer vers ses propres objectifs politiques la masse des salariés.[95] N. Brouillet, rédacteur à *La Presse*, donne un exemple des tactiques employées par les politiciens bourgeois pour circonvenir les ouvriers:[96]

Depuis quelques années, rien ne se fait sans que «les ouvriers et leurs intérêts» ne soient sur le tapis. S'agit-il d'une élection municipale, locale ou fédérale, on se fait toujours un devoir de les consulter auparavant, mais rarement de les satisfaire ensuite. On n'entend plus que «messieurs les ouvriers» par-ci, «messieurs les ouvriers» par-là. On ne peut être ni plus civil, ni plus poli, ni même plus «camarade». On se dégante pour presser leur main calleuse; on ôte son bonnet pour les saluer.

La mainmise bourgeoise sur les pouvoirs législatifs permet de réduire au minimum les réformes favorables aux travailleurs. La législation ouvrière est l'expression de l'égoïsme bourgeois. Celui-ci trouve un rempart inexpugnable dans le Conseil législatif. L'ancien Premier ministre Flynn l'exprime naïvement en 1900:[97]

On se rappelle ces mesures concernant la ville de Montréal qui ont été sujet de débats pendant des semaines; c'est au Conseil législatif que l'on a pu avoir justice complète. Les capitalistes, les manufacturiers, les représentants de la propriété sont partis d'ici en disant: sans le Conseil législatif, nous étions ruinés, jamais nous ne demanderons cette abolition.

Même un esprit libéral comme L.O. David, sympathique aux revendications ouvrières, ne conçoit de mesures législatives que dans le but d'aménager la pérennité du règne de la bourgeoisie. Dans une intervention éloquente, à l'Assemblée législative, il résume sa pensée:[98]

95 «S'il arrive que les ouvriers se soutiennent par l'action de masse, ce n'est pas encore là le résultat de leur propre union, mais de celle de la bourgeoisie qui, pour atteindre ses fins politiques propres, doit mettre en branle le prolétariat tout entier, et qui possède encore provisoirement le pouvoir de le faire.» (K. Marx, F. Engels, *Manifeste...*, p. 44.)

96 *La Presse*, 29 mars 1890.

97 *La Presse*, 22 mars 1900, citée par E. Orban, *Le Conseil...*, p. 272.

98 Alphonse Desjardins, *Débats...*, 1887, pp. 375-377.

On aura beau fermer les yeux, pour ne pas voir, se boucher les oreilles pour ne pas entendre, ça n'y fera rien et la vérité n'en finira pas moins par se faire jour. Il ne faut pas se méprendre sur la nature des causes qui provoquent les agitations que l'on remarque un peu partout, même en Amérique, où pourtant l'espace et la liberté sont loin de faire défaut, comme dans la plupart des pays de la vieille Europe. (...) Au Canada, nos grands centres industrielles (sic) *commencent à peine à se former et déjà une certaine inquiétude perce dans les agissements des classes dont je parle. Sans doute que l'agitation qui anime les esprits ici, n'a pas encore atteint l'énergie et l'intensité que l'on observe chez les vieilles sociétés européennes. (...) Une transformation dans les rapports de ces classes avec le système social qui a dominé jusqu'à aujourd'hui est, à mon sens, imminente. La sagesse des classes dirigeantes doit se montrer à la hauteur des périlleuses circonstances qui se préparent pour un avenir plus ou moins rapproché. Elles doivent s'appliquer à rendre cette transformation la plus facile possible, puisqu'elle doit inévitablement se produire. Il faut prévenir les abus en dirigeant avec sagesse la marche des événements qui tous concourront à la réalisation de ce changement. Le seul moyen d'éviter les secousses trop vives, de prévenir les maux inhérents à tous mouvements sociaux mal dirigés ou laissés à eux-mêmes, est de s'appliquer à en connaître les causes et à découvrir les mesures propres à donner satisfaction aux aspirations, encore vagues pour le moment, des éléments qui constituent les classes ouvrières. Ce serait répéter la folie que nous montre l'histoire, quand elle nous raconte les luttes dangereuses et insensées de ceux qui repoussaient les réformes dans l'ordre politique, pour maintenir intact le vieux système de gouvernement; ce serait, dis-je, répéter cette folie, si nous allions nous arc-bouter contre des tendances nouvelles dans l'ordre social, au lieu de prendre cette cause en main et de la conduire avec la prudence qu'il faut apporter à ces sortes de questions.*

B. Les travailleurs

La conscience de leurs intérêts communs réunit les capitalistes contre le développement d'une législation favorable aux ouvriers; elle les ligue contre les associations ouvrières. Les travailleurs présentent-ils une opposition cohérente à leurs adversaires?

Dès lors que les relations de travail entre patrons et employés cessent d'être un rapport personnel et que s'y substitue l'union des salariés en vue de promouvoir leurs intérêts contre l'exploitation d'entreprises capitalistes, une conscience de classe se forme. L'action concertée des associations ouvrières, l'arbitrage, les grèves, en accélèrent la cristallisation. Cependant, vers 1890, le développement industriel de Montréal est relativement récent. La croissance démographique a gonflé les rangs ouvriers d'anciens travailleurs ruraux, d'immigrants. De nombreuses familles ouvrières n'ont pas encore vécu une génération dans un cadre urbain. Le temps n'a pas fondu les nouveaux arrivés dans le creuset de la solidarité ouvrière. De plus, les ouvriers, jusqu'en 1872, étaient démunis devant leurs employeurs. La légalisation des syndicats permettra aux associations ouvrières de connaître un essor dans les années 1880. Abolition de la corvée, diminution de la taxe d'eau, élection de candidats ouvriers, grèves, les travailleurs sont invités à participer à plusieurs luttes communes. Si les ouvriers se liguent pour défendre leurs intérêts, il reste que la fragilité de cette union compromet le résultat de leur action. Les déboires des candidats ouvriers aux diverses élections montrent bien que les ouvriers sont plus sensibles aux manifestations partisanes qu'aux appels à la solidarité de classe.[99]

Les chroniques de Jean-Baptiste Gagnepetit résument les principes qui servent de pierre d'assise à l'activité des chefs ouvriers montréalais. Si Jean-Baptiste Gagnepetit identifie clairement des groupes socio-professionnels, des gouvernements, hostiles à la promotion ouvrière, il est incapable d'élaborer une explication satisfaisante de l'exploitation de la classe ouvrière. L'absence de législation du travail, l'existence de lois médiévales et injustes sont la raison, selon lui, de la misère des travailleurs. Les parlements d'avocats sont responsables de cette situation. C'est à eux qu'il faut s'attaquer afin d'obtenir les mesures favorables au bien-être et à la liberté des

99 «Cette organisation de classe, et donc en parti politique, est sans cesse détruite de nouveau par la concurrence que se font les ouvriers entre eux. Mais elle renaît toujours, et toujours plus forte, plus ferme, plus puissante.» (K. Marx, F. Engels, *Manifeste...*, p. 46.)

salariés. Si Gagnepetit décèle des collusions entre politiciens et puissances financières, il n'en tire pas de conclusions générales: ce sont pour lui des cas de corruption. Critiques pertinentes, percutantes parfois, et absence d'explication cohérente: ces deux traits de la pensée de Gagnepetit et des Chevaliers du Travail permettent de comprendre la théorie de l'harmonie des classes qu'ils n'abandonneront pas, même au coeur des luttes les plus ardues contre des patrons exploiteurs. Les ouvriers de cette époque ne s'opposent pas à l'entreprise capitaliste, aux patrons comme tels, mais plutôt aux abus de la propriété:[100]

Je désire être bien compris: je n'ai aucune animosité contre les chefs de maison, au contraire; je ne vise que les impuissants et les malfaisants, je ne parle que de ceux qui non seulement exploitent l'ouvrier mais encore nuisent aux industriels et aux commerçants en jetant sur le marché des marchandises à vil prix sur lesquelles ils réalisent cependant de grands bénéfices parce qu'elles ne leur coûtent rien ne les ayant pas payées.

Ailleurs, il affirme cette conviction:[101]

J'ai toujours prétendu que c'était à tort qu'on distinguait, dans les causes d'intérêt public, les propriétaires des locataires et les patrons des ouvriers. Leurs intérêts sont communs et toutes les classes de la communauté souffrent lorsque l'une d'elles est opprimée.

Le titre du journal ouvrier, publié par A.T. Lépine, un Chevalier du Travail, illustre les propos du chroniqueur de *La Presse*: *Le Trait d'Union, entre le capital et le travail*!

Cette vision de la société engendre un réformisme prudent: pressions auprès des parlements par les candidatures ouvrières afin d'améliorer la législation, discussion avec les patrons afin d'obtenir de meilleures conditions de travail, arbitrage des conflits, refus de brûler les étapes et de saboter les institutions. Le programme maximum d'un Jean-Baptiste Gagnepetit: la participation aux bénéfices de l'entreprise, le coopératisme. La timidité des théories prônées par les travailleurs montréalais illustre l'emprise qu'exerce sur eux le capitalisme industriel. Certes, les ouvriers demeurent un ferment, un facteur de

---

100 *La Presse*, 26 octobre 1884.
101 *La Presse*, 20 mai 1886.

changement social; cependant, leur faiblesse numérique, leur manque de solidarité et la jeunesse de leurs organisations les empêchent de contester en profondeur un régime économique qui les dessert.

Conclusion

Dans une économie en mutation, où se chevauchent les méthodes artisanales et le travail parcellaire, où se côtoient les petits ateliers et les immenses manufactures, vivent plus de 40 000 travailleurs. Avec leurs familles, ils forment près de 70% de la population montréalaise. Ils se partagent dans des centaines d'établissements, pratiquent des dizaines de métiers. Tous n'obéissent pas aux mêmes règles, les uns sont soumis à l'autorité arbitraire d'un chef d'atelier, d'un contremaître vindicatif. Leurs heures de travail sont longues, plus de douze heures par jour. Les lieux où s'égrènent ces heures de labeur sont malsains, froids en hiver et surchauffés en été. La discipline de l'atelier menace l'intégrité de leur salaire, amendes, exactions diverses grèvent leur maigre revenu. Pour d'autres travailleurs, plus heureux, les conditions de travail sont meilleures. La journée de labeur se limite à dix heures. Un travail spécialisé leur assure une certaine autonomie, leur permet de revendiquer des mesures d'hygiène et de sécurité industrielles. Employés dans des établissements de dimensions importantes, membres de l'union quelquefois, ils ont l'espoir d'imposer à leur patron, par leur solidarité, un adoucissement de l'exploitation de leur force de travail.

Tous ces travailleurs doivent affronter des échéances souvent menaçantes, un budget à boucler, un revenu insuffisant. Bon an, mal an, l'alimentation gruge près de 60% du revenu, le loyer, 20%. Les fluctuations des prix alimentaires et des loyers menacent l'équilibre précaire du budget ouvrier. Le vendeur de vêtements peut affirmer que le prix de sa marchandise baisse; son voisin, le vendeur de meubles, de même. Le poids de la nourriture et du logement sur le portefeuille ouvrier atténue l'effet de ces mouvements de baisse. Les méandres de la courbe des prix affectent sans doute le budget du prolétaire; plus encore le revenu insuffisant de celui-ci risque-t-il de transformer en misère une existence parcimonieuse. Chômage saisonnier et conjoncturel, immigration, maladie, accidents, menacent la régularité du salaire. En fait, rares sont les travailleurs qui jouissent d'un revenu proportionnel à leur salaire hebdomadaire. Inexorablement, les arrêts de travail grugent une portion variable du revenu.

Des ressources limitées et incertaines imposent à la famille ouvrière des conditions matérielles souvent difficiles, voire déplorables parfois. Un logis dépourvu des plus élémentaires commodités (cabinets avec chasse d'eau) est le lot de la majorité des travailleurs. La prolifération des fosses septiques contribue à l'augmentation de la morbidité et de la mortalité. Les coutumes alimentaires obéissent aux impératifs d'un humble salaire; si les rations sont copieuses et riches en glucide, l'équilibre nutritif n'en est pas pour autant assuré. Des carences vitaminiques rendent vulnérable une population où les enfants sont nombreux. L'état intellectuel et moral du prolétaire montréalais se calque sur sa situation matérielle: taux élevé d'analphabétisme, alcoolisme, délits mineurs se conjuguent pour isoler la frange inférieure de la classe laborieuse du reste de la société.

Pour modifier à leur avantage les règles de l'univers manufacturier, les travailleurs s'associent et développent un réseau d'organisations ouvrières. Associations de bienfaisance, sociétés mutuelles, unions de métier, Chevaliers du Travail jouent des rôles complémentaires et parfois concurrents. Leur influence, cependant, ne cesse d'être bénéfique: éducation populaire, amélioration de la législation du travail, éveil et cristallisation de la solidarité ouvrière à l'occasion de grèves. Les travailleurs mènent un autre combat dans l'arène politique. La modification de la législation relative au travail exige la présence de représentants ouvriers aux parlements et l'expression claire, par la classe laborieuse, de ses volontés de réformes. L'expérience politique des travailleurs se solde cependant par un échec relatif. Divisés dans l'action politique, les ouvriers sont solidaires devant la loi, celle-ci les menaçant tous. Règlements municipaux rétrogrades, absence ou imperfection de législations exposent les prolétaires à une exploitation multiforme.

L'expression politique de la volonté des travailleurs de même que les exigences de leurs unions tranchent, par leur timidité, avec la situation difficile à laquelle ils sont soumis. Pourquoi ne s'est-il pas développé à Montréal un courant socialiste, à l'image de la social-démocratie européenne? Ou bien un syndicalisme révolutionnaire, apôtre de la grève générale et du renversement des élites bourgeoises? L'orientation trade-unioniste des prolétaires montréalais se dégage clairement. Influence britannique? Hypothèse à retenir. Imbrication des associations ouvrières québécoises dans le syndicalisme nord-américain? Sans doute, le poids des Chevaliers du Travail et des unions de métier américaines affecte-t-il l'orientation du mouvement. Sans exclure ces explications, le recours aux conditions socio-économiques locales permet de comprendre la situation paradoxale de ces prolétaires exploités et pourtant solidaires du régime économique dont ils sont victimes.

Lénine analyse dans *Que faire?* la tendance inhérente à l'organisation ouvrière et conclut que, par inertie, la classe ouvrière tend à modeler son action sur l'idéologie bourgeoise. Pour lui, grèves et émeutes ne sont que le signe de «l'éveil de l'antagonisme entre ouvriers et patrons».[1] Ces manifestations de solidarité ne peuvent inculquer aux ouvriers la «conscience de l'opposition irréductible de leurs intérêts avec tout l'ordre politique et social existant, c'est-à-dire, la conscience social-démocrate».[2] La grève demeure un mouvement spontané. Lénine propose une façon d'amener les prolétaires à la conscience social-démocrate:[3]

> *Les ouvriers, avons-nous dit,* ne pouvaient avoir (souligné par Lénine) *encore la conscience social-démocrate. Celle-ci ne pouvait leur venir que de l'extérieur. L'histoire de tous les pays*

---

1 Lénine, *Que faire?* Paris, Le Seuil, 1966, p. 84.
2 Ibidem, p. 85.
3 Ibidem, p. 84-85.

atteste que, par ses seules forces, la classe ouvrière ne peut arriver qu'à la conscience trade-unioniste, c'est-à-dire à la conviction qu'il faut s'unir en syndicats, se battre contre les patrons, réclamer du gouvernement les lois nécessaires aux ouvriers, etc. Quant à la doctrine socialiste, elle est née des théories philosophiques, historiques, économiques élaborées par les représentants cultivés des classes possédantes, par les intellectuels.

Les travailleurs montréalais ont épousé la cause trade-unioniste parce que ce programme répondait à leur mouvement spontané.[4] Nul autre pôle d'attraction ne s'offrait à eux. La bourgeoisie canadienne-française sécrétait une conservatisme empreint de cléricalisme. Les radicaux de l'Institut canadien, les libéraux de Dorion et de Dessaules avaient presque disparu. Ceux-ci, sous peine d'être ostracisés, ont, au cours des ans et des querelles, délayé leurs idées radicales dans le cléricalisme ambiant. La bourgeoisie canadienne-française, professionnelle et cléricale, ne laisse filtrer que les idées compatibles avec son ordre des valeurs. Les enseignements de penseurs comme Marx, Proudhon et Fourier ne trouvent pas d'écho perceptible au Québec. On ne les cite que pour les condamner. Il n'est pas exclu que leurs oeuvres circulent sous le manteau, que des esprits curieux et non conformistes s'en alimentent. Il semble, cependant, que les chefs ouvriers, encadrés par l'élite bourgeoise, ne se réfèrent qu'à des sources autorisées: trade-unionisme britannique, syndicalisme américain. Non pas que ces mouvements plaisent aux hommes d'affaires et aux commerçants montréalais, mais ils doivent les accepter. Ce sont des concessions nécessaires au maintien de la paix sociale, comme la reconnaissance des syndicats était une façon d'amener les ouvriers à se plier à la légalité bourgeoise. Par contre, la société montréalaise est dépourvue d'un noyau d'intellectuels et d'hommes d'action qui sortiraient le mouvement ouvrier montréalais de sa tendance réformiste, inhérente à l'action spontanée des

4 «C'est pourquoi notre tâche, celle de la social-démocratie, est *de combattre la spontanéité, de détourner* le mouvement ouvrier de cette tendance spontanée au trade-unioniste à se réfugier sous l'aile de la bourgeoisie, pour l'attirer dans l'aile de la social-démocratie révolutionnaire.» (Ibidem, p. 96.)

travailleurs.[5]

L'objection fuse rapidement. Le mouvement ouvrier a ses penseurs ou, tout au moins, son élite syndicale. Ce sont les Lépine, Béland, Rodier, Boudreau, Lafontaine, etc. L'analyse socio-économique des dirigeants ouvriers s'imposerait, au préalable. Dès maintenant, on peut émettre l'hypothèse que les chefs ouvriers, embrigadés par les Chevaliers du Travail ou les unions de métier, songent, en premier lieu, à la promotion sociale de leur classe. Petits entrepreneurs, comme Lépine et Béland, ou promus fonctionnaires, comme Guyon, ils n'entrevoient probablement pas d'évolution sociale hors d'un système capitaliste, amélioré par une plus grande participation des travailleurs.

Un fait demeure: faute d'une classe d'intellectuels bourgeois imbus d'idées sociales avancées et solidaires des travailleurs, les prolétaires montréalais épousent inconsciemment les objectifs de la bourgeoisie. Mais un autre point de vue reste possible. Grâce à l'activité inlassable de travailleurs spécialisés et de salariés instruits, à des journalistes tels Lépine, Helbronner, Rodier, forts de l'appui des Chevaliers du Travail et des unions américaines, les ouvriers montréalais posent les bases d'un syndicalisme prudent et efficace, garant d'améliorations futures. De 1880 à 1900, les traits du capitalisme montréalais se précisent; la réponse des ouvriers aux problèmes industriels et manufacturiers se formule. Tout n'est pas dit. Mais l'histoire est là, en germe.

5 «Mais pourquoi — demandera le lecteur — le mouvement spontané, qui va dans le sens du moindre effort, mène-t-il précisément à la domination de l'idéologie bourgeoise? Pour cette simple raison que, chronologiquement, l'idéologie bourgeoise est bien plus ancienne que l'idéologie socialiste, qu'elle est plus achevée sous toutes ses formes et possède *infiniment* plus de moyens de diffusion.» (Ibidem, p. 97.)

COTE ST ANTOINE
Cote-des-Neiges Cemetery
Mount Royal
Cemetery
Mount Royal Park
EXHIBITION GROUND
HOTEL DIEU
CEDAR AVE
PINE AVENUE
CITY LIMITS
NOTRE DAME DE GRACE
MONTREAL COLLEGE
MONTREAL LACROSSE GROUNDS
CRICKET GROUNDS
ST ANTOINE
ST LAWRENCE
ST CUNEGONDE
LACHINE
ST GABRIEL
G.T.R. Offices
RACE COURSE
Lower Lachine Road
POINT ST CHARLES
Workshops
MONTREAL
North
RIVER
VICTORIA BRIDGE
RUSSELL
COMMISSIONER
BONSECOURS
RICHELIEU
JACQUES CARTIER
CHAMP DE MARS
VICTORIA BRIDGE
Centre Span 330 ft. and 60 ft. high
24 Spans 242 ft. each
Total length with Abutments 9084 ft.
Cost $ 6,300,000.00.

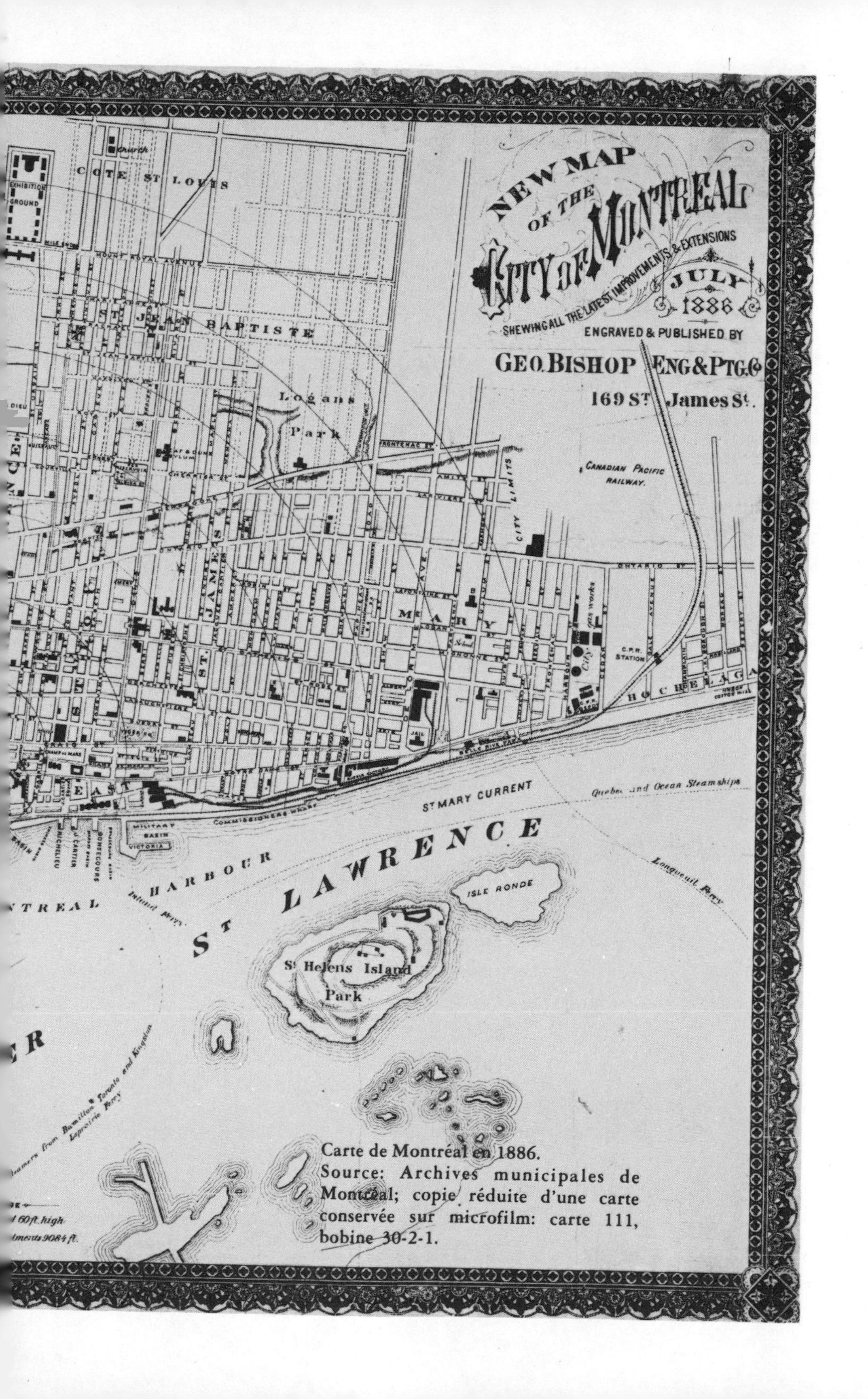

Carte de Montréal en 1886.
Source: Archives municipales de Montréal; copie réduite d'une carte conservée sur microfilm: carte 111, bobine 30-2-1.

Bibliographie

I. Sources manuscrites

A. Archives municipales de Montréal

Commission royale. Re. Administration de Montréal. 1909. *Rapport de M. le Juge L.J. Cannon, commissaire royal, présenté au Conseil, le 20 décembre 1909,* Montréal, 1909, 175p. Copie dactylographiée.

Témoignages de la Commission royale, 1909. Les procès-verbaux des témoignages devant la commission occupent dix volumes dactylographiés. La déposition de Jules Helbronner se trouve dans le volume IX.

Rapport du Recorder de Montigny sur l'état moral de la cité de Montréal au comité de police, Montréal, oct. 1898, 43 p. Copie dactylographiée.

B. Archives des Religieuses hospitalières de Saint-Joseph (Hôtel-Dieu de Montréal)

Annales des Religieuses Hospitalières de l'Hôtel-Dieu de Montréal. 1881-1892. Vol. 4A.

Journal de la dépense du monastère des Religieuses Hospitalières de l'Hôtel-Dieu de Montréal. 1886-1897.

II. Sources imprimées

A. Documents officiels du Canada

Ministère de l'Agriculture

Annuaire statistique 1889, Ottawa, Imprimeur de la Reine, 1890, 579 p.
Voir aussi les annuaires du même titre, de 1890 à 1895. Antérieurement à 1889, pour la période de 1886 à 1888, le titre est *Résumé statistique pour l'année...*

Recensement du Canada, Ottawa, Imprimeur de la Reine.
De 1871 à 1901, le recensement comprend quatre volumes.

Ministère du Travail

La Gazette du travail, Ottawa.
En particulier les articles suivants: «Règlements pour supprimer le système de «sweating» dans les contrats du gouvernement.» *GT*, vol. I, no 1 (septembre 1900), pp. 5-14.

«Législation en Canada pour la protection des personnes employées dans les manufactures.» *GT*, vol. I, no 3 (novembre 1900), pp. 103-112.

«Inspection des établissements industriels et conditions de l'emploi dans les fabriques en Canada.» *GT*, vol. V, no 5 (novembre 1904), pp. 493-510.

Bureau fédéral de la statistique

Forsey, Eugène, «Le syndicalisme au Canada. Historique du syndicalisme ouvrier au Canada.» *Annuaire du Canada, 1967*, Ottawa, Imprimeur de la Reine, 1967, pp. 835-846.

Parlement du Canada

Compte rendu officiel des débats de la Chambre des Communes du Canada, Ottawa, Imprimeur de la Reine. De 1889 à 1896: vol. XXVII à XLII.

Statuts du Canada, Ottawa, Imprimeur de la Reine.
En particulier les lois suivantes:
«Acte des associations ouvrières, 1872.» 1872, chap. 30.
«Acte pour amender les dispositions de «l'Acte pour amender la loi criminelle relative à la violence, aux menaces et à la molestation».» 1875, chap. 39.
«Acte pour amender la loi criminelle relative à la violence, aux menaces et à la molestation.» 1876, chap. 37.
«Acte pour abroger certaines lois déclarant criminelles les

violations de contrat de louage de service personnel, et pour pourvoir à la punition de certaines violations de contrat.» 1877, chap. 35.
«Acte à l'effet de prévenir et supprimer les coalitions formées pour gêner le commerce.» 1889, chap. 41.
«Acte modifiant de nouveau la loi criminelle.» 1890, chap. 37, art. 19.

Commissions royales d'enquête

Rapport de la Commission royale sur les relations du travail avec le capital au Canada, Ottawa, Imprimeur de la Reine, 1889, 195 p. Les témoignages que les commissaires ont recueillis lors des audiences publiques, au Québec, sont groupés dans:
Commission royale. Enquête sur les rapports qui existent entre le capital et le travail au Canada. Québec. Vol. I. Ottawa, Imprimeur de la Reine, s.d., 827-lvip.

Report of the Commissioners. Royal Commission on the Liquor Traffic, Ottawa, Queen's Printer, 1895, 1093 p.

Commission royale sur l'enseignement technique et industriel. Rapport des commissaires, Ottawa, Imprimeur du Roi, 1914, partie iv, pp. 1725-2551.

Report of the Board of Inquiry into Cost of Living, Ottawa, King's Printer, 1915, 2 vol.

Rapport de la Commission royale des relations entre le Dominion et les provinces. Volume 1. *Canada: 1867-1939*, Ottawa, Imprimeur du Roi, 1939, 285p.

Graer, A.E., *Législation ouvrière.* Étude préparée pour la Commission royale des relations entre le Dominion et les provinces. Appendice no 6, Ottawa, Imprimeur du Roi, 1939, 110p.

Mackintosh, W.A., *Le fondement économique des relations entre Dominion et les provinces.* Étude préparée pour la Commission royale des relations entre le Dominion et les provinces. Appendice no 3, Ottawa, Imprimeur du Roi, 1939, 111p.

Minville, Esdras, *La législation ouvrière et le régime social dans la province de Québec.* Étude préparée pour la Commission royale des relations entre le Dominion et les provinces. Appendice no 5, Ottawa, Imprimeur du Roi, 1939, 98p.

B. Documents officiels du Québec

Annuaire statistique de la province de Québec, Québec, Imprimeur du Roi, 1914, 454p.

Desjardins, Alphonse, *Débats de la législature de la province de Québec*, Québec, L.J. Demers, de 1884 à 1889.

Desjardins, Louis-Georges, *Débats de l'Assemblée législative de la province de Québec, 1892-1893,* Québec, L.J. Demers, 1895.

Malenfant, N., *Débats de la législature de la province de Québec, 1890*, Québec, Belleau et Cie, 1890.

Documents de la Session, Québec, Imprimeur de la Reine.
Les DS comprennent les rapports annuels des différents ministres et responsables d'organismes publics du Québec. Les statistiques concernant l'immigration se trouvent dans le rapport du ministre de l'Agriculture; les rapports des inspecteurs des manufactures se trouvent d'abord dans le rapport du ministre de l'Agriculture puis dans celui des Travaux publics. En voici la liste détaillée:

1890, 1ère session
DS, doc. no 2, 1890:
Rapport de M. C.T. Côté, pp. 127-138.
Rapport de M. James Mitchell, pp. 138-144.
Rapport de M. Louis Guyon, pp. 145-153.

1890, 2e session
DS, doc. no 2, 1890:
Rapport de M. C.T. Côté, pp. 251-256.
Rapport de M. Louis Guyon, pp. 257-263.
Rapport de M. James Mitchell, pp. 266-271.

1891
DS, doc. no 2, 1891:
Rapport de M. C.T. Côté, pp. 83-116.
Rapport de M. Louis Guyon, pp. 117-125.
Rapport de M. James Mitchell, pp. 128-131.
Rapport du Dr Brochu, pp. 132-143.
Rapport de M. G. Waters, pp. 144-146.

1892 (sic)
DS, doc. no 2, 1893:
Rapport de M. C.T. Côté, pp. 209-224.
Rapport de M. Louis Guyon, pp. 225-235.
Rapport de M. James Mitchell, pp. 237-245.
Rapport du Dr C.I. Samson, pp. 250-265.

1893
DS, doc. no 7, 1893:
Rapport de M. Joseph Lessard, pp. 101-103.
Rapport de M. Louis Guyon, pp. 104-108.
Rapport de M. James Mitcchell, pp. 109-112.
Rapport de M. C.T. Côté, pp. 114-115.
Rapport du Dr C.I. Samson, pp. 123-129.

1894
DS, doc. no 7, 1894:
Rapport de M. Joseph Lessard, pp. 116-136.

1895
DS, doc. no 7, 1895:
Rapport de M. Joseph Lessard, pp. 47-56.
Rapport spécial de M. C.T. Côté, pp. 57-62.
Règlements concernant les établissements industriels dans la province de Québec, pp. 63-79.

1896
DS, doc. no 7, 1896:
Rapport de M. Joseph Lessard, pp. 71-79.
Rapport de M. Louis Guyon, pp. 80-83.
Rapport de M. James Mitchell, pp.84-86.
Rapport de M. C.T. Côté, pp. 87-93.
Rapport du Dr C.R. Jones, pp. 94-96.

1897
DS, doc. n.n., 1897:
Rapport de M. Joseph Lessard, pp. 31-40.
Rapport de M. Louis Guyon, pp. 41-43.
Rapport de M. James Mitchell, pp. 50-53.
Rapports trimestriels de Mme King, pp. 61-66.
Rapports trimestriels de Mme Provencher, pp. 66-72.
Rapport de M. C.T. Côté, pp. 73-84.
Rapport du Dr C.R. Jones, p. 89.

1897-98
DS, doc. no 7, 1897-98.
Rapport de M. Joseph Lessard, pp. 47-63.
Rapport de M. Louis Guyon, pp. 64-67.
Rapport de M. James Mitchell, pp. 72-73.
Rapport de Mme King, pp. 79-80.
Rapport de Mme Provencher, pp. 81-83.
Rapport du Dr Stevenson, pp. 84-86.
Rapport de M. C.T. Côté, pp. 87-88.
Rapport du Dr Brochu, pp.89-93.
Statuts de la province de Québec, Québec, Imprimeur de la Reine.
En particulier les lois suivantes:
«Acte des Manufactures de Québec, 1885.» 1885, chap. 32.
«Loi des établissements industriels de Québec.» 1894, chap. 30.

C. Documents officiels de la ville de Montréal

Rapport sur l'état sanitaire de la cité de Montréal pour l'année de 1886, par le Dr Louis Laberge, médecin de la cité. Montréal, Perreault, 1887, 67p.
Rapports sur les comptes de la Corporation de la cité de Montréal et rapports des chefs de départements pour l'année 1890, Montréal, Eusèbe Sénécal, 1891.
En particulier: *Rapport annuel du chef de police pour l'année 1890*, Montréal, Eusèbe Sénécal, 1891, 26p.
Règlements de la cité de Montréal compilés à date, Montréal, Eusèbe Sénécal, 1893.

D. Journaux

Le Moniteur du Commerce, Montréal.
La Presse, Montréal.
En particulier, la chronique ouvrière hebdomadaire de Jules Helbronner qui couvre, avec quelques interruptions, la période de 1884 à 1894.
Le Monde, Montréal.
La Vérité, Québec.
La Patrie, Montréal.

La Minerve, Montréal.

L'Étendard, Montréal.

Le Travailleur de Lévis, Lévis.

Le Trait d'Union, Montréal.

Le Prix Courant, Montréal.

E. *Autres sources imprimées*

Beauchamp, J.J., *Répertoire de jurisprudence canadienne.* Contenant un résumé, sous forme alphabétique et chronologique de toutes les décisions judiciaires rapportées du Conseil privé, de la Cour suprême, de la Cour de l'Échiquier, des Cours d'Amirauté, de la Commission des chemins de fer et des tribunaux de la province de Québec et de toute la Puissance du Canada dans tout ce qui tombe sous la juridiction du Parlement fédéral depuis 1770 jusqu'à mai 1913, ainsi qu'une référence aux matières qui se trouvent dans les Statuts fédéraux et provinciaux et le texte de ces lois se rapportant au droit civil, avec divers appendices, Montréal, Wilson et Lafleur, 1914, tome II (D à L), 2410p.; tome III (M à R), 2590p.

Gemmill, J.A. (ed.), *The Canadian Parliamentary Companion*, Ottawa, J. Durie & Son, 1887, 1889, 1891, 1897.

Helbronner, Jules, *Rapport sur la section d'économie sociale de l'exposition universelle internationale de 1889, à Paris*, Ottawa, Imprimeur de la Reine, 1890, 686p.

Têtu, Mgr Horace et abbé C.O. Gagnon, *Mandements, lettres pastorales et circulaires des évêques de Québec.* Nouvelle série. Son éminence le Cardinal Taschereau, vol. 2. Québec, A. Côté et Cie, 1890, 826p.

III. Sources figurées

New Map of the City of Montreal. Shewing all the Latest Improvements & Extensions. July 1886. Geo. Bishop, Eng. & Ptg., Co.
Aux archives de la ville de Montréal: carte 111, bobine 30-2-1.

Hopkins, H.W., *Atlas of the City and Island of Montreal*, Montreal, Provincial Surveying and Pub. Co., 1879, 107p.

Letarte, Jacques, *Atlas d'histoire économique et sociale du Québec, 1851-1896*, Montréal, Fides, 1971.

IV. Études

A. Études spéciales

Montréal, fin-de-siècle. Histoire de la métropole du Canada au XIXe siècle, Montréal, The Gazette Printing Company, 1899, 216p.

Street Railway Journal. Souvenir Edition, Montréal, 1895.

Le transport urbain à Montréal 1861-1961, Montréal, Commission de transport de Montréal, 1961, s.p.

Ames, Herbert Brown, *The City Below the Hill. A Sociological Study of a Portion of the City of Montreal, Canada*, Montréal, The Bishop Engraving & Lenting Co., 1897, 72p. L'ouvrage a été réimprimé par University of Toronto Press, en 1972 (xviii-116p.).

Baillargé, abbé F.A., *La nature, la race, la santé dans leurs rapports avec la productivité du travail; application à la province de Québec*, Joliette, 1890, 98p.

de Barbezieux, R.P. Alexis, ofm, cap., *Cinq conférences sur l'encyclique de Léon XIII, de la condition des ouvriers, prêchées dans la salle Saint-Joseph, aux associations ouvrières d'Ottawa*, Mile-End, Imprimerie des sourds-muets, 1892, 246-lxxxivp.

Defoy, abbé Henri, *Jésus et l'ouvrier*, Québec, L. Brousseau, 1893, 19p.

Defoy, abbé Henri, *Le patron et l'ouvrier*, Québec, L. Brousseau, 1892, 16p.

Deneault, Amédée, *La forme chrétienne de l'assurance populaire. Essai sur la mutualité*, Montréal, Chénard, 1898, 88p.

Desroches, Dr J.I., *Traité élémentaire d'hygiène privée*, Montréal, Typographie W.F. Daniel, 1889, 186p.

Gosselin, Mgr David P.A., *Catéchisme populaire de la lettre encyclique de Notre T. Saint-Père Léon XIII*, Québec, Côté & Cie, 1891, 31p.

Larocque, R.P. Charles, *Guerre à l'intempérance. Lisez et méditez*, Montréal, Chapleau, 1887, vii-112p.

Lépine, Alphonse-Télesphore, *Explication de la déclaration de principes de l'Ordre des Chevaliers du Travail pour l'instruction des membres de la société*, Montréal, Imprimerie du Trait d'Union, 1887, 27p.

Rouillard, Eugène, *Les bibliothèques populaires. Multiplions les bibliothèques*, Québec, L.J. Demers & Frères, 1890, 61p.

B. Monographies

Angers, François-Albert et Patrick Allen, *Évolution de la structure des emplois au Canada*, Montréal, École des Hautes Études Commerciales, 1954, 112p.

Angers, François-Albert et Roland Parenteau, *Statistiques manufacturières du Québec*, Montréal, École des Hautes Études Commerciales, 1966, 166p.

Bélanger, Noël, Jacques Bernier, Judith Burt et collaborateurs, sous la direction de Jean Hamelin, *Les travailleurs québécois, 1851-1896*, Montréal, Presses de l'Université du Québec, 1973, xvi-224p.

Bertrand, Camille, *Histoire de Montréal*, Montréal, Beauchemin, 1942, tome II: 1760-1942, 284p.

Blanchard, Raoul, *L'Ouest du Canada français*. Tome I: Montréal et sa région, Montréal, Beauchemin, 1953, 399p.

Charpentier, Alfred, *Ma conversion au syndicalisme catholique*, Montréal, Fides, 1946, 240p.

Coop. Terry, *The Anatomy of Poverty. The Condition of the Working Class in Montreal. 1897-1927*, Toronto, McClelland and Steward, 1974, 192p.

Currie, A.W., *The Grand Trunk Railway of Canada*, Toronto, University of Toronto Press, 1957, 556p.

Després, Jean-Pierre, *Le mouvement ouvrier canadien*, Montréal, Fides, s.d., 205p.

Easterbrook, W.T. et H.G.J. Aitken, *Canadian Economic History*, Toronto, The Macmillan Co. of Canada Ltd., 1963, 606p.

Gagnon, Robert, Louis LeBel, Pierre Verge, *Droit du travail en vigueur au Québec*, Québec, Presses de l'Université Laval, 1971, 441p.

Hamelin, Jean et Yves Roby, *Histoire économique du Québec. 1851-1896*, Montréal, Fides, 1971, 436p.

Hamelin, Jean, Jacques Rouillard et Paul Larocque, *Répertoire des grèves dans la province de Québec au XIXe siècle*, Montréal, les Presses de l'École des Hautes Études Commerciales, 1970, 168p.

Harvey, Fernand, *Aspects historiques du mouvement ouvrier au Québec*, Montréal, Boréal Express, 1973, 226p.

Henripin, Jacques, *Les divisions de recensement au Canada de 1871 à 1951*, Montréal, École des Hautes Études Commerciales, 1956, 60p.

Héroux, Denis et Richard Desrosiers, *Le travailleur québécois et le syndicalisme*, Cahiers de Sainte-Marie, no 2, Montréal Éd. de Sainte-Marie, s.d., 120p.

King, William Lyon Mackenzie, *Industry and Humanity. A Study in the Principles Underlying Industrial Reconstruction*, Toronto, University of Toronto Press, 1973, xxiv-357p. (Première édition: 1918.)

Lacoste, Norbert, *Les caractéristiques sociales de la population du Grand Montréal*, Montréal, Université de Montréal, 1958, 267p.

Lamothe, Cléophas et Laviolette & Massé, *Histoire de la corporation de la cité de Montréal depuis son origine jusqu'à nos jours*, Montréal, Montreal Printing and Publishing Co. Ltd., 1903, xii-848p.

Lavoie, Yolande, *L'émigration des Canadiens français aux États-Unis avant 1930*, Montréal, Presses de l'Université de Montréal, 1972, 87p.

Leblond de Brumath, Adrien, *Histoire populaire de Montréal depuis son origine jusqu'à nos jours*, Montréal, Beauchemin, 1926, 301p.

Lefebvre, Jean-Paul, *La lutte ouvrière; les pages les plus dramatiques de l'histoire du travail et des travailleurs*, Montréal, Éd. de l'Homme, 1960, 92p.

Lipton, Charles, *The Trade Union Movement of Canada. 1857-1959*, Montréal, Canadian Social Publications Ltd, 1968, 366p.

Logan, Harold A., *Trade Unions in Canada. Their Development and Functionning*, Toronto, The Macmillan Co. of Canada Ltd., 1948, 639p.

Magnan, Jean-Charles, *Éclairons la route. A la suite des statistiques, des faits et des principes*, Québec, Librairie Garneau, 1922, 246p.

Orban, Edmond, *Le Conseil législatif de Québec. 1867-1967*, Bruges, Paris et Montréal, Desclée de Brouwer, Les Éditions Bellarmin, 1967, 354p.

Raynauld, André, *Croissance et structure économique de la province de Québec*, Québec, Ministère de l'Industrie et du Commerce, 1961, 657p.

Roby, Yves, *Alphonse Desjardins et les Caisses populaires. 1854-1920*, Montréal, Fides, 1964, 149p.

Roy, Jean-Louis, *Les programmes électoraux du Québec*, Montréal, Leméac, 1970, tome I, 238p.

Rumilly, Robert, *Histoire de la province de Québec*, Montréal, Éd. Bernard Valiquette.
vol. IV, «Les Castors», s.d., 253p.
vol. V, «Louis Riel», 1941, 315p.
vol. VI, «Les Nationaux», 1942, 350p.
vol. VII, «L.O. Taillon», s.d., 283p.
vol. VIII, «Wilfrid Laurier», s.d., 234p.

Rumilly, Robert, *Histoire de Montréal*, Montréal, Fides, 1972, tome III, 526p.

Ryan, F. William, *The Clergy and Economic Growth in Quebec (1896-1914)*, Québec, Presses de l'Université Laval, 1966, 348p.

Ryerson, Stanley-Bréhaut, *Le capitalisme et la Confédération*, Montréal, Parti-pris, 1973, 549p.

Vaillancourt, Cyrille et Albert Faucher, *Alphonse Desjardins, pionnier de la coopération d'épargne et de crédit en Amérique*, Lévis, le Quotidien, 1950, 232p.

C. Thèses

Bélanger, Ovila, «La formation professionnelle dans les centres d'apprentissage.» Thèse M.A. (Relations industrielles), Québec, Université Laval, 1949, 229p.

Bernier, Jacques, «La condition ouvrière à Montréal à la fin du XIXe siècle (1874-1896).» Thèse M.A. (Histoire), Québec, Université Laval, 1970, 106p.

Kennedy, D.R., «The Knights of Labor of Canada.» Thèse M.A., University of Western Ontario, 1956, 127p.

Larocque, Paul, «La condition socio-économique des travailleurs de la ville de Québec (1896-1914).» Thèse M.A. (Histoire), Québec, Université Laval, 1970, 212p.

Marceau, Claude, «Évolution de la conscience ouvrière, 1840-1940.» Thèse M.A. (Sociologie), Montréal, Université de Montréal, 1969, 339p.

Martin, Jacques, «Les Chevaliers du Travail et le syndicalisme international à Montréal.» Thèse M.A. (Relations industrielles), Montréal, Université de Montréal, 1965, 135p.

Moisan, André, «Apprentissage des métiers de la construction dans la région de Québec.» Thèse M.A. (Relations industrielles), Québec, Université Laval, 1952, 151p.

Paré, Philippe, «Évaluation théorique du régime d'apprentissage de la Province de Québec.» Thèse de Licence (Orientation professionnelle), Québec, Université Laval, 1967, 140p.

Rouillard, Jacques, «Les filatures de coton au Québec, 1900-1915.» Thèse M.A. (Histoire), Québec, Université Laval, 1970, 176p.

D. Articles

«Documents: le syndicalisme au Québec en 1895.» *Socialisme 64*, automne 1964, pp. 66-73.

«Montréal tel que l'ont vu de 1820 à 1910 les visiteurs étrangers.» *Cahiers de l'Académie canadienne-française*, no 10 (1966), 162p.

«La propriété du sol et ses adversaires au congrès ouvrier de Montréal.» *Revue Canadienne*, (1894), pp. 432-447.

Bédard, M.H., p.s.s., «Le socialisme. (Étude donnée sous forme de conférence au Cercle Ville-Marie le 6 décembre 1893.)» *Revue Canadienne*, (1894), pp.82-93.

Bernard, Jean-Paul, Michel Grenon et Paul-André Linteau, «Chronique de la recherche. II: La société montréalaise au 19e siècle: préliminaire à une étude des classes populaires urbaines.» *RHAF*, vol. XXVI, no 1 (juin 1972), pp. 149-150.

Bertram, Gordon W., «Economic Growth in Canadian Industry, 1875-1915: the Staple Model and the Take-off Hypothesis.» CJEPS, vol. XXIV, no 2 (mai 1963), pp. 159-184.

Bouvier, R.P. Frédéric, s.j., «L'instruction obligatoire.» *Revue Canadienne*, (1890), pp. 281-291 et 346-359.

Charpentier, Alfred, «Le mouvement politique ouvrier de Montréal. 1883-1929.» *RI*, vol. X, no 2 (mars 1955), pp. 74-95.

Chartier, Roger, «L'inspection des établissements industriels (1885-1900).» *RI*, vol. XVII, no 1 (janvier 1962), pp. 43-58.

Creighton, Donald, «George Brown, Sir John Macdonald, and the «working-man». An Episode in the History of the Canadian Labour Movement.» *Canadian Historical Review*, vol. XXIV, no 4 (décembre 1943), pp. 362-376.

David, Marcel, «L'évolution historique des Conseils de prud'hommes en France.» *Droit Social*, no 2 (février 1974), pp. 3-21.

Desjardins, Édouard, «La grande épidémie de picote noire.» *Union médicale du Canada*, tome 99 (août 1970), pp. 1470-1477.

Dofny, Jacques et Marcel Rioux, «Les classes sociales au Canada français.» *Revue française de sociologie*, juillet-septembre 1962, pp. 290-300.

Dumazedier, Joffre, «Réalités du loisir et idéologies.» *Esprit,* no 6 (juin 1959), pp. 866-893.

Dumont, Fernand, «La représentation idéologique des classes au Canada français.» *Recherches sociographiques*, vol. VI, no 1 (janvier-avril 1965), pp. 9-22.

Elliott, Robblins L., «The Canadian Labour Press from 1867: A Chronological Annotated Directory.» CJEPS, vol. XIV, no 2 (mai 1948), pp. 220-227.

Espessat, Hélène, Jean-Pierre Hardy et Thierry Ruddell, «Le monde du travail au Québec aux XVIIIe et XIXe siècles: historiographie et état de la question.» RHAF, vol. XXV, no 4 (mars 1972), pp. 499-539.

Faucher, Albert et Maurice Lamontagne, «History of Industrial Development.» dans Marcel Rioux et Yves Martin, *French-Canadian Society*, Toronto, McClelland Stewart Ltd, 1964, pp. 257-271.

Genest, Jean-Guy, «La vie ouvrière au Québec. 1850-1900. La réaction antisyndicale.» *Protée*, vol. II, no 1 (avril 1972), pp. 51-69.

Harvey, Fernand, «Nouvelles perspectives sur l'histoire sociale au Québec. Notes critiques.» *RHAF*, vol. XXIV, no 4 (mars 1971), pp. 567-581.

Harvey, Fernand, «Les travailleurs québécois au XIXe siècle: essai d'un cadre d'analyse sociologique.» *RHAF*, vol. XXV, no 4 (mars 1972), pp. 540-551.

Kaes, René, «Une conquête ouvrière.» *Esprit*, no 6 (juin 1959), pp. 894-912.

Kovacks, Aranka E., «A Tentative Framework for the Philosophy of the Canadian Labour Movement.» *RI*, vol. XX, no 1 (janvier 1965), pp. 25-51.

Langdon, Steven, «The Emergence of the Canadian Working Class Movement, 1845-75.» *Journal of Canadian Studies / Revue d'études canadiennes*, vol. VIII, no 2 (mai 1973), pp. 3-13 et vol. VIII, no 3 (août 1973), pp. 8-26.

Leclercq, Jean, «Roman-feuilleton et condition ouvrière au XIXe siècle.» *Europe*, no 542 (juin 1974), pp. 68-74.

Legendre, Napoléon, «La question sociale. Les grèves.» *Revue Canadienne*, 1893, pp. 142-149.

Maheu, Louis, «Problème social et naissance du syndicalisme catholique.» *Sociologie et sociétés*, vol. I, no 1 (mai 1969), pp. 69-89.

Massicotte, E.Z., «Brève histoire du parc Sohmer.» *Cahiers des Dix*, no 11 (1946), pp. 97-117.

Ostry, Bernard, «Conservative, Liberals and Labour in the 1870's.» *The Canadian Historical Review*, vol. XLI, no 2 (juin 1960), pp. 93-127.

Ostry, Bernard, «Conservatives, Liberals and Labour in the 1880's.» CJEPS, vol. XXVII, no 2 (mai 1961), pp. 141-161.

Paquet, Gilles, «L'émigration des Canadiens français vers la Nouvelle-Angleterre, 1870-1890: prises de vues quantitatives.» *Recherches sociographiques*, vol. V, no 3 (sept-déc. 1964), pp. 319-370.

Royal, Joseph, «Le socialisme aux États-Unis et en Canada.» *Mémoires de la Société royale du Canada*, 1894, section I, pp. 49-61.

Saint-Pierre, Arthur, «Sweating system et salaire minimum.» *Revue trimestrielle canadienne*, vol. V, no 2 (août 1919), pp. 178-206.

Watt, F.W., «The National Policy, the Workingman, and Proletarian Ideas in Victorian Canada.» *Canadian Historical Review*, vol. XL, no 1 (mars 1959), pp. 1-26.

V. Ouvrages généraux

Chevalier, Louis, *Classes laborieuses et classes dangereuses à Paris dans la première moitié du XIXe siècle*, Paris, Plon, 1958, 566p.

Chombart de Lauwe, Paul-Henry, *La vie quotidienne des familles ouvrières* (Recherches sur les comportements sociaux de consommation), Paris, Centre national de la Recherche scientifique, 1956, 307p.

David, Marcel, *Les travailleurs et le sens de leur histoire*, Paris, Cujas, 1967, 387p.

Debouzy, Marianne, *Le capitalisme sauvage aux États-Unis (1860-1900),* Paris, Éd. du Seuil, 1972, 237p.

Fourastié, Jean, *Le grand espoir du XXe siècle*, Paris, Gallimard, coll. Idées, 1963, 372p.

Friedman, Georges et Pierre Naville, *Traité de sociologie du travail*, Paris, Armand Colin, 1961-1962, 2 vol.

Griffin, John I., *Strikes. A study in Quantitative Economics*, New York, Columbia University Press, 1939, 319p.

Gurvitch, Georges, *Études sur les classes sociales*, Paris, Gonthier, 1966, 248p.

Halbwachs, Maurice, *L'évolution des besoins dans les classes ouvrières*, Paris, Alcan, 1933, 163p.

Halbwachs, Maurice, *The Psychology of Social Class*, Londres, William Heinemann, 1958, 142p.

Lesourd, J.A. et C. Gérard, *Histoire économique. XIXe-XXe siècles*, Paris, Armand Colin, 1963, tome I, 292p.

Levasseur, Émile, *L'ouvrier américain*, Paris, Librairie de la société du recueil général des lois et arrêts, 1898, 2 vol.

Marx, Karl, *Le Capital*. Livre I, Paris, Gonthier-Flammarion, 1969, 699p.

Marx, Karl et Friedrich Engels, *Manifeste du parti communiste*, Paris, Éditions sociales, 1966, 95p.

Michels, Robert, *Les partis politiques. Essai sur les tendances oligarchiques des démocraties*, Paris, Flammarion, 1971, 269p.

Naville, Pierre, *La vie de travail et ses problèmes*, Paris, Armand Colin, 1954, 189p.

Perrot, Michelle, *Les ouvriers en grève. France 1871-1890*, Paris, Mouton, 1974, 2 vol., 900p.

Philippet, Robert, *Initiation à une démographie sociale*, Louvain, Éditions de la Société d'Études Morales, Sociales et Juridiques, 1957, 216p.

Pierrard, Pierre, *La vie ouvrière à Lille sous le Second Empire*, Paris, Bloud & Gay, 1965, 532p.

Ponteil, Félix, *Les classes bourgeoises et l'avènement de la démocratie*, Paris, Albin Michel, 1968, 573p.

Reinhard, Marcel, André Armangaud et Jacques Dupaquier, *Histoire générale de la population mondiale*, Paris, Éd. Montchrestien, 1968, 708p.

Rostow, Walter W., *Les étapes de la croissance économique*, Paris, Éd. du Seuil, 1963, 255p.

Sorel, Georges, *Réflexion sur la violence*, Paris, Marcel Rivière et Cie, 1972, 394p.

Wrigley, E.A., *Société et population*, Paris, Hachette, 1969, 256p.

VI. Bibliographies et ouvrages de référence

Cotta, Alain, *Dictionnaire de science économique*, Paris, Mame, 1968, 437p.

Isbester, A.F., D. Coates et C.B. Williams, *Industrial and Labour Relations in Canada. A Selected Bibliography*, Kingston, Industrial Relations Center, Queen's University, 1965, 120p.

Johnson, J.K., *The Canadian Directory of Parliament. 1867-1967*, Ottawa, Public Archives of Canada, 1968, 731p.

LeBlanc, André, James D. Thwaites et collaborateurs, *Le monde ouvrier au Québec. Bibliographie rétrospective.* Montréal, Presses de l'Université du Québec, 1973, xvi-288p.

Romeuf, Jean, *Dictionnaire d'économie politique*, Paris, Presses Universitaires de France, 1958, 1198p.

Say, Léon, *Nouveau dictionnaire d'économie politique*, Paris, Guillaumin et Cie, 1892, 4 vol. En particulier, les articles portant sur le travail, les prix, les prud'hommes, l'industrie.

Urquhart, M.C. et K.A.H. Buckley, *Historical Statistics of Canada*, Toronto, The Macmillan Co. of Canada, 1965, 672p.

LISTE DES TABLEAUX

LISTE DES SIGLES

CJEPS: *Canadian Journal of Economics and Political Science.*

CRCTC: Commission royale d'enquête sur les relations entre le travail et le capital.

DS: *Documents de la Session*, province de Québec.

RHAF: *Revue d'histoire de l'Amérique française.*

RI: *Relations industrielles.*

S.C.: *Statuts du Canada.*

S.Q.: *Statuts du Québec.*

TABLE

CET OUVRAGE
COMPOSÉ EN GARAMOND CORPS 12 SUR 13
A ÉTÉ ACHEVÉ D'IMPRIMER
A TROIS MILLE EXEMPLAIRES
SUR PAPIER BOUFFANT SUBSTANCE 120
LE SEPT MAI MIL NEUF CENT SOIXANTE-QUINZE
PAR LES TRAVAILLEURS DES PRESSES
DE L'IMPRIMERIE GAGNÉ LIMITÉE
A SAINT-JUSTIN
POUR LE COMPTE DES ÉDITIONS DE L'AURORE

collection connaissance des pays québécois

déjà parus

Le Livre des proverbes québécois, Pierre Des Ruisseaux
Le Livre des sacres et blasphèmes québécois, Gilles Charest
La Grande Peur d'octobre '70, Jean Provencher
Police et politique au Québec, Guy Tardif
Le P'tit Almanach illustré de l'habitant, Pierre DesRuisseaux
Le Calendrier québécois 1975, Année internationale des femmes
Les «*Cageux*», Léon-A. Robidoux
Manuel de la petite littérature du Québec, Victor-Lévy Beaulieu
Histoire des Patriotes, Gérard Filteau
La Communauté urbaine de Montréal: une réforme ratée
Jacques Benjamin